TEACSTAICHEא NA H-Alba

AN T-SREATH UR
LEABHAR A DHA

MAIRI MHOR NAN ORAN
Taghadh de a h-Orain

MAIRI MHOR
NAN ORAN

Taghadh de a h-òrain
le eachdraidh a beatha is notaichean

deasaichte le
DOMHNALL EACHANN MEEK

Air fhoillseachadh le Scottish Academic Press
do
Chomann Litreachas Gàidhlig na h-Alba
(Scottish Gaelic Texts Society)

Air fhoillseachadh an toiseach ann an 1977
le Gairm, 29 Sràid Bhatairliù, Glaschu.
An deasachadh seo air fhoillseachadh ann an 1998
le Scottish Academic Press, 22 Sràid Hanòbhar,
Dùn Eideann, EH2 2EP
do Chomann Litreachas Gàidhlig na h-Alba.

First published in 1977
by Gairm, 29 Waterloo Street, Glasgow.
This edition published in 1998
by Scottish Academic Press, 22 Hanover Street,
Edinburgh, EH2 2EP
on behalf of the Scottish Gaelic Texts Society.

Printed by BPC-AUP Abcrdeen Ltd

LAGE/ISBN 0 7073 0767 8

Chuidich Comhairle nan Leabhraichean am foillsichear
le cosgaisean an leabhair seo.

Tha an Comann a' toirt taing do na buidhnean a leanas
airson taic airgid a thoirt don leabhar seo:

Oilthigh Dhùn Eideann
Roinn na Ceiltis, Oilthigh Ghlaschu
Oilthigh Obar Dheathain

CLAR-INNSE

RO-RADH

Tha "còrr is fichead bliadhna" ann a-nise bhon a dh'fhoillsich *Gairm* an leabhar seo an toiseach. Theirig a' chiad chlò-bhualadh o chionn còig bliadhna no mar sin, ach cha tàinig lasachadh air an ùidh a ghabh daoine ann am Màiri Mhòr. Gu dearbh, saoilidh mi gun do bhrosnaich a' chiad chlò-bhualadh cuid mhath den ùidh sin, agus tha daoine eòlach air Màiri an-diugh aig nach robh eòlas sam bith oirre no air a h-òrain ann an 1977. 'S e am meas sin air Màiri agus air a h-òrain as adhbhar gu bheil an leabhar seo ga thairgsinn as ùr don luchd-leughaidh. Tha mi fada an comain Comann Litreachas Gàidhlig na h-Alba airson a chur anns an t-sreath ùr aca.

   Mar a thubhairt mi anns a' chiad deasachadh, chan eil anns an leabhar seo ach taghadh beag às na tha ri lorg de na h-òrain aig Màiri Mhòr – mu thrì mìle sreath a-mach à còrr is naoi mìle. Ann a bhith a' dèanamh an taghaidh, dh'fheuch mi ri luach gach òrain a thomhas mar litreachas agus mar eachdraidh, agus a' chuid as fheàrr dhiubh a ghleidheil. Anns an dàrna deasachadh, gheibhear ochd òrain a bharrachd air na bh' anns a' chiad fhear, agus mar sin tha an dealbh air saothair Màiri nas fharsainge. Gheibhear cunntas aig deireadh an leabhair air na h-òrain a dh'fhàg mi às, le beagan fiosrachaidh far a bheil sin iomchaidh.

   Tha cruth an dàrna leabhair eadar-dhealaichte seach cruth a' chiad fhir. An uair seo, chruinnich mi na h-òrain nam buidhnean a-rèir a' phrìomh chuspair a tha annta, agus tha mi an dòchas gun toir seo cothrom nas fheàrr don leughadair a bhith a' breithneachadh air mar a bha sealladh Màiri agus a cuid òran ag atharrachadh rè nam bliadhnachan. 'S dòcha gur h-e an t-eadar-dhealachadh as motha anns an deasachadh ùr gu bheil na notaichean a tha a' mìneachadh nan òran a-nise an cois gach òrain, seach a bhith aig deireadh an leabhair. Leis an atharrachadh sin, tha mi an dòchas gum bi an leabhar nas fhasa a chleachdadh. Tha tuilleadh fiosrachaidh mu bheatha Màiri agus tuilleadh sgrùdaidh oirre fhèin 's air a h-òrain anns na caibideilean aig toiseach an leabhair.

   Nuair a dheasaich mi an leabhar air tùs, cha robh ach corra neach ann aig an robh fios is eòlas sgoileireil mu na thachair anns an naoidheamh linn deug. Bha an t-Ollamh Seumas Mac an t-Sealgair air an leabhar ainmeil aige, *The Making of the Crofting Community*, a chur ùr an clò ann an 1976, bliadhna mus do nochd *Màiri Mhòr*. Bha sinn a' fosgladh na sgrìob còmhla. Thàinig toradh às an treabhadh, agus an-diugh tha dòrlach mhath de

7

leabhraichean 's de dh'aistidhean againn a tha a' soilleireachadh cùisean an ama. Gheibhear fiosrachadh mionaideach air na tachartasan a ghluais Màiri ann an leabhraichean mar *The Crofters' War* aig I.M.M. MacPhail. Dh'fheuch mi fhìn ri dualchas nan òran a mhìneachadh cuideachd, agus faodar na h-òrain aig Màiri a choimeas ri saothair nam bàrd eile bhon àm sin le bhith a' cleachdadh an leabhair agam, *Tuath is Tighearna*, a dh'fhoillsich Comann Litreachas Gàidhlig na h-Alba ann an 1995.

Mura b' e am Proifeasair Ruaraidh MacThòmais, a dh'iarr orm an toiseach an taghadh a ghabhail os làimh, agus an deasachadh a dhèanamh anns a' Ghàidhlig, cha bhiodh an leabhar seo idir ann. B' esan gu ìre mhòir a las an ùidh a tha agam ann an litreachas na Gàidhlig, agus gu h-àraid litreachas na naoidheamh linn deug. Tha mi fada, fada na chomain.

Ann a bhith a' deasachadh a' chiad chlò-bhualaidh den leabhar, fhuair mi cuideachadh bho iomadh neach, agus cha bu mhath leam gun rachadh an dìochuimhneachadh. Bu mhath leam an t-àite toisich am measg mo luchd-cobhair a thoirt don Ollamh Somhairle MacGill-Eain (nach maireann) a bha cho fialaidh le fiosrachadh 's a bha e le coibhneas is foighidinn. Is iad na sgrìobhaidhean eirmseach aigesan a thug a' chiad treòrachadh dhomh anns an raon seo. Cha dìochuimhnich mi gu bràth na h-oidhcheannan mòra a bha againn còmhla ann an Dùn Eideann.

Fhuair mi fiosrachadh air deifir phuingean bho na daoine a leanas: Hùisdean Barron; Iain A. ('Jake') MacDhòmhnaill, nach maireann; an t-Urr. Uillcam MacMhathain, nach maireann; a' Bhean-uasal Mairead Farmer; Calum MacLeòid, a bha ann an Oifis a' Chomuinn Ghàidhealaich; an t-Ollamh Dòmhnall Iain MacLeòid; an t-Ollamh Barry Clark; an t-Urr. Tormod Dòmhnallach, nach maireann; Iain MacLeòid, a tha an-diugh ann an Cuil-bhàicidh; Coinneach Dòmhnallach, a bha ann an Oilthigh Ghlaschu. Thug an *Illustrated London News* cead dhomh na dealbhan aca ùisneachadh. Bha mi cuideachd an comain luchd-deasachaidh nam pàipearan ionadail, gu h-àraid an t-*Oban Times*, airson cothrom air fiosrachadh a thoirt asda. Bha Leabharlann Phoblach Inbhir Nis air leth taiceil, agus bu mhath leam taing a thoirt do Thormod Newton airson mo stiùireadh ann an raointean nam pàipearan nuair a bha mi ag ath-dhearbhadh nan iomraidhean airson an deasachaidh ùir seo.

Airson an dàrna deasachaidh, thug Hùisdean Barron, mar bu dual, tuilleadh fiosrachaidh dhomh, agus leugh e an leabhar gu lèir mus deachaidh a chur an clò, airson 's gum bithinn ceart a thaobh nan tachartas a bhuineadh do dh'Inbhir Nis. Tha mi anabarrach fada na chomain airson a chuideachaidh, gu h-àraid leis a' chuibhrinn dhuilich, thoinnte de bheatha Màiri a tha ceangailte ris a' bhaile sin. 'S esan a bha fialaidh fad nam bliadhnachan; 's iomadh sgrìobag a fhuair mi bhuaithe le fiosrachadh luachmhor anns gach tè; 's e leabhar truagh a bhiodh an seo mura bith na rinn Hùisdean às mo leth.

Rinn an Dotair Alasdair MacIlleathain, Aird Bheàrnasdail, cobhair orm a thaobh an Eilein Sgiathanaich. A bharrachd air fios-rachadh a thoirt dhomh, leugh esan an leabhar cuideachd. Cheartaich e puing no dhà, agus thug e dhomh mìneachadh air cuid de na sreathan a bu duilghe anns na h-òrain. Is mòr m' fhiachan do Chloinn Illeathain.

Fhuair mi fiosrachadh feumail bho Iain MacIomhair ann an Leabharlann Nàiseanta na h-Alba, bhon Ollamh Iain MacAonghuis ann an Dùn Eideann, agus bho Jeff MacLeòid ann an Inbhir Nis. Thug mo dheagh charaid, Uisdean MacIllinnein (Ceasag a Tuath), iasad dhomh de chuid de na dealbhan a bha anns a' chiad deasachadh (1891) de na h-òrain aig Màiri. Thug am Proifeasair Colm Ó Baoill cuideachadh dhomh le fuinn nan òran.

Chaidh an dàrna deasachadh a dhèanamh leis na goireasan as ùire. Chaidh a' chiad deasachadh aiseag gu mìorbhaileach bho na duilleagan pàipeir gu diosg coimpiutair fo làimh Uilleim Simpson, a bha aig an àm sin ag obair do Roinnean nan Cànainean Ura ann an Oilthigh Obar Dheathain. Rinn seo cùisean mòran na b' fhasa dhòmhsa.

Chaidh uallach an deasachaidh, agus gu h-àraid uallach a' phìos mu dheireadh dheth, aotromachadh gu mòr a chionn 's gun tug Oilthigh Obar Dheathain bliadhna shàbaideach dhomh ann an 1996–97. Tha mi fada an comain Comataidh Rannsachaidh an Oilthighe airson saorsa cho taitneach a thoirt dhomh bho dhrip na Roinne Ceiltich.

'S e an t-Ollamh Riseard Cox, Rùnaire Comann Litreachas Gàidhlig na h-Alba, a stiùir an leabhar tron chlò an turas seo, agus bu mhath a chaidh e ris. Thug na Proifeasairean Ruaraidh MacThòmais agus Uilleam MacGill'Iosa, an dithis sgoilear a rinn sgrùdadh air a' chiad tarraing den leabhar às leth Comann Litreachas Gàidhlig na h-Alba, cuideachadh mòr dhomh. Thug am Proifeasair MacGill'Iosa seòladh mionaideach dhomh air iomadh puing, ach rinn e tròcair orm gu h-àraid le bhith a' comharrachadh nam facal a tha anns an fhaclair ghoirid a tha an cois an leabhair.

A bharrachd air a bhith a' glanadh is ag ùrachadh an leabhair, dh'fheuch mi ris na mearachdan a bha anns a' chiad deasachadh a cheartachadh. Tha mi an dòchas nach eil iomrall sam bith air fhàg-ail ann an turas seo. Ma tha, is mise a-mhàin as coireach.

Tha an leabhar seo ga thairgsinn do luchd na Gàidhlig mar chuimhneachan air a' bhana-bhàrd fhèin, airson 's "gun cuimhn-icheadh sibh Màiri" ceud bliadhna an dèidh a bàis ann an 1898.

9

Mar Thirisdeach a tha na Sgiathanach air taobh a mhàthar, 's e urram da-rìribh a th' ann dhòmhsa a bhith ga dheasachadh is ga thoirt am follais uair eile.

DOMHNALL E. MEEK
A' Chàisg, 1998

LEABHRAICHEAN IS BUNAITEAN FIOSRACHAIDH

GIORRACHAIDHEAN

Tha na giorrachaidhean a leanas air an cleachdadh aig toiseach an leabhair agus anns na notaichean:

AFC: *Annals of the Free Church of Scotland*, deas. W. Ewing, 2 earrann (Edinburgh, 1914).
Celt. Mon.: *The Celtic Monthly*.
CM: *The Celtic Magazine*.
DO: *Dain agus Orain Ghaidhlig*, le Mairi Nic-a'-Phearsain (Inbhir Nis, 1891). (Sgrìobhte bho aithris Màiri le Iain Mac Ille Bhàin.)
DSCHT: *The Dictionary of Scottish Church History and Theology*, deas. N. Cameron, D. Wright, D. Lachman agus D. Meek (Edinburgh, 1993).
FES: *Fasti Ecclesiae Scoticanae*, deas. H. Scott, 9 earrannan (Edinburgh, 1915–61).
G: *Gairm*.
H: *The Highlander*.
HN: *The Highland News*.
IA: *The Inverness Advertiser*.
IC: *The Inverness Courier*.
Inv. Dir.: *Inverness Directory*.
LNA: *Leabharlann Nàiseanta na h-Alba*.
NC: *The Northern Chronicle*.
O: *An t-Oranaiche*, deas. G. Mac-na-Ceàrda (Glaschu, 1879).
OT: *The Oban Times*.
SGS: *Scottish Gaelic Studies*.
SH: *The Scottish Highlander*.
SO: *Sar Obair nam Bard Gaelach*, deas. J. MacKenzie (air a chlòbhualadh an toiseach ann an Glaschu, 1841. Airson an leabhair seo, chleachd mi an lethbhreac a rinneadh le John Grant ann an Dùn Eideann, 1907.).
TGSI: *Transactions of the Gaelic Society of Inverness*.

LAMH-SGRIOBHAINNEAN

Cunntasan-sluaigh (Census returns) (New Register House, Edinburgh).

11

Inverness Burgh Council Minutes, 1875–80.
Murdoch, John, Autobiography (Mitchell Library, Glasgow).
Register of Deaths (New Register House, Edinburgh).
Register of Births and Baptisms in the Town and Parish of Inverness (New Register House, Edinburgh).
Register of Marriages for the Town and Parish of Inverness, 1835–54 (New Register House, Edinburgh).

RAOINTEAN SONRAICHTE

Aimhreit an Fhearainn sa Ghàidhealtachd

Cameron, J., *The Old and the New Highlands and Hebrides* (Kirkcaldy, 1912). (Tha mòran de mhearachdan fiosrachaidh an seo, ach tha e feumail airson dealbh farsaing, agus tha corra aiste ann a tha fìor luachmhor.)
Devine, T.M., *Clanship to Crofters' War: The Social Transformation of the Scottish Highlands* (Manchester, 1994).
Dunbabin, J., *Rural Discontent in Nineteenth Century Britain* (London, 1974). (Dà chaibideil mun Ghàidhealtachd.)
Dunn, C., *Highland Settler* (Toronto, 1953).
Hanham, H., "The Problem of Highland Discontent, 1880–1885", *The Transactions of the Royal Historical Society*, 19 (1969), 21–65.
Hunter, J. (ed.), *For the People's Cause: From the Writings of John Murdoch* (Edinburgh, 1986).
Hunter, J., "Sheep and Deer; Highland sheep farming, 1850–1900", *Northern Scotland*, 1 (2) (1973), 199–222.
Hunter, J., *The Making of the Crofting Community* (Edinburgh, 1976).
Kellas, J., "The Crofters' War", *History Today*, 12 (1962): 281–8.
MacKay, I. R., "The Pet Lamb Case", *TGSI*, 48 (1972–74), 180–200.
MacKenzie, W., *Skye: Iochdar-Trotternish* (Glasgow, 1930).
MacKenzie, W., *Old Skye Tales* (Glasgow, 1934).
MacLean, N., *The Former Days* (London, 1945).
MacLean, N., *Set Free* (London, 1949).
MacLeod, J., *Highland Heroes of the Land Reform Movement* (Inverness, 1917).
MacLeod, R., "The Bishop of Skye", *TGSI*, 53 (1982–84), 174–209.
MacPhail, I.M.M., *The Crofters' War* (Stornoway, 1989).
Meek, D.E., "The Prophet of Waternish", *West Highland Free Press*, 8 Iuchar 1977.

Prebble, J., *The Highland Clearances* (London, 1963).
Youngson, A., *After the Forty-Five* (Edinburgh, 1973).

Bàrdachd Màiri agus Saothair Bhàrd Eile

Bateman, M. "Women's Writing in Scottish Gaelic since 1750",
ann an D. Gifford agus D. MacMillan (deas.), *A History of
Scottish Women's Writing* (Edinburgh, 1997), 659–76.
Cameron, H. (deas.), *Na Bàird Thirisdeach* (Glasgow, 1932).
Dòmhnallach, T., "Dìoghlum bho Achaidhean na Bardachd (2)",
G, 52 (Foghar 1965), 316–23.
Mac a' Ghobhainn, I., "Ath-sgrùdadh (10): Bàrdachd Màiri Mhòr
nan Oran", *G*, 132 (Foghar 1985), 321–7.
MacLean, S., "Mairi Mhòr nan Oran", *Calgacus*, i (1974); clò-
bhuailte às ùr ann an *Ris a' Bhruthaich*, 250–7. Faic gu h-ìosal.
MacLean, S., "The Poetry of the Clearances", *TGSI*, 38 (1937–41),
293–324; clò-bhuailte às ùr ann an *Ris a' Bhruthaich*, 48–74;
faic an ath iomradh.
MacLean, S., *Ris a' Bhruthaich: The Criticism and Prose Writings
of Sorley MacLean*, deas. W. Gillies (Stornoway, 1985).
MacLeòid, I. (deas.), *Bàrdachd Leódhais* (Glaschu, 1916).
MacLeòid, N., *Clàrsach an Doire* (Glaschu, deasach. 1975).
McKean, T. A., *Hebridean Song-maker: Iain MacNeacail of the
Isle of Skye* (Edinburgh, [1997]).
Meek, D. E., "The Catholic Knight of Crofting: Sir Donald Horne
MacFarlane, M.P. for Argyll, 1885–86, 1892–95", *TGSI*, 58
(1993–94), 70–122.
Meek, D. E., "Gaelic Poets of the Land Agitation", *TGSI*, 49
(1974–76), 309–76.
Meek, D.E., "The Role of Song in the Highland Land Agitation",
SGS, 16 (1990), 1–53.
Meek, D. E. (deas.), *Tuath is Tighearna: Tenants and Landlords:
An Anthology of Gaelic Poetry of Social and Political Protest
from the Clearances to the Land Agitation* (Edinburgh, 1995).
Moireach, M., "Màiri Nighean Iain Bhàin", *TGSI*, 37 (1934–36),
294–318; clò-bhuailte às ùr ann an A.I. MacAsgaill (deas.),
Luach na Saorsa (Glaschu, 1970), 127–47.
Thomson, D.S., *An Introduction to Gaelic Poetry* (London, 1974),
218–48.

Dualchas is Fuinn nan Oran

A' Chòisir Chiùil: St Columba Collection of Gaelic Songs

(Paisley, gun cheann-latha).
Còisir a' Mhòid (An Comunn Gàidhealach).
Còisirean Oigridh (An Comunn Gàidhealach).
Gleadhill, T.S., *Kyle's Scottish Lyric Gems* (Glasgow, 1873).
Hebrides Collection of Gaelic Songs (MacLaren, Glasgow, 1932).
Herd, D., *Ancient and Modern Scots Songs and Heroic Ballads* (Edinburgh, 1776).
An Laoidheadair (Glasgow, 1935).
Matheson, W. (deas.), *The Songs of John MacCodrum* (Edinburgh, 1938).
Morrison, A., *Orain nam Beann* (Glasgow, 1913).
Ó Baoill, C. (deas.), *Bàrdachd Chloinn Ghill-Eathain: Eachann Bacach and other MacLean Poets* (Edinburgh, 1979).
Ó Baoill, C. (deas.), *Bàrdachd Shìlis na Ceapaich* (Edinburgh, 1972).
Ó Lochlainn, C. (deas.), *Deoch-slàinte nan Gillean* (Dublin, c. 1948).
Orain a' Mhòid (An Comunn Gàidhealach).
Orain Aon-neach (An Comunn Gàidhealach).
Orain na Cloinne (An Comunn Gàidhealach).
Orain nam Beann: faic Morrison, A., gu h-àrd.
Shaw, M. F., *Folksongs and Folklore of South Uist* (Oxford, 1977).
Faic cuideachd *O* agus *SO* gu h-àrd.

Fiosrachadh Farsaing

Biographies of Highland Clergymen reprinted from the Inverness Courier (Inverness, 1889).
Brander, M., *The Scottish Highlanders and their Regiments* (Haddington, 1996).
Brown, T., *Annals of the Disruption* (Edinburgh, 1883).
Campbell, J. (deas.), *The Rev. Mr Lachlann of Lochcarron: Additional Lectures, Sermons and Writings* (Inverness, 1928–30).
Cheap Home in Manitoba (Inverness, 1883).
Coventry, T., "An Clò-bheairt Ceilteach", *G*, 122 (Earrach 1983), 137–50.
Disruption Worthies of the Highlands, deas. leasaichte (Edinburgh, 1886).
Drummond, A.L., agus Bulloch, J., *The Church in Victorian Scotland, 1843–74* (Edinburgh, 1975).
Duckworth, C., agus Langmuir, G., *West Highland Steamers* (3s deas., Prescot, 1967).
Grant, I.F., *The Clan MacLeod* (Edinburgh, 1972).

Haldane, A.R.B., *The Drove Roads of Scotland* (Colonsay, 1995).

Hunter, C., *Oban – Past and Present* (Oban, 1993).

MacCoinnich, I., *Eachdraidh a' Phrionnsa* (Glaschu, 1844).

MacConnell, D., *The Strome Ferry Railway Riot of 1883* (Dornoch, 1993).

MacCowan, R., *The Men of Skye* (Glasgow, 1902).

MacDhòmhnaill, I. A. (deas.), *Crìochan Ura* (Glaschu, 1958).

MacDonald, A., agus MacDonald, A., *Clan Donald*, 3 earrannan (Inverness, 1896–1904).

Macdonald, I., *A Family in Skye 1908–1916* (Stornoway, 1980).

MacKenzie, A., *History of the Clan MacKenzie* (2ra deas., Inverness, 1894).

MacKenzie, A., *The Prophecies of the Brahan Seer* (Inverness, 1877).

MacKenzie, J., *Eachdraidh Mhic Cruslig: Sgialachd Ghaelach* (Glasgow, 1836).

MacLean, D., *Typographia Scoto-Gadelica* (Edinburgh, 1915).

MacLennan, H.D., "Shinty: Some Fact and Fiction in the Nineteenth Century", *TGSI*, 59 (1994–96), 148–274.

Macleod, J.F.M., "A Boyhood in An Gearasdan: Notes by the late Principal John MacLeod", *TGSI*, 57 (1990–92), 224–72.

Martin, C. (deas.), *War Poems* (London, 1991).

Matheson, W., "The Historical Coinneach Odhar", *TGSI*, 46 (1969–70), 66–88.

Miket, R., agus Roberts, D., *The Medieval Castles of Skye and Lochalsh* (Portree, 1990).

Nicolson, A., *History of Skye* (Skye, deas. 1994).

Shaw, C. B., *Pigeon Holes of Memory: The Life and Times of Dr John Mackenzie* (London, 1988).

Sixpenny Guide to Inverness and District (Inverness, 1872).

Thomas, J., *The Callander and Oban Railway* (Nairn, deas. 1991).

Thompson, F., *History of An Comunn Gaidhealach* (Inverness, 1992).

Vallance, H.A., air a leasachadh le C. R. Clinker, *The Highland Railway* (London, 1971).

Watson, F., *The Story of the Highland Regiments* (London, 1915).

FACLAIREAN

Dwelly, E., *The Illustrated Gaelic-English Dictionary* (Glasgow, deas. 1988).

MacDonald, A., *Gaelic Words and Expressions from South Uist and Eriskay*, deas. J.L. Campbell (Dublin, 1958).

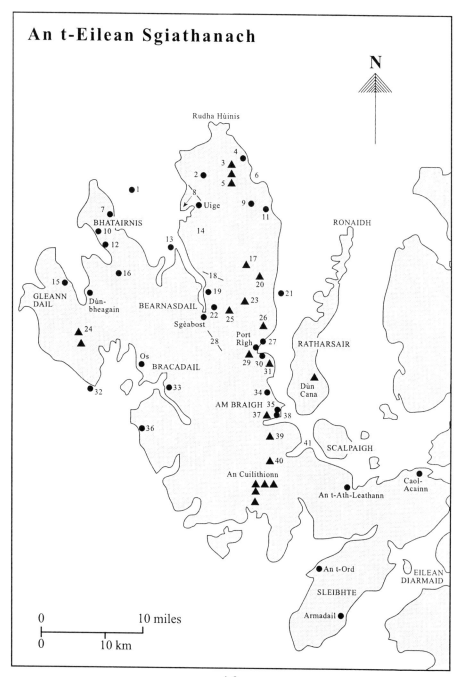

An t-Eilean Sgiathanach

N

Rudha Hùinis

BHATAIRNIS

GLEANN
DAIL

Dùn-
bheagain

BEARNASDAIL

Sgèabost

Uige

RONAIDH

Os

BRACADAIL

Port
Rìgh

RATHARSAIR

Dùn
Cana

AM BRAIGH

SCALPAIGH

An Cuilithionn

Caol-
Acainn

An t-Ath-Leathann

An t-Ord

EILEAN
DIARMAID

SLEIBHTE

Armadail

0   10 miles
0   10 km

AITEANNAN A THA AIR AN COMHARRACHADH AIR A' CHLAR

1. Eilean Asgrab
2. Creag Shniadhasdail
3. Sròn Bhaornaill
4. Flòdagaraidh
5. Cuith-raing
6. Mol Stamhain
7. Geàrraidh
8. Bealach nan Cabar
9. Mairisiadar
10. Hàlainn
11. Bhaltos
12. Steinn
13. Eilean Liandail
14. Caisteal Uisdein
15. Hùsabost
16. Beul-àtha-nan-trì-allt
17. Hartabhal
18. Gleann Haltainn
19. Scoirinis
20. An Stòrr
21. Eilean Thuilm
22. Càrabost
23. Beinn a' Chearcaill
24. Healabhal
25. Beinn Bhuirbh
26. An Sìthean (?)

27. Sgoirebreac
28. An Gleann Mòr
29. Saidhebhìnn (Suidhe Fhinn)
30. Pèighinn a' Phìleir
31. Beinn Tìonabhaig
32. Maighdeannan MhicLeòid
33. Gèasto
34. An t-Olach
35. Am Baile Meadhanach
36. Talasgair
37. Beinn Lì
38. Pèighinn a' Chorrain
39. Glàmaig
40. Màrsgo
41. Loch Aoidhneart

Aiteannan eile a tha air an ainm-
eachadh anns na h-òrain:

Bòrd MhicLeòid – co-ionnan ri
24
A' Chrannag – dlùth air 14
Am Fàsach – tuath air 12
Leac an Stòrr – deas air 20
Sgor a' Bhàigh – dlùth air 12

MAIRI MHOR NAN ORAN

EACHDRAIDH A BEATHA

Leigeamaid oirnn airson mionaid gu bheil sinn aig Coinneamh Bhliadhnail a' Chomainn Sgiathanaich ann an Glaschu uaireigin mu 1890. Abair cèilidh mhath! Tha an oidhche a' dol seachad gu sunndach le rogha nan seinneadairean agus deagh òrain. An sin tha fear-an-taighe ag èirigh 's ag ràdh gu bheil e a' cur fàilte gu 'n àrd-ùrlar air boireannach air a bheil a h-uile Sgiathanach eòlach, agus mòran à ceàrnan eile cuideachd – Màiri Nighean Iain Bhàin. 'S gann gu bheil e air a h-ainmeachadh nuair a tha an sluagh a' tòiseachadh air clapadh. Tha Màiri a' tighinn a-nuas bho a h-àite-suidhe am measg uaislean na h-oidhche – boireannach mu chòig troighean is naoi òirlich a dh'àirde, is i gu math reamhar trom, a rèir choltais gun a bhith mòran a dhìth air na seachd clachan deug! Tha i air a h-èideadh gu lèir ann am breacan Chloinn Dòmhnaill, le seud deàlrach air a broilleach a thugadh dhi mar thiodhlac-spèis le Fear Sgèabost ann an 1885. Na làimh tha cromag ghasda a fhuair i bho charaid eile, an t-Ollamh Blackie.

Tha a h-aodann cruinn, ruiteach, 's tha a falt liath air a chìreadh air ais fo bhrèid. Le fiamh a' ghàire tha i a' gluasad gu oir an àrd-ùrlair, 's an sluagh a' sìor chlapadh. Gun dàil tha sàmhchair anns an talla, 's tha Màiri a' teannadh ri bruidhinn ri a luchd-dùthcha. Tha i ag innse dhaibh cho toilichte 's a tha i a bhith còmhla riutha air an oidhche sin anns a' bhaile far an robh i fhèin uair de a beatha. Tha i ri àbhachdas mu mhaise an eilein a dh'fhàg i, 's tha i an sin a' tòiseachadh air òran – òran a rinn i fhèin aon turas 's i a' fàgail an Eilein Sgiathanaich a thighinn do Ghlaschu:

> Soraidh leis an àit'
> An d'fhuair mi m' àrach òg…

Tha an t-seinn làidir, ach chan eil i anabarrach binn, 's tha beagan crith na guth. Ach tha an sluagh leatha anns a h-uile facal. 'S cho luath 's a tha i air crìochnachadh, tha an clapadh a' tòiseachadh a-rithist…'s tha iarraidh air tuilleadh…'s tha Màiri air a dòigh.

Sin agaibh an seòrsa cuimhne a bha aig corra sheann duine, ris an do bhruidhinn mi o chionn fichead bliadhna, air Màiri Mhòr nan Oran nuair a bhiodh i a' seinn aig cèilidhean is mòid air feadh na dùthcha aig deireadh na naoidheamh linn deug. Mun do chaochail i, bha i air cliù a chosnadh dhi fhèin mar bhàrd, is gu ìre mar sheinneadair, nach robh aig mòran roimhpe no na dèidh, 's tha an cliù sin air mairsinn gus an latha an-diugh. Bu bheag a shaoileadh duine a chunnaic Màiri aig àird a comais, làn àbhachdais is fealla-dhà, is a' mealtainn urram dhaoine, gum b' ann air spàirn is cruadal a b' eòlaiche i na beatha.

Làithean a h-Oige

Ged a tha tomhas de mhì-chinnt mun dearbh bhaile anns an do rugadh Màiri fhèin, 's ann do Sgèabost anns an Eilean Sgiathanach a bhuineadh cuideachd a h-athar. Bha a h-athair, Iain Dòmhnallach, no Iain Bàn mac Aonghais Oig mar a theireadh daoine ris, na chroitear, 's bha e pòsda aig Flòraidh, nighean Nèill MhicAonghais, à Uige. ('S e "Màiri nighean Iain Bhàin" an t-ainm a bhiodh Màiri fhèin a' cleachdadh, mar a bu trice; b' e farainm a bh' ann am "Màiri Mhòr nan Oran".) Mar a thachair do mhòran eile aig toiseach na naoidheamh linn deug, thàinig gnothaichean teann air Iain Bàn, agus b' fheudar dha a sprèidh a reic aig fèill Phort Rìgh (Oran 9) le dùil a dhol thairis do Chanada. Ach cha robh e air dol na b' fhaide na Glaschu nuair a thuig e nach robh stàth anns na geallaidhean a thugadh dha mu Chanada. A rèir MhicBheathain (*DO*, xi), dh'fhuirich e dusan bliadhna ann an Glaschu, 's mu dheireadh thill e do Sgèabost. Tha MacBheathain ag ràdh gun do rugadh a chlann ann an Glaschu, ach a-mhàin Màiri agus bràthair dhi a rugadh anns an Eilean. Tha snàithlean de bheul-aithris anns an Eilean Sgiathanach (a thugadh dhomh leis an Urr. Tormod Dòmhnallach, nach maireann) a tha ag agairt gu robh Màiri ochd bliadhna a dh'aois nuair a rinn a h-athair an imrich do Ghlaschu ('s mar sin gun do dh'fhalbh e timcheall air 1829). Tha fhios againn gu robh Iain Bàn ann an Sgèabost ann an 1841, oir tha a' bhliadhna sin sgrìobhte air an tobar, "Tobar Iain Bhàin", a rinn e le a làimh fhèin, agus a tha fhathast ri fhaicinn (Oran 37, s. 33). Chan eil dòigh againn air a' chùis a dhearbhadh a-nis; faod-aidh gu bheil am fiosrachadh aig MacBheathain air a' phuing seo nas earbsaiche na beul-aithris an Eilein, ach tha e car annasach gum biodh Iain Bàn deònach seòladh do Chanada nuair a bha Cogadh Napòleon aig àirde.

A rèir MhicBheathain, rugadh Màiri ann an Sgèabost air an deicheamh latha den Mhàrt 1821, ach chan urrainn dhuinn a bhith buileach cinnteach gu bheil an t-àm no an t-àite ceart aige. Ann am barantas a bàis, tha a h-aois air a clàradh mar 79 air fianais a nìghne, Flòraidh, 's ma ghabhas earbsa cur às an àireamh sin, rugadh i ann an 1819 (Register of Deaths, 1898.114/1.24). Tha clach-chinn a h-uaighe ann an Inbhir Nis a' cur an cèill gu robh i 80 nuair a chaochail i, agus, a rèir na fianais sin, feumaidh gun do rugadh i ann an 1818. Air an làimh eile, tha a h-aois (bho a bilean fhèin, 's dòcha) air a clàradh air bileagan oifigeil mar 34 ann an 1855 agus mar 40 ann an 1861, agus tha an dà iomradh sin a' neartachadh na fianais a tha againn airson 1821 mar bhliadhna a breith. 'S i a' cheist, an robh Màiri fhèin a' smaoineachadh (no a' cur an ìre) gu robh i na b' òige na bha i, no an robh a nighean agus snaidheadair na cloiche ceàrr? Cho fad' 's as aithne dhomh, chan eil iomradh oirre ann an clàran-baistidh an Eilein Sgiathanaich eadar 1818 is 1821. A thaobh àite a breith, tha cuid a mhuinntir Uige a' cumail a-mach gur h-ann an sin, ann an dachaigh a màthar, a rugadh i, 's nach ann an an Sgèabost.

Ged nach eil dearbh-chinnt againn mu àm no àite a breith, tha e soilleir gun do chuir Màiri seachad làithean a h-òige ann an Sgèabost. Anns na dhà de na h-òrain aice, tha i a' dèanamh dealbh air beatha na coimhearsnachd anns an do thogadh i. Ann an "Eilean a' Cheò" (Oran 11, ss. 65–88), tha i ag innse mu na dòighean anns am biodh muinntir an àite a' cosnadh an lòin 's a' deasachadh fa chomhair a' gheamhraidh. Chan eil guth air bochdainn, 's tha Màiri mar gum biodh i a dh'aon ghnothach a' cur an aghaidh na beachd gu robh èis anns an dùthaich – "cha ghanntar a bhiodh oirnn". Ma dh'fhàg Màiri an t-Eilean Sgiathanach ro 1845, cha bhiodh eòlas pearsanta aice air na thachair ann an 1846, "a' bhliadhna a dh'fhalbh am buntàta", agus faodaidh gur h-e sin as adhbhar nach eil i a' toirt dhuinn ach iomradh san dol seachad air àm na gorta mòire. Anns an òran àlainn aice, "Nuair bha mi òg" (Oran 13), tha i a' toirt sùil air ais air cleachdaidhean na coimhearsnachd – luaidh is bainnsean is cèilidhean, a bharrachd air obair na croite – agus ged a tha tomhas de shìorrachd follaiseach, tha cumhachd anns na facail a tha a' neartachadh an t-seallaidh. Ged nach d'fhuair i foghlam oifigeil sam bith, ghabh i ris a h-uile seòrsa foghlaim is fiosrachaidh a bha aig cridhe na coimhearsnachd aice fhèin, gu h-àraid a thaobh ciùil is dualchas nan òran.

Tha e coltach gu robh Màiri pìos math aoise mun d'fhàg i an t-Eilean Sgiathanach. Chan eil e buileach soilleir cuin a chuir i cùl ris an eilean. Ann an Oran 29, tha i fhèin a' toirt fianais gun do thog i oirre gu tìr-mòr anns an t-Sultain 1844 (ss. 4–7), agus gu robh i anns an eilean nuair a bha an t-Urr. Ruairidh MacLeòid, "Maighstir Ruairidh" ainmeil, a' searmonachadh aig Beul-àtha-nan-trì-allt an lùib dùsgaidh spioradail a thàinig don Eilean Sgiathanach ann an 1841–2 (ss. 12–19). Chan eil adhbhar againn teagamh a chur anns na tha Màiri ag ràdh. Bha i ann an Inbhir Nis nuair a phòs i ann an 1847, agus tha co-dhiù aon òran ann (Oran 1, ss. 85–6) a tha a' toirt oirnn a chreidsinn gu robh i a' fuireach ann an Inbhir Nis ann an 1845, oir tha i ag innse dhuinn gu robh i ag èisdeachd ri ministear àraid "seachd is fichead bliadhna" mus do thachair an "tàmailt" ann an 1872. A rèir MhicBheathain (*DO*, xi), dh'fhàg i an t-Eilean Sgiathanach ann an 1848 airson pòsadh, ach tha e follaiseach nach eil a' bhliadhna sin ceart.

Inbhir Nis: Pòsadh is Clann

'S ann ann an Inbhir Nis a thuinich Màiri an toiseach. Anns an t-Samhain 1847 phòs i Isaac Mac-a'-Phearsain, a bha a' fuireach ann am Friars Lane (Register of Marriages for the Town and Parish of Inverness, 1835–54, àir. 11). Bha Isaac na mhac do dh'Iain Mac-a'-Phearsain, a bha na fhear-fighe cainbe anns a' bhaile. B' e Flòraidh NicLeòid a bu mhàthair dha, agus tha e coltach gu robh ceangal aig a phàrantan ris an Eilean Sgiathanach. Aig àm a bhàis ann an 1871, thugadh aois mar 55, 's mar sin is dòcha gun do rugadh e mu 1816 (Register of Deaths 1871.98.161), ged a tha fianais eile ann gu robh e faisg air an aon aois ri Màiri. Bha e na ghreusaiche nuair a phòs e, agus b' e sin an obair a chaidh ainm-eachadh air barantas a bhàis. Bha e greis na shaoipear (*chimney-sweep*), 's b' e sin an obair a bha aige nuair a rinneadh an cunntas-sluaigh ann an 1861. Anns a' bhliadhna sin, bha an dachaigh aige fhèin 's aig Màiri aig 3 Wright's Lane, anns an àrainn de Inbhir Nis ris an canar Maggot, air taobh a tuath a' bhaile. Ann an 1871 bha iad a' fuireach aig 6 Maggot Row. Bha màthair Isaac, Flòraidh, a' fuireach còmhla riutha ann an 1861, 's i 99 bliadhna a dh'aois (Cunntas-sluaigh 1861: 98: 7–11, t.d. 36).

Ged a tha cuid ag ràdh gu robh seachdnar chloinne aig Màiri 's aig Isaac uile gu lèir, cha do lorg mise ach sianar:

Flòraidh, an nighean a bu shine, a rugadh ann an 1848, agus a bha 13 bliadhna ann an 1861 (Cunntas-sluaigh 1861);

Mairead, a rugadh air a' 15mh den Ghiblin 1850 (Register of Births and Baptisms in the Town and Parish of Inverness, earr-ann 13 (1842–1854), 089/13), agus a tha air a h-ainmeachadh anns a' chunntas-sluaigh airson 1871;

Màiri, a rugadh air a' 25mh den Chèitean 1851; chaidh Mairead is Màiri a bhaisteadh leis an Urr. Uisdean MacCoinnich (*ibid.*); tha e coltach gun do chaochail Màiri na leanabh;

Màiri (eile), a rugadh air an 10mh den Og-mhìos 1852, is a bhais-teadh leis an Urr. Uisdean MacCoinnich (*ibid.*);

Iain (Seoc), a rugadh air an 13mh den Chèitean 1855 (Register of

Births, 1855.98.1.112); a rèir cunntas-sluaigh 1871, bha e ag ionnsachadh a cheàirde mar fhear-dèanamh uaireadairean;

Oighrig (Euphemia), a rugadh air an 22 den t-Samhain 1858 (*ibid.*, 1858.98.1.394).

Tha iomradh air '3 girls living, 1 deceased' anns a' bhliadhna 1855 (Register of Births, 1855.98.1.112). Bha ceathrar chloinne an làthair san taigh nuair a rinneadh an cunntas-sluaigh anns a' Mhàrt 1861: Flòraidh (aois 13), Màiri (aois 9), Iain (aois 5), 's Oighrig (Euphemia) (aois 2). Chan eil fhios carson nach deachaidh Mairead a chlàradh, oir chaidh a clàradh ann an 1871.

An Tàmailt

Bha Màiri mar sin glè eòlach air "deuchainnean is bròn" nuair a chaochail a' chiad nighean air an robh a h-ainm fhèin, ach bha na bu mhiosa air thoiseach oirre. Chaochail a "cèile gaoil", Isaac, gu h-aithghearr air an dàrna latha den Og-mhìos 1871, an dèidh dha a bhith bochd cola-deug le dian at-eanchainn (*acute meningitis*) (Register of Deaths 1871.98.161). Thàinig air Màiri fhèin a dhol air cheann an teaghlaich. B' fheudar dhi togail a-mach air a ceann fhèin a chosnadh teachd-an-tìr an teaghlaich. Fhuair i fasdadh mar shearbhanta anns a' bhaile. Anns an earrach 1872, nuair a bha i a' frithealadh air tè a bha air leabaidh a bàis le fiabhras, thàinig fìor dhroch fhortan an taobh aice. Chaochail am boireannach, agus chaidh cur às leth Màiri gun do ghoid i aodach na mnatha am feadh 's a bha seirbhis an tòrraidh aice a' dol air adhart. A rèir an *Inverness Courier* (11.4.1872), chaidh a' chùis a dhearbhadh na h-aghaidh gun teagamh sam bith agus thugadh dhi dà fhichead latha prìosain. Seo mar a tha an *Courier* ga chur:

> A very painful and disgraceful case came before Baillie Simpson at the Police Court on Monday. A nurse named Mary Macdonald or Macpherson was engaged to attend a lady lying ill of fever. The lady, comparatively a stranger in Inverness and living with her family in lodgings, unhappily died and the nurse took advantage of her position to pillage her wardrobe. While the funeral service was being read at the Cathedral she was ransacking the boxes of her deceased mistress. The charge was fully proved and the prisoner sentenced to 40 days imprisonment.

Tha iomraidhean-bàis a' phàipeir (anns an aon iris) a' nochdadh gun do chaochail bean-uasal dom b' ainm Harriet Turner le fiabhras ann an Inbhir Nis air a' chiad latha den Ghiblin, agus gu robh an duine aice, an Caiptin Turner, na oifigeach anns na h-Einnseanairean Rìoghail (*Royal Engineers*). Tha barantas a bàis a' nochdadh gu robh Harriet Eliza Turner, bean a' Chaiptin Henry Tyers Turner, a' fuireach aig 8 Ness Bank, agus gun do chaochail i, aig aois 32, le *typhoid*, an dèidh cola-deug de bhochdainn. B' e ainm a h-athar John Godfrey Spragge, fear urramach a bha aig an àm sin ann an àrd-sheirbhis a' Chrùin mar Sheansalair Ontario (*Chancellor of Ontario*) (Register of Deaths 1872.98.131). Chan urrainn nach e seo am boireannach air an robh Màiri a' fritheal-adh, oir chan eil fiosrachadh agam gun do chaochail tè eile le fiabhras ann an Inbhir Nis aig an àm. Chan eil Màiri fhèin a' toirt dhuinn ainm na mnatha Turner idir. Tha an aon ainm a tha againn bho a bilean fhèin tur eadar-dhealaichte; tha i ag ràdh (Oran 1, ss. 7, 57) gu robh fear den ainm "Caiptin Bolland" anns a' chùirt. Bha esan anns na h-Einnseanairean Rìoghail cuideachd, agus bha e air thaigheadas ann an Inbhir Nis, ann am Blythsfield Cottage, Old Edinburgh Road, ann an 1869 (Inverness Directory 1869) agus ann an Kingsmills Road ann an 1871, còmhla ri a bhean, Catherine Eleanor Bolland (Cunntas-sluaigh 1871).

Carson a bha an Caiptin G. Herbert Bolland anns a' chùirt, 's nach robh an Caiptin Turner innte? Faodaidh gu robh Bolland a' riochdachadh teaghlach na mnatha Turner air an latha sin, ach tha mìneachadh eile ann. Tha mi a' smaointeachadh gun tig sinn nas fhaisge air fuasgladh na ceiste ma dh'fhaodas sinn beachdachadh gu robh Màiri air a fasdadh aig a' Chaiptin Bolland no aig a bhean, agus gun do chuir esan (no ise) i gu teaghlach nan Turners gus a bhith a' frithealadh air a' Bhean-uasail Turner ann an àm na h-èig-inn. Chan e rud taitneach a bhiodh ann a bhith a' frithealadh air tè a bha a' bàsachadh le fiabhras, agus is dòcha gum biodh e duilich searbhanta fhaighinn airson a' ghnothaich. An robh buadhan sòn-raichte aig Màiri airson altramachd den t-seòrsa seo? Bidh e coltach co-dhiù gum biodh an dà theaghlach, na Turners agus na Bollands, eòlach air a chèile; bha an dà dhuine anns an arm (ann an roinn nan Einnseanairean Rìoghail, no na *sappers*, mar a theirear riutha sa chumantas), agus bha iad le chèile air choigrich ann an Inbhir Nis. Bhiodh teaghlaichean mar sin a' fuireach mar bu trice ann an taighean loidsidh a' bhaile (agus 's e "private lodg-ing house" a bha ann an 8a, Ness Bank, aig an àm). Mar sin, faod-aidh gun do thachair an "tàmailt" nuair a bha Màiri ag obair do na Turners, le cead nam Bollands.

A dh'aindeoin na tha an *Courier* ag innse dhuinn, chan urrainn dhuinn a bhith cinnteach gu robh Màiri ciontach an ceart da-rìribh. Tha Uilleam MacCoinnich, seann mhaighstir-sgoile Bhaltois, ag ràdh (*Old Skye Tales*, 90) gum b' e searbhanta Ghallda a bh' anns an aon taigh a chuir an t-aodach air uachdar ciste Màiri, a chionn 's gu robh gamhlas agus farmad aice rithe. Seo mar a sgrìobh e:

> This, as the writer heard it many years ago, is probably a correct version. Màiri went into domestic service. She had as a fellow-servant a light-headed Lowland hizzie, who could not appreciate Màiri's upright honesty, and sense of duty. Being repeatedly remonstrated with for lapses of duty, she conceived a violent dislike of Màiri and apparently resolved to injure her in some way. She placed some readily missed articles of clothing in the top of Màiri's box. When missed, a search revealed them there. Mary indignantly denied having put the articles there, or even handling them. To her humiliation she was arrested and put in prison. Her mistress was very troubled over the matter, as she had the utmost confidence in Mary's honesty and truthfulness. Several influential citizens, who knew Mary, took the matter up. The open and uncalled for expressions of hostility on the part of the remaining servant, the open way in which the missing articles were put in the top of Mary's box, and her emphatic denial finally convinced the mistress that Mary was suffering for another's crime. She withdrew the charge. The other servant had disappeared. No proof of further evidence of Mary's innocence was required. She was set free, and was congratulated by the friends who had been interested in her case. It was said her mistress asked her to return.

Chìthear gu soilleir gu bheil cunntas a' *Chourier* agus cunntas MhicCoinnich a' tighinn a rèir a chèile a thaobh adhbhar na h-aimhreit – aodach a chaidh a thoirt bho bhean an taighe – ach nach eil iad idir air an aon ràmh a thaobh mion-fhiosrachadh na cùise. A rèir a' *Chourier*, bha bean an taighe air leabaidh a bàis (agus tha sin air a dhearbhadh leis an fhiosrachadh oifigeil), ach a rèir MhicCoinnich bha i beò slàn an dèidh na cùirte, agus dh'iarr i air Màiri tilleadh don taigh mhòr mar shearbhanta. Gabhaidh seo fuasgladh, ged tha. Ma bha Màiri air a fasdadh aig bean a' Chaiptin Bolland, dh'fhaodadh iomradh MhicCoinnich a bhith ceart, oir b' e a' Bhean-uasal Turner (air an robh i ma dh'fhaodte a' frithealadh "air iasad") a chaochail le fiabhras, 's cha b' e a' Bhean-uasal Bolland. Ma bha Màiri eadar dà theaghlach, mar gum biodh, tha e furasda thuigsinn carson a bhiodh e cho fìor dhuilich dhi i fhèin fhìrinneachadh, oir bhiodh càirdeas is co-chomann is creideas an dà theaghlaich am meadhan a' ghnothaich. Mas ann mar sin a thachair, chan ioghnadh idir gu robh a mulad cho mòr.

25

Nuair a leigeadh Màiri mu sgaoil, thòisich i air òrain a dhèanamh mun deuchainn (Orain 1–3). Chan eil i a' toirt dhuinn fiosrachadh mionaideach air na thachair san taigh mhòr, ged a tha i ag ràdh gu robh "clùdan de sheann aodach" (Oran 1, s. 99) am meadhan na h-aimhreit; 's ann a tha a h-aire air a' chùirt, agus tha i ag ràdh uair is uair gun tugadh a binn "anns an eucoir" (Oran 1, s. 12). Chan eil i ag ràdh diog mun t-searbhanta eile. 'S ann a tha i a' cur na coire airson na cuid as motha air buidheann de fhir-lagha ann an Inbhir Nis a thug buaidh, tha i ag ràdh, air beachdan a' Bhàillidh Alasdair Simpson, am breitheamh a dhìt i anns a' chùirt (Oran 3). Bha i a' smaointinn cuideachd nach robh seasamh-coise aice nan aghaidh a chionn 's nach robh gann facal Beurla aice ann am baile a bha leth-Ghallda eadhon ann am meadhan na naoidh-eamh linn deug. B' e sin an t-adhbhar gu robh i "sgìth de luchd na Beurla" (Oran 1, s. 1).

Bha toinneamh eile san sgeul cuideachd, agus bha an toinneamh sin a' fighe a-steach a cèile nach maireann. Tha i ag ràdh ann an aon dàn (Oran 5, ss. 15–8) gu robh freumhan na tuasaid a' dol air ais gu athair a' Bhàillidh Simpson, a bha na ghreusaiche 's a bha a' toirt cosnadh don duine aice. Bha gamhlas air choreigin eator-ra, agus bha Màiri a' creidsinn gu robh gnothach aige sin ris an dòigh anns an deachaidh buntainn rithe sa chùirt. Bha fìor dhroch bharail aice air a' Bhàillidh Simpson, agus cha b' ann gun adh-bhar. Ged a bha e a' cuideachadh Comunn Gàidhlig Inbhir Nis agus a' faighinn urram anns a' bhaile, tha e coltach gu robh e an sàs ann an rudan eile nach robh idir cho gasda. Leig e dheth a dhreuchd mar phròbhost a' bhaile anns an Fhaoilteach 1880 (*IC*, 8 January 1880), ach uaireigin an dèidh 1881 thàinig air teicheadh às a' bhaile, an dèidh cealgaireachd co-cheangailte ri cùisean airgid, agus tha seo a' toirt taic làidir don bheachd a bh' aig Màiri gur e droch sgealb a bh' ann.

A bharrachd air a sin, 's fhiach a chuimhneachadh gu robh fir le ainm is inbhe ann an Inbhir Nis a bha deònach seasamh air a taobh ann an uair na h-èiginn. Nam measg bha am pròbhost a bh' air a' bhaile aig an àm, an Lighiche MacCoinnich à Eileanach – 's cha bheag an teisteanas sin fhèin. Phàigh a "fear-cinnidh" – 's dòcha Iain MacMhuirich (*John Murdoch*), a stèidhich am pàipear-naidheachd *The Highlander* ann an 1873 – fiach an aodaich air latha na cùirte (Oran 1, ss. 59–60), agus bha Màiri cuideachd an comain an fhir-phoileataics, Teàrlach Friseal Mac-an-Tòisich, air-son a choibhneis, ged nach eil e soilleir dè rinn e air a son (*DO*, 144). Ged a tha Màiri fhèin a' càineadh cuid de mhinistearan Inbhir Nis, mar an t-Urr. Seòras MacAidh, nach do rinn dad air a sgàth (Oran 2, ss. 45–52), nochd an t-Urr. Alasdair MacGriogair coibhn-eas mòr rithe, mar a tha i fhèin a' cur an cèill anns a' mharbhrann a rinn i dha (Oran 18, ss. 37–40):

> Nuair chaidh mise chàradh air sgeir gum bhàthadh
> Lc truaghan Bàillidh gun ghràdh na chom,
> Chuir thusa bàta le sgioba 's ràimh dhomh,
> Nuair dh'fhàg a' phàirt ud mi bhàn sa pholl.

An-diugh, còrr is ceud bliadhna an dèidh a' ghnothaich, tha e air leth duilich fiosrachadh mionaideach a lorg a nochdas dhuinn, bho shealladh an lagha, dè thachair do Mhàiri air latha na cùirte. Ann an 1975 chaidh mi an tòir air cunntasan Cùirt a' Phoileis far a bheil còir gum faighte iomradh air a' chùirt 's air na casaidean a chuireadh às leth Màiri. Ged a fhuair mi leabhar na Cùirte, bha na duilleagan a bha a' buntainn ri casaid Màiri ga dhìth, mar gun deachaidh an tarraing às uaireigin. Ann an 1995 chaidh mi an tòir air cunntasan prìosan Inbhir Nis, far am faighear fiosrachadh air gach neach a chuireadh fo ghlais. Ach, gu mì-shealbhach, chaidh na cunntasan air chall nuair a chaidh Caisteal Inbhir Nis (far an robh am prìosan ri linn Màiri) a reic ri Comhairle a' Bhaile mu 1880. Mar sin, tha beàrnan mòra anns an fhiosrachadh a tha againn, agus chan eil e comasach dhòmhsa breith chinnteach a thoirt air na thachair. Ach, nuair a chuireas sinn gach snàithlean a tha againn an lùib a chèile, tha an fhianais a' seasamh gu daingeann air taobh Màiri, 's ag agairt gur dòcha gun deachaidh a cur an grèim gun adhbhar. Tha e duilich a thuigsinn ciamar a b' urrainn do neach nach robh neochiontach guth a thogail mar a rinn Màiri, oir nam b' e 's gu robh i ciontach, chan eil teagamh nach cailleadh i creid-eas an t-sluaigh leis na h-òrain aice – rud nach do thachair aig àm a dòrainn no às a dhèidh. Mar sin, 's e mo bheachd fhèin gu robh i gun chionta. Cha b' i Màiri a' chiad tè no an tè mu dheireadh a chaidh an sàs anns na taighean mòra, gu sònraichte nuair a bhiodh buill aodaich gan call, 's gun fhios aig a' bhean-uasail no a càird-ean dè bha tachairt don h-uile bad den phailteas aodaich a bh' aice. Dh'faodte coire fhaighinn do na searbhantan nuair a rachadh bad sam bith air seachran.

Glaschu is Grianaig

Leis an tàmailt a dh'fhuiling i, 's beag an t-ioghnadh nach robh Màiri fada gus an d'fhàg i Inbhir Nis. Anns a' gheamhradh 1872, thog i oirre do Ghlaschu, far an do thòisich i air beatha ùr a chur ri chèile dhi fhèin 's don fheadhainn a b' òige den teaghlach. Feumaidh gu robh deagh mhisneach aice do bhoireannach de a h-aois, oir chan e a-mhàin gun do lean i oirre mar bhanaltram, ach

27

chaidh i tro chùrsa àbhaisteach nam banaltram ann an Taigh-
eiridinn Rìoghail a' bhaile, agus fhuair i teisteanas nam ban-glùine
a bharrachd. 'S coltach gun do dh'ionnsaich i leughadh is sgrìobh-
adh aig an àm seo; cha robh i air chomas a h-ainm fhèin a sgrìobh-
adh nuair a bha i ann an Inbhir Nis, oir is e "her mark" a tha air a
h-uile teisteanas a tha nas tràithe na 1872.

Ann an 1876, a rèir choltais, dh'fhàg i Glaschu 's chaidh i do
Ghrianaig, far a bheil e coltach gu robh i ag obair mar bhanaltram.
Chan eil iomradh oirre a bhith a' frithealadh ann an Glaschu an
dèidh seo, ged a tha MacBheathain ag ràdh gu robh i eadar an dà
bhaile (*DO*, xii). Gidheadh, tha e soilleir gum biodh i a' tilleadh
do Ghlaschu airson cèilidhean mòra nan Sgiathanach. Chan eil
mòran iomraidh oirre a' seinn aig na cèilidhean aig an àm seo, ach
cha robh e mar chleachdadh aig na pàipearan a bhith ag ainm-
eachadh nan seinneadairean air leth. Faodaidh sinn a thuigsinn
nach cailleadh Màiri cothrom sam bith air seinn.

Tilleadh chun an Eilein

Tha e follaiseach bhon bhàrdachd aig Màiri gum biodh i a' dol
dhachaigh don Eilean Sgiathanach gu math tric nuair a bha i a'
fuireach air Ghalldachd. Tha MacBheathain ag ràdh (*DO*, xii) gum
biodh i a' dol dhachaigh gach bliadhna, 's a' fuireach còmhla ri a
deagh bhanacharaid, Bean MhicRath, ann an Os (faic Orain 20,
21). Thill i a dh'fhuireach airson a' chòrr de a beatha anns an Eilean
Sgiathanach ann an 1882, 's dòcha uaireigin san fhoghar. A rèir
choltais, bha i a' fuireach còmhla ri Bean Ois gus an tugadh dhi
bothan beag eadar Sgèabost is Port Rìgh, "Bothan Ceann na
Coille," saor o mhàl le uachdaran oighreachd Sgèabost, Lachlann
Dòmhnallach (Oran 22). Nochd an Dòmhnallach agus daoine eile
de a leithid mòran coibhneis rithe anns na bliadhnachan an dèidh
seo.

Ach cha b' ann gu beatha shocrach a thill i. Am feadh 's a bha
i air Ghalldachd, chuir i ùidh mhòr ann an cùisean an fhearainn,
agus 's gann gu robh coinneamh air a cumail le muinntir an fhear-
ainn far nach biodh i a' nochdadh. Nuair a dh'fhàg i a' Ghalldachd,
bha i a cheart cho trang a' frithealadh coinneamhan fearainn thall
's a-bhos, anns an Eilean Sgiathanach fhèin, anns na h-eileanan
eile agus air tìr-mòr. Tha iomradh oirre aig Coinneamh
Bhliadhnail a' *Highland Land Law Reform Association* ann am
Port Rìgh ann an 1885, 's ann an Drochaid-a'-Bhanna (*Bonar
Bridge*) ann an 1886, far an robh i air an àrd-ùrlar a' seinn òran
(*SH*, 23.9.1886; MacLeod, *Highland Heroes*, 87; Oran 33).
Bhiodh i cuideachd a' dol air chuairtean còmhla ris a' Bhall

Phàrlamaid ainmeil, Teàrlach Friseal Mac-an-Tòisich (Oran 31).
Tha e air aithris gu robh i ann am Beinn-a'-Bhaoghla aon turas às
leth muinntir an fhearainn (am fiosrachadh bho Dhòmhnall
MacCorcadail, nach maircann). Tha e coltach bho a hàrdachd fhèin
gu robh i ann am Barraigh uaireigin (*DO*, 85). 'S iongantach mura
do thadhail i ann an cuid de na h-eileanan eile 's i a' gabhail a cuairt
às leth luchd-tagraidh chòirichean.

Tha e coltach gu robh Màiri anabarrach math air obair-chlòimhe
a bharrachd air na tàlantan eile a bhuilicheadh oirre. Bha i gu
h-àraid math air snìomh. Nuair a thill i dhachaigh bha cuid den
bheachd gum bu chòir dhi tuarasdal beag fhaotainn mar sheòrsa
de *industrial missionary* anns an Eilean Sgiathanach (*OT*,
18.11.1882). 'S dòcha gu robh iad a' ciallachadh gum biodh i a'
teagasg snìomh is obair-chlòimhe den t-seòrsa sin do mhnathan an
àite, ach cha tàinig seo riamh gu buil. Co-dhiù, cha robh nì a b'
fheàrr leatha na bhith a' snìomh clòimhe airson na feadhainn air
an robh meas aice fhèin. Thug i deise chlòtha do Theàrlach Friseal
Mac-an-Tòisich aig deireadh 1882. Dhath is shnìomh i fhèin a'
chlòimh ann an Os far an robh i a' fuireach aig an àm còmhla ri
Bean Ois, ach rinneadh an fhighe fhèin le figheadair ann am Borbh
(*ibid.*). Ann an 1882 thug i plaideachan do Lachlann Dòmhnallach,
Fear Sgèabost, agus don Ollamh Blackie; tha litir fhathast an
làthair, a dh'fhaodas a bhith anns an làmh-sgrìobhadh aice fhèin,
anns a bheil i a' toirt nan tiodhlacan seo do Lachlann Sgèabost
(*LNA*, Blackie Papers, MS 2634, ff. 246–7). Dhealbh i breacan eile
don tug i an t-ainm, *The Blackie*, mar urram don Ollamh Blackie,
's bha pìos dheth a' còmhdach a chiste air latha a thòrraidh (*IC*,
11.11.1898). Bha Màiri glè mhòr às a' Bhlackie, 's nuair a thug
figheadair eile, Granndach à Cinn a' Ghiùthsaich, an aon ainm gun
fhiosda air breacan a dhealbh e fhèin nuair a chaochail an t-Ollamh
ann an 1895, chuir i na aghaidh gu làidir, agus chuir i dùblachadh
na litreach chun an *Scottish Highlander* (*SH*, 19.9.1895). Thug i
pìos den *Bhlackie* do Lachlann Dòmhnallach ann an 1888. Ann an
1890, am feadh 's a bha i ann an Inbhir Nis air gnothach co-cheang-
ailte ris an leabhar aice, ghabh i an cothrom air fèileadh (air a
dhèanamh le breacan a dhealbh i fhèin) a thoirt do bhalach beag
anns a' bhaile, Lachlann Mitchell, a bha na ogha don Lighiche
Lachlann MacMhathain a bha ann am Port Rìgh. An cois an iom-
raidh sa phàipear, gheibhear trì ceathramhan de dh'òran a rinn i do
Lachlann òg (*SH*, 19.6.1890).

Ainm is Urram

Ged a bha Màiri a-nis a' fuireach anns an Eilean Sgiathanach, cha do leig i mu sgaoil an ceangal a bh' aice ris na Gàidheil air tìr-mòr, 's gu h-àraid air Ghalldachd. Bha meas mòr aig daoine air na h-òrain aice, 's bhiodh i glè thric a' tilleadh don Ghalldachd a sheinn aig cuirmean 's aig cèilidhean. 'S beag an t-ioghnadh gu robh i am measg nan seinneadairean aig a' chiad Mhòd, a chumadh anns an Oban ann an 1892. Sheinn i "Breacan Màiri Uisdein" (faic Oran 15), ged nach robh i cho math 's gun d'fhuair i duais (Thompson, *History of An Comunn Gàidhealach*, 19–20). Air thàillibh cho iomraiteach 's a bha i, chuir comann no dhà urram oirre mar bhàrd dhaibh fhèin. Bha i na bàrd aig Comunn Chloinn Dòmhnaill (*IC*, 11.11.1898), 's bha i ann an Glaschu ann an 1891, ag aithris òran a rinn i dhaibh. Bha i cuideachd na bàrd aig Comunn Gàidhlig Inbhir Nis, 's tha cunntas oirre a bhith a' gabhail òran don chomann sin ann an 1894 (*TGSI*, 20, 8–9).

Choisinn Màiri mòran chàirdean dhi fhèin air feadh na Gàidhealtachd gu lèir. Tha an t-urram a bh' aig daoine dhi, agus am meas a bh' air a saothair, glè fhollaiseach anns na h-iomraidhean a rinneadh oirre anns na pàipearan nuair a chaochail i aig *Beaumont Crescent* ann am Port Rìgh (anns an togalach ris an canar an *Rosedale Hotel* an-diugh) an dèidh tinneas goirid air an t-seachdamh latha den t-Samhain, 1898 (Register of Deaths, 1898.114/1.24). Chaidh a tiodhlacadh, mar a dh'iarr i fhèin, ri taobh a "cèile gaoil" ann an Cladh a' Chapail (*Chapel Yard*) ann an Inbhir Nis, far an do chuir i seachad a beatha phòsda. Bha e freagarrach, gu dearbh, gun deachaidh clach-chinn ghasda a chur air an uaigh aice le Teàrlach Friseal Mac-an-Tòisich, am fear-poilcataics air an robh uiread meas aice fhèin. Chaidh a' chlach seo a ghlanadh 's a pheantadh às ùr fo stiùireadh Hùisdein Barron agus Ruairidh MhicAoidh ann an 1972, 's ghleidheadh seirbhis ghoirid aig a h-uaigh nuair a bha am Mòd sa bhaile, a' toirt gu buil a fàistneachd fhèin gum biodh daoine ga cuimhneachadh 's i "a' cnàmh fon fhòid".

Teaghlach Màiri

'S e glè bheag fiosrachaidh a tha ri lorg mu theaghlach Màiri an dèidh dhaibh fàs. Tha fhios againn, ged tha, gun do phòs Flòraidh, an nighean a bu shine aice, fear dom b' ainm Iòseph Anderson ann am Bail' a' Ghobhainn ann an Glaschu ann an 1876 (Register of Marriages, 1876 646/1). Bha iad a' fuireach mu dheireadh ann an Overnewton, ach ann an 1898 bha Flòraidh a' còmhnaidh aig 126 New City Road. Bha còignear chloinne aig Flòraidh is Iòseph, 's nam measg nighean air an robh Flòraidh Ealasaid, a rugadh air an 10mh den Fhaoilteach 1878 (agus a chaochail ann an 1946).

MRS MARY MACDONALD
OTHERWISE
MACPHERSON,
MAIRI NIGHEAN IAIN BHAIN
THE SKYE POETESS,
DIED AT PORTREE 8. NOV. 1898,
AGED 80.

LOVING THE HIGHLANDS AND ITS PEOPLE,
EVER FORWARD IN THEIR CAUSE
BY SPEECH AND SONG,
SHE MERITED AND RECEIVED
THE AFFECTIONATE REGARD
OF HIGHLANDERS.

A' chlach-chinn a chuireadh air uaigh
Màiri le Teàrlach Friseal Mac-an-Tòisich

Uaireigin an dèidh 1895 phòs ise fear dom b' ainm Seumas Caimbeul (1871–1950). Chaidh iad a-null do na Stàitean Aonaichte, agus tha an teaghlach a' fuireach an-diugh ann an New Jersey, far an do shoirbhich leotha gu mòr. Ann an 1978 choinnich mi fhìn ri Eòghann Caimbeul, iar-iar-ogha do Fhlòraidh aig Màiri, agus e fhèin 's a bhean air chuairt ann an Albainn. B' iadsan a thug am fiosrachadh sin dhomh.

Bha mac Màiri, Iain, no Seoc, mar a theirte ris, san 71mh Rèiseamaid nuair a bha e òg (*DO*, 263), agus bha e na phìobaire barraichte (MacLeod, *Highland Heroes*, 87). Bha "Jock the Piper" a' fuireach sa Ghearasdan aig deireadh na naoidheamh linn deug (faic J.F.M. Macleod, "A Boyhood in An Gearasdan", 256). Dh'innis an t-Urr. Tormod Dòmhnallach dhomh gu robh e mu dheireadh na threabhalair anns na h-eileanan.

CUSPAIREAN IS GNE A CUID ORAN

Chuir Màiri ri chèile barrachd òran na bàrd sam bith eile anns an naoidheamh linn deug, cho fad 's as aithne dhuinn. Faodar na tha air fhàgail de a h-òrain a roinn a rèir nam prìomh chuspairean a tha air an riochdachadh anns an leabhar seo:

(1)   an tàmailt a dh'fhuiling i;
(2)   poileataics nan Gàidheal is cùisean na Gàidhlig eadar 1874 is 1875, mar a bha iad gan togail sna bailtean mu dheas;
(3)   an t-Eilean Sgiathanach, 's a cianalas fhèin;
(4)   co-chomann nan Gàidheal anns na bailtean;
(5)   daoine air an robh i eòlach – òrain-mholaidh, marbhrannan, is òrain "oifigeil";
(6)   bàtaichean-smùide is goireasan-siubhail den t-seòrsa sin;
(7)   aimhreit an fhearainn eadar 1878 is 1887;
(8)   caochladh na tìre is an t-atharrachadh a thàinig air an Eilean Sgiathanach ri linn nam fuadaichean.

A bharrachd orra sin, tha cuspairean eile aice, leithid creidimh, a tha a' tighinn am follais an-dràsda 's a-rithist. Feumar a thuigsinn nach eil na cuspairean air an sgaradh o chèile gu glan; tha iomadh òran ann far a bheil barrachd air aon chuspair gam fighe còmhla.

Chan eil e uile gu lèir soilleir cuin a thòisich Màiri air òrain a chur ri chèile. Ged a tha feadhainn den bheachd nach do rinn i òran gus an deachaidh a tàmailteachadh, tha e air aithris (Dòmhnallach, "Dìoghlum (2)", 321–2) gun tuirt i fhèin gur h-iad na luinneagan tàlaidh a bhiodh i a' dèanamh do phàisdean nuair a bha i na banal-traim – 's bha i na banaltraim ann an Inbhir Nis – a bu thoiseach tòiseachaidh da h-obair. Gidheadh, chan eil teagamh nach b' e an tàmailt a chuir susbaint na h-òrain. Mar a thubhairt i fhèin:

'S e na dh'fhuiling mi de thàmailt
A thug mo bhàrdachd beò.

Tha i ag ràdh ann an àiteannan eile gu robh e a' toirt faochadh da h-inntinn a bhith a' dèanamh rannan mun tàmailt, 's gu dearbh chan eil na ciad òrain aice idir mì-choltach ri seann mhith-òrain nam ban anns an dòigh anns a bheil i a' cur a fulangais phearsanta fa chomhair an t-sluaigh. Mar as trice, 's ann a' feuchainn ri i fhèin fhìrinneachadh a tha i – rud nach b' urrainn dhi a dhèanamh air latha goirt na cùirte – agus, air uairean, tha i a' toirt ionnsaighean guineach air na daoine a dhìt i.

Tha ceangal gu math dlùth eadar na h-òrain phearsanta sin agus na h-òrain a rinn i mu chor na Gàidhealtachd, agus gu ìre, mun Eilean Sgiathanach. As a fulangas fhèin, thàinig co-fhaireachadh ri fulangas a luchd-dùthcha. Gu dearbh, gheibhear an dà chuspair nan laighe taobh ri taobh anns a' chiad òran san leabhar seo.

Anns na bliadhnachan a bha roimhpe, b' ann air fulangas an t-sluaigh Ghàidhealaich a bu mhotha a leudaich i. Nuair a chaidh i do Ghlaschu ann an 1872, fhuair i cothrom math air a beachdan a chur fa chomhair dhaoine aig na cèilidhean air an robh uiread meas aice fhèin. 'S bha gu leòr a dh'èisdeadh rithe, oir b' e sin an t-àm san robh cùisean an fhearainn dìreach a' tòiseachadh air grèim a ghabhail air inntinnean dhaoine. Cha b' fhada gus an robh i air cliù a chosnadh dhi fhèin, agus a rèir Oran 10, bha i an dùil leabhar de a bàrdachd a chur an clò tràth ann an 1875. Cha tàinig seo gu buil gu 1891, ged a chaidh cuid de na h-òrain aice a chur an clò air duilleagan-leathann (*broadsides*). Bha cuid eile de na h-òrain aice gan clò-bhualadh anns a' phàipear aig Iain MacMhuirich, *The Highlander*. Tha sin fhèin a' leigeil fhaicinn mar a bha i a' glacadh aire an t-sluaigh.

Tha na h-òrain a rinn Màiri mu chùisean na Gàidhealtachd agus mun Eilean Sgiathanach fhèin gu math eadar-dhealaichte seach a' mhòr-chuid de na h-òrain a bha cumanta aig an àm air an àrd-ùrlar. Ged a tha iomadh rann annta nach eil ach lapach mar bhàrdachd, tha a' chuid as fheàrr dhiubh a' foillseachadh neart inntinn agus tomhas de thuigse, gun tighinn idir air faireachdainn, nach fhaighear ach glè ainneamh na latha. Tha na h-òrain a rinn i mun Eilean Sgiathanach, mar "Eilean a' Cheò" (Oran 11) agus "Soraidh le Eilean a' Cheò" (Oran 12), air leth drùidhteach. Tha iad a' nochdadh gu soilleir gu robh dealbh làidir, brìoghmhor ann an inntinn Màiri air an àite san do thogadh i, 's nach robh i buailteach a bhith a' gèilleadh don bhàrdachd ròlaistich a bhiodh Niall

MacLeòid agus a luchd-leanmhainn a' cur ri chèile. Tha e coltach gum biodh cruadal a beatha fhèin ga cumail bho bhith a' faicinn taobh bòidheach na cùise a h-uile turas.

A bharrachd air sin, gheibhear fada barrachd fiosrachaidh mu shuidheachadh na Gàidhealtachd ann am bàrdachd Màiri na gheibhear ann am bàrdachd a comhaisean. Chan urrainn nach e an t-adhbhar air a shon seo gu robh eòlas pearsanta aice air an fheadh-ainn a bha air chùl aimhreit an fhearainn – Teàrlach Friseal Mac-an-Tòisich, Iain MacMhuirich, an t-Ollamh Blackie, agus Alasdair MacCoinnich. Bha bàird mar Niall MacLeòid a' dèanamh dealbh dhaibh fhèin air cò ris a bha a' Ghàidhealtachd coltach anns na seann laithean, 's air suidheachadh an ama fhèin. Ach bha Màiri ro dhlùth air an fheadhainn a bha thall 's a chunnaic, agus thug sin tomhas de dhìon dhi bhon ghlòramas a bh' aig na bàird eile. Bha i cuideachd a' cumail sùil gheur air na pàipearan-naidheachd. Mar a bu trice, bha a tuigse mu chùisean, a tàmailt phearsanta fhèin agus tàmailt na Gàidhealtachd a' tighinn còmhla ann an òrain is rannan a tha a' brosnachadh an t-sluaigh gus an crannchur a leas-achadh. Aig amannan eile, bha a fulangas fhèin agus fulangas sluagh na Gàidhealtachd a' tàthadh ann an cumhachan anabarrach drùidhteach a bha a' dèanamh dealbh neartmhor air an t-seann dòigh-bheatha, 's air an atharrachadh a bh' air tachairt.

Bha barrachd air aon *phersona* aig Màiri, agus tha sin foll-aiseach anns na h-òrain. B' ise am martar a dh'fhuiling tàmailt, b' ise a' mhàthair a bha eudmhor às leth a cloinne, anns an dachaigh agus air an dùthaich, agus b' ise a bha gam brosnachadh gu gnìomhan mòra. B' ise cuideachd an tè a bha a' tairgsinn fealla-dhà do dhaoine, agus 's e creutair gu math suigeartach a bh' innte.

Tha na h-òrain aotrom aighearach aice a' leigeil fhaicinn taobh aoibhneach a h-inntinn. Gu dearbh, bha bròn is àbhachdas gu math dlùth air a chèile na nàdar, 's bha e furasda dhi gluasad o ghuil gu gàire. Bha i aig mullach a sòlais nuair a bha i an cuideachd Ghàidheal eile, a' spàragaich ri Bean Ois (Orain 20, 21) no a' meal-tainn co-chomann nan Gàidheal anns na bailtean, aig cèilidhean is cruinneachaidhean den t-seòrsa sin (Oran 10). Bha meas mòr mòr aig Màiri air a co-chreutairean, agus 's e an fhalamhachd uamhasach a thàinig air eilean a h-òige mar thoradh air fuadach is fàsachadh as motha a bhios a' cur tiamhaidheachd dhomhain anns na cumhachan dùthchail aice; tha i a' caoidh nan daoine air an robh i fhèin eòlach agus measail (faic Orain 13 is 37).

Tha na h-òrain as fheàrr aig Màiri an còmhnaidh loma-làn de bheòthalachd. Bha i fhèin daonnan air ghluasad, thall 's a-bhos. Tha sin follaiseach nuair a tha i a' cuimhneachadh a h-òige (faic Oran 13), no a' comharrachadh cèilidh no cruinneachadh air chor-eigin. Ann an làithean a h-òige, bha muinntir an àite cho gnìomhach (mar a chìthear ann an Oran 11, ss. 65–88). Ach tha na daoine gnìomhach anns an àm a tha an làthair cuideachd. Tha "Camanachd Ghlaschu" (Oran 16) a' toirt dealbh air leth snasail dhuinn air cho èasgaidh 's a bha na gillean air an raon (gu h-àraid ss. 28–57); chì sinn iad nan ruith, is cluinnidh sinn "glagadaich chaman" air an fhaiche.

Tha a' bheòthalachd seo a' nochdadh ann an dòighean nach biodh dùil riutha. Tha Màiri a' toirt bhuadhan daonnda do na bàtaichean-smùide, mar a chìthear anns an òran mun bhàta-smùide an "Clydesdale" (Oran 24), far a bheil dà luing a' bruidhinn ri chèile. Tha an t-òran mun "Chlaidheamh Mhòr" (Oran 25) grinn cuideachd, oir tha i a' cluich leis an fhacal "claidheamh", agus a' toirt cumhachd gaisgeil don bhàta gu bhith a' dol an aghaidh nan siantan. Tha na h-òrain aotrom seo coltach ri saothair nam bàrd-baile, ach tha an fheadhainn aig Màiri a' nochdadh farsaingeachd seallaidh, oir chan e cuspairean beaga sgìreil a tha i a' taghadh. Bha an "sgìre" aig Màiri gu math mòr, agus 's e sin a chuir gu robh i a' tarraing aire dhaoine air feadh na Gàidhealtachd.

De na h-òrain aig Màiri gu lèir, 's iad na h-òrain-mholaidh, na marbhrannan 's na h-òrain eile a rinn i a chionn 's gu robh i cho mothachail air a dleasdanas fhèin mar bhàrd, an fheadhainn as lugha tarraing dhuinn an-diugh. Cha do rinn i ach marbhrann no dhà anns a bheil faireachdainn dhomhain. 'S e aon dhiubh sin am marbhrann don Urramach Alasdair MacGriogair (Oran 18), a thug cuideachadh dhi nuair a chaidh a tàmailteachadh ann an Inbhir Nis. Tha tomhas de bhlàths cuideachd anns a' mharbhrann a rinn i don Dotair Neacal Màrtainn (Oran 19), fear a bha air a mheas le cuid mar dhroch uachdaran. Tha am blàths ann a chionn 's gu robh i, a rèir choltais, na chomain airson coibhneas pearsanta air choreigin. Gidheadh, tha cuid de na h-òrain oifigeil seo, gu h-àraid an fheadh-ainn a rinn i sa Ghalldachd, glè luachmhor mar fhianais eachd-raidheil, oir tha iad a' cumail cuimhne air tachartasan a bha cudthromach do na Gàidheil sna bailtean mu dheas, agus a' toirt beachd dhuinn air mar a bha daoine a' smaointinn aig an àm.

Cruth is Cainnt nan Oran

Ann a bhith a' cur a cuid òran ri chèile, lean Màiri aon de na dòighean a bu shine anns an t-saoghal – 's e sin a bhith a' cur facail ùra ri fuinn a bha cumanta mar a bha. Air uairean bha Màiri a' lean-tail chan e a-mhàin fonn an t-seann òrain, ach na facail cuideachd, gu h-àraid aig ceann na sreath far an robh i ag iarraidh comhardadh no aicill. Tha buaidh facail òrain nas fhollaisiche anns na h-òrain "oifigeil" aig Màiri, far nach robh i air a gluasad le faireachdainn dhomhain sam bith.

'S ann air òrain Ghàidhlig a bha Màiri a' stèidheachadh cha mhòr a h-uile òran a bha i fhèin a' cur ri chèile. A rèir choltais, cha robh buaidh mhòr sam bith aig fuinn Bheurla oirre. Chan eil ach dà fhonn Beurla ri lorg aice gu lèir – "A Soldier of the Legion", òran a dh'fhaodadh a bhith air a sheinn le saighdearan na Gàidhealtachd fhèin, agus an ceòl-fìdhle ainmeil, "Wooed and Married an' a'". (Faic "Fuinn nan Oran" aig deireadh an leabhair.) Tha seo ga cur air leth bho bhàird mar Niall MacLeòid, a bha gu math tric a' gabhail ris na fuinn a bha cumanta am measg nan Gall. 'S dòcha gur h-e an t-adhbhar nach do ghabh Màiri ris na fuinn Ghallda gu robh i còrr is fichead mun d'fhàg i an t-Eilean Sgiathanach, 's còrr is lethcheud mun deachaidh i don Ghalldachd, far nach d'fhan i ach mu dheich bliadhna. Bha i ro chleachdte ris na seann fhuinn Ghàidhlig is na b' fhaisge air an t-seann nòs. Gidheadh, tha e soilleir gu robh i, mar a bu trice, a' leantail òrain a bha cumanta aig cèilidhean air Ghalldachd san leth mu dheireadh den naoidheamh linn deug. Tha deannan math de na h-òrain air a bheil i a' stèidheachadh a saothrach fhèin rin lorg anns an *Oranaiche* aig Gilleasbaig Mac-na-Ceàrda (1879), fear air an robh i glè eòlach (faic Oran 25, ss. 57–60).

Chìthear buaidh an t-seann dualchais air a' chainnt a tha Màiri a' cleachdadh. Am feadh 's a bha i aig àird a comais, bha Niall MacLeòid agus a luchd-leanmhainn a' cruthachadh cainnt ùr ròlaisteach fo bhuaidh òrain chumanta na Galldachd agus bàird "aotrom" na Beurla mar Mrs Hemans. Cha b' fhada gus am b' e seo a' chainnt "cheart" airson nam bàrd Gàidhlig. Ach tha cainnt Màiri lom seach cainnt Nèill. Tha i mòran nas dlùithe air cainnt nam mith-òran, 's dòigh-labhairt nàdarra dhaoine. Tha seo ri fhaicinn gu h-àraid anns an dòigh anns a bheil i a' fighe chòmhraidhean a-steach da bàrdachd. Chan eil sin a' ciallachadh gu bheil cainnt Màiri mì-dhealbhach, ged math dh'fhaodte nach eil i cho òirdheirc ri cainnt nam bàrd eile. Gheibhear na bàrdachd Gàidhlig air leth fileanta, làidir, le dealbhan air uairean air am filleadh sna facail fhèin. Mar eisimpleir, tha i a' bruidhinn ann an aon da h-òrain (Oran 32, ss. 7–8) air "na sgeith an *Courier* de chlàbar" an aghaidh Theàrlaich Fhriseil Mhic-an-Tòisich, agus ann an òran eile (Oran 36, s. 4), tha i ag ràdh gu bheil Alasdair Ruadh an Dòmhnallaich a' "fàsgadh…gamhlas" à fir a' Bhràighe. 'S iongantach mura bheil an seòrsa cainnt sin glè dhlùth air bruidhinn àbhaisteach Màiri.

Nuair a tha i air a gluasad gu mòr, tha Màiri ag ùisneachadh dhealbhan-cainnte (*metaphors*) is choimeasan-cainnte (*similes*). Mar as trice, tha i a' tarraing a cuid dhealbhan bho obair an fhear-ainn (crodh, caoraich is iasgach) no bho obair a' chlò (faic Oran 2 gu sònraichte). Tha am Bìoball a' toirt buaidh oirre cuideachd, gu h-àraid nuair a tha i a' bruidhinn mun tàmailt a thàinig oirre (mar ann an Oran 4), agus is dòcha gur h-ann bhon Bhìoball a tha i a' tarraing dealbh an t-sionnaich, a tha a' nochdadh ann an "Oran Sàrachaidh" (Oran 3, ss. 41–8) – aon de na dealbhan as fheàrr, faodar a ràdh, ann am bàrdachd na naoidheamh linn deug gu lèir.

Gheibhear eisimpleirean de dhealbhan 's de choimeasan ealanta ann am "Fàgail Eilean a' Cheò" (Oran 5). Ann an cuid de na h-òrain eile, tha an aon sgil a' nochdadh. Ann an "Oran Beinn Lì" (Oran 35) tha i a' leudachadh air an dealbh de "Shàtan 's a chuid ainglean" a gheibhear san fharainm sin. Anns a' "Chogadh Shìobhalta" eadar i fhèin is Bean Ois (Oran 20, ss. 101–2), tha i a' dèanamh dealbh anabarrach drùidhteach air buaidh a' chreidimh shoisgeulaich air inntinnean an t-sluaigh. Tha cainnt mar sin ag èirigh à inntinn làidir, neo-eisimeil.

Tha aon dòigh-cainnte eile a tha Màiri gu math tric ag ùisneachadh na bàrdachd, agus 's e sin an samhladh (*symbol*). Gheibhear a' chuid as motha de na samhlaidhean – dealbhan beaga, snasail, gun leudachadh, a tha a' riochdachadh sealladh mòr air dòigh-beatha na Gàidhealtachd – anns na cumhachan a rinn i mun Eilean Sgiathanach agus mun fhàsachadh a bha cho follaiseach dhi. Tha e mar gum biodh na samhlaidhean ag èirigh à doimhneachd na h-inntinn aice, far an robh i a' gleidheil cuimhne chumhachdach air an t-seann dòigh-bheatha. Tha "Eilean a' Cheò" (Oran 11), "Soraidh gu Eilean a' Cheò" (Oran 12), "Nuair bha mi òg" (Oran 13) is "Soraidh leis an Nollaig Uir" (Oran 37) loma-làn de shamhlaidhean air an tarraing bhon dùthaich, bhon chroitearachd, bhon iasgach, 's bho choluadar nan daoine anns an fharsaingeachd.

Air uairean tha na samhlaidhean sin a' coimhead sìmplidh gu leòr, ach faodaidh doimhneachd phearsanta a bhith annta. Mar eisimpleir, ann an "Soraidh leis an Nollaig Uir" (Oran 37, ss. 33–6), tha i a' toirt iomradh air tobar a h-athar nach maireann. Tha an tobar a' sealltainn diombuaineachd beatha an duine, ach tha e cuideachd a' sealltainn mar a dh'fhaodas duine làrach mhairsinneach fhèin fhàgail na dhèidh. 'S e dòigh eile air an t-samhladh a th' ann an ainmean nan àiteannan is nam beanntan a tha Màiri a' cur gu feum anns na h-òrain sin. Tha i gan cleachdadh a dhùsgadh cianalais, agus gheibhear eisimpleirean den cheart rud ann an saothair bhàrd eile. Ach 's ann fìor ainneamh a gheibhear samhlaidhean mar sin air an cleachdadh ann an dòigh cho cumhachdach ann am bàrdachd Ghàidhlig na naoidheamh linn deug.

Chan eil a' bhàrdachd aig Màiri gu lèir cho làn sin de chainnt dhealbhach. Gu dearbh, 's gann gu bheil òran ann nach eil air a mhilleadh air dhòigh air choreigin le pìosan gu math tana. Coltach ri iomadh bàrd roimhpe 's na dèidh, bha Màiri buailteach rannan a dhèanamh air sgàth rannan fhèin, gu h-àraid bhon a bha i mar a bu trice a' leantainn cruth òrain eile, 's nach robh aice ach glutadh a chur sna ceathramhan. Bha i dualach a bhith a' bruidhinn anns na h-òrain, agus tha an dà chuid neart agus laigse anns an t-seòrsa "nàdarrachd" a tha a' nochdadh na saothair.

'S e an laigse as motha anns na h-òrain aig Màiri, ged tha, nach robh i daonnan comasach air rian a chumail air a smuaintean no air cruth òrain. Rinn i cuid a dh'òrain (glè bheag, feumar aideachadh) a tha gu math snasail a thaobh cruth; 's dòcha gur h-e an eisimpleir as fheàrr dhiubh sin "Nuair bha mi òg" (Oran 13), far a bheil smachd làidir aice air a smuaintean, agus far a bheil an cruth teann o thoiseach gu deireadh. Mar as trice, tha na h-òrain aice a' sgaoileadh, le rann an dèidh rainn, mar a chìthear anns an "ròp" (a facal fhèin) a gheibhear ann an "Eilean a' Cheò" (Oran 11). Tha e gu math coltach gun do chuir i rannan eile ris an òran sin ann an ruith nam bliadhnachan, agus cha b' fheàirrde e sin. Cha robh i comasach air a h-obair fhèin a sgrùdadh no a mheas mar ealain chrìochnaichte.

Chan fhaighear eisimpleir as fheàrr de na feartan 's de na lochdan aig Màiri an lùib a chèile na gheibhear ann an "Ath-ùrachadh m' Eòlais" (Oran 14). Tha ceathramhan brèagha anns an òran sin – seallaidhean air an dùthaich (ss. 12–23), faireachdainn bhlàth air feadh an òrain gu lèir, agus geur-chainnt shnasail. Ach tha rannan ann cuideachd a tha gu math faoin leinn an-diugh, mar an t-iomradh a tha i a' dèanamh air mullach bùth Uilleim Stiùbhart (ss. 44–51), ged a dh'fheumas sinn a thuigsinn gur h-e moladh a tha fa-near dhi; cha robh na cinn sglèata ro phailt anns an eilean aig an àm. Tha an t-òran gu lèir a' tuiteam às a chèile le bleadraich is barraghloir gun susbaint aig an deireadh (ss. 83–106). Tha rannan pearsanta mar sin, làn còmhraidh is faoineis làitheil, a' milleadh cuid mhath de na h-òrain. Ach, a dh'aindeoin sin, tha neart anns na h-òrain as fhiach a thoirt fa-near. Ma tha an ealain mu làimh air uairean, tha treibhdhireas is dìlseachd follaiseach, gu h-àraid nuair a tha i a' toirt taic do a luchd-dùthcha aig àm aimhreit an fhearainn.

BARDACHD MAIRI AGUS AIMHREIT AN FHEARAINN

Bhon a tha uiread de òrain Màiri a' buntainn ri aimhreit an fhearainn no "àm an Land League", 's fhiach smaointeachadh air an aimhreit agus na tha Màiri ag innse dhuinn mu dhèidhinn.

Tha freumhan aimhreit an fhearainn a' dol air ais gu math fada ann an eachdraidh na Gàidhealtachd. Gu dearbh tha iad a' dol air ais còrr is ceud bliadhna ron aimhreit fhèin. Eadhon ro Bhliadhna Theàrlaich (1745), bha na seann chinn-fheadhna Ghàidhealach a' tòiseachadh air dol air chuairtean tada don Ghalldachd 's don Roinn Eòrpa, far an robh iad a' cur eòlas air dòigh-bheatha ùr am measg uaislean beairteach. An ùine glè ghoirid, bha iad fhèin a' teannadh ris an dòigh-bheatha seo aithlis, leis a' chosgais mhòir a bha na lorg. Chan e a-mhàin sin, ach bha iad a' fàs mothachail air cho luachmhor 's a dh'fhaodadh na h-oighreachdan aca a bhith, nam biodh na màil aca air an àrdachadh, is daoine freagarrach annta a phàigheadh na màil sin. Mar sin bha sgaradh a' tighinn eadar na cinn-fheadhna 's an sluagh cumanta. Rinn Bliadhna Theàrlaich an sgaradh seo na bu doimhne, oir chaill na cinn-fheadhna na còirichean dùthchasach air na cinnidhean. Bha iad a-nis nan uachdarain fearainn, 's cha b' fhada gus an do thòisich iad air màil an oighreachdan àrdachadh, 's an dèidh 1760 thòisich iad air an oighreachdan a thoirt thairis do thuathanaich chaorach. 'S iad na seann fhir-tac, a bhiodh a' cumail tac bhon cheann-fheadhna, a bu mhotha a dh'fhuiling anns a' chiad dol a-mach, agus thàinig orra dol thairis do Ameireaga. Nuair a chuireadh na fir-thac às an àite, cha robh dìon sam bith aig an t-sluagh chumanta, is b' fheudar do mhòran dhiubhsan imrich a dhèanamh cuideachd. Thàinig faochadh air cùisean le obair a' cheilp mu 1800, agus 's ann mun àm sin a thòisich cuid de na h-uachdarain, mar Dhiùc Earra-Ghàidheal, air tacannan a bhriseadh gus an sluagh a chumail anns an àite, oir bha iad feumail ann a bhith a' cosnadh airgid às a' cheilp.

'S ann mar sin a thòisich a' chroitearachd, le teaghlaichean ag àiteach pìosan beaga fearainn ri oir nan cladaichean. Thàinig àrdachadh mòr ann an àireamh sluagh na Gàidhealtachd ri àm an t-soirbheachaidh ùir, ach cha do mhair an soirbheachadh sin fada. Ann an 1820, cha robh iarraidh tuilleadh air ceilp na Gàidhealtachd, is ma bha cùisean dona an uair sin, chaidh iad na bu mhiosa buileach le gort mhòr a' bhuntàta ann an 1846. Ged nach do rinn a' ghort uiread cron anns a' Ghàidhealtachd 's a rinn i ann an Eirinn, chaill mòran den t-sluagh am misneach, agus dh'fhàs na h-uachdarain fhèin searbh den t-sluagh. Thòisich feadhainn de na h-uachdarain air na tacannan a bh' air am briseadh mu 1800 a ghabhail os làimh a-rithist, is na croitearan fhuadach asda. Dh'àrdaich iad màil nan croitean fhèin cuideachd. Ghabh mòran de na croitearan an t-aiseag do Ameireaga, 's ma bha iadsan bochd, bha an fheadhainn a dh'fhan aig an taigh a cheart cho bochd, oir bha àireamh mhòr dhiubh a-nis nan coitearan, gun fhearann sam bith ach an urra ris an iasgach, a bha mì-chinnteach nuair a b' fheàrr e. 'S e seòrsa de aiseirigh an aghaidh làmhachas-làidir nan uachd-

39

aran a bh' ann an aimhreit an fhearainn. Bha na croitearan 's na coitearan ag iarraidh barrachd fearainn, cinnt air am fearann fhèin, agus ìsleachadh màil.

Tha a' bhàrdachd aig Màiri a' toirt fianais air mar a bha an dòigh-bheatha a bha aig daoine ro 1745 fhathast beò ann an inntinnean an t-sluaigh, eadhon ged a bha iad a' faicinn gu robh mòran air dol ceàrr bhuaithe sin. Bha na Gàidheil cleachdte ri bhith a' toirt urram do na cinn-fheadhna 's do na h-uachdarain os an cionn, 's bha e duilich dhaibh a thuigsinn gu robh na daoine sin a-nis air tionndadh nan aghaidh. 'S dòcha gur h-e sin am prìomh adhbhar nach robh an aiseirigh na bu tràithe na bha i.

Ged a bha Màiri fhèin ag aideachadh gum b' e "uachdarain dhona nach b' fhiach" (Oran 10, s. 48) agus "ainiochd is àrdan dhaoine mòra" (Oran 9, s. 14) a bha a' fuadach muinntir na Gàidhealtachd, bha i toileach a bhith a' moladh nan "daoine mòra" sin. Tha seo ri fhaicinn ann an "Eilean a' Cheò" (Oran 11), far a bheil i a' moladh Morair Chloinn Dòmhnaill, Raghnall Dòmhnallach, 's ann an òrain eile. Aig an aon àm, bha i buailteach a bhith a' cur na coire air "Sasannaich"–mar a bu trice cìobairean Gallda nan tuathanach a bha a' faotainn fearainn bho na h-uachdarain–an àite nan uachdaran fhèin. Ach cha b' e Màiri a' chiad neach a rinn mearachd mar sin.

'S ann an 1874 a thachair a' chiad ar-a-mach an aghaidh nan uachdaran is na dòigh anns an robh iad a' toirt an fhearainn bhon t-sluagh. B' e seo ar-a-mach muinntir Bheàrnaraigh Leòdhais. Rinn Màiri òran (Oran 7) a' moladh mar rinn iad, is tha an dòigh anns an do ghabhadh ris an òran seo a' leigeil fhaicinn mar a bha daoine a' faireachdainn chan ann a-mhàin ann an Leòdhas ach ann an àiteannan eile cuideachd. A bharrachd air sin, tha na h-òrain aig Màiri an dèidh seo a' nochdadh gun do chuir ar-a-mach Bheàrnaraigh spionnadh ùr anns na Gàidheil. Ach, a dh'aindeoin sin, bha mòran deasachaidh ri dhèanamh, oir bha an sluagh rin teagasg ann an lagh an fhearainn, 's ann am poileataics anns an fharsaingeachd. B' e am prìomh fhear-teagaisg Iain MacMhuirich (*John Murdoch*) a stèidhich am pàipear, *The Highlander*, ann an 1873. Tha na h-òrain aig Màiri (m.e. Oran 26) a' nochdadh na buaidh a bh' aig a' phàipear seo air beachdan dhaoine, eadhon ged a bha a' mhòr-chuid dheth anns a' Bheurla.

'S ann air Ghalldachd, far an robh mòran Ghàidheal a-nis a' fuireach, a b' fheàrr a chaidh le MacMhuirich ann a bhith ag iarraidh air an t-sluagh an còirichean a sheasamh. Bha e gu math tric a' bruidhinn aig cèilidhean 's aig coinneamhan far an robh deasbad air cùisean fearainn. Tha na h-òrain a rinn Màiri ro 1882 a' nochdadh gu follaiseach cho cudthromach 's a bha a' Ghalldachd ann a bhith a' deasachadh inntinnean an t-sluaigh. Gu dearbh, chan e a-mhàin gu robh an sluagh fhèin ag ionnsachadh mòran bho MhacMhuirich 's an fheadhainn eile a bha ga leantainn, ach bha MacMhuirich 's a luchd-leanmhainn a' cosnadh àite dhaibh fhèin mar cheannardan an t-sluaigh. Bha seo anabarrach feumail, oir nuair a chaidh seann dòigh-bheatha na Gàidhealtachd às a chèile, cha robh ceannardan aig an t-sluagh a rachadh air thoiseach orra.

Tha Màiri a' toirt iomradh air cuid de na ceannardan ùra a bharr-achd air MacMhuirich, 's air na beachdan aca. Tha i a' bruidhinn mun Ollamh Blackie (Oran 11, ss. 167–8), an t-Urr. Dòmhnall MacCaluim (Oran 29, ss. 24–7), Iain MacMhuirich, "Martar Ghleann Dail" (Oran 35, ss. 71–2), is gu h-àraid Teàrlach Friseal Mac-an-Tòisich, am Ball Pàrlamaid ainmeil. Dhiubh sin, bha Dòmhnall MacCaluim agus am Martar gu sònraichte buadhmhor ann a bhith a' teagasg an t-sluaigh. Bha iad le chèile a' creidsinn gun tug Dia am fearann don t-sluagh, 's nach robh còir aig na h-uachdarain tighinn eadar Dia agus na daoine air an do bhuilicheadh am fearann. Bha MacCaluim a' searmonachadh "soisgeul an fhearainn", mar a theireadh e fhèin ris, às a' chùbaid, far am faigheadh e èisdeachd agus buaidh.

Aig an aon àm, tha Màiri a' bruidhinn mu bhuidhnean a bha air taobh nan croitearan, mar "mhuinntir Lunnainn", 's e sin a' *Highland Land Law Reform Association* (an *Land League* an dèidh 1886) a bha a' toirt tuarasdail don Mhartar a thoirt òraidean às an leth. Bha am buidheann seo feumail ann a bhith a' deasachadh fhianaisean nuair a rinn Coimisean Napier rannsachadh air cor nan croitearan Gàidhealach ann an 1883.

Tha Màiri a' dèanamh luaidh cuideachd air na gnothaichean a bha ag obair an aghaidh nan croitearan. Tha i gu h-àraid a' toirt ionnsaigh air na ministearan Gàidhealach a bha "cho beag cùraim" (Oran 26, ss. 36–9) mu chor an t-sluaigh. Anns an fharsaingeachd, chan urrainn nach robh susbaint anns a' ghearan aig Màiri. Bha ministearan gu math tric air an taghadh bho theaghlaichean nan uachdaran fhèin; anns an Eaglais Stèidhichte bha iad an comain nan uachdaran airson an sgìreachdan gu 1874. Ged a bha an Eaglais Shaor (a tha fa-near dhi ann an Oran 26, ss. 36–9) an aghaidh nan uachdaran a thaobh patronachd, cha robh i deònach gnothach a ghabhail ri aimhreit den t-seòrsa seo. Gidheadh, bha ministear no dhà anns an dà Eaglais an dèidh 1880 a bha a' cur an taic ris na croitearan. Bha Dòmhnall MacCaluim agus a dhà bhràthair, Calum is Cailean, a bha iad fhèin san Eaglais Stèidhichte, am measg na feadhainn a bu trèine. Tha e air a ràdh gum b' e Dòmhnall MacCaluim an aon mhinistear ann an Clèir an Eilein Sgiathanaich a thog a làmh an aghaidh nan uachdaran, is chaidh e fhèin a ghairm fa chomhair na Clèire airson na bha e a' dèanamh. Anns an Eaglais Shaoir, b' e am ministear a b' ainmeile

Teàrlach Friseal
Mac-an-Tòisich

Lachlann Dòmhnallach,
Fear Sgèabost

Dòmhnall MacRath, "Bail'-Ailein"

Iain MacMhuirich, "am
Martar"

An t-Urr. Dòmhnall
MacCaluim

air taobh nan croitearan Evan Gordon, à coithional Duke Street, ann an Glaschu (Oran 28, ss. 44–7), ged a bha aon no dhà eile ann a bhiodh a' frithealadh coinneamhan nan croitearan.

Bha teanga air leth sgaiteach aig Màiri nuair a bhiodh i a-mach air nàimhdean nan croitearan. Bha gràin uamhasach aice air an t-Siorram Ivory, agus chìthear sin ann an Orain 33 is 34. Tha Oran 33 a' dearbhadh gu robh i a' cumail sùil gheur air na bha a' tachairt anns an Eilean Sgiathanach an dèidh dhi tilleadh ann ann an 1882.

'S ann an dèidh 1880 a b' fheàrr a chaidh le spàirn nan croitearan. Bha fir mar Theàrlach Friseal Mac-an-Tòisich agus Dòmhnall MacPhàrlain a-nis a' toirt taic dhaibh anns a' Phàrlamaid. Nuair a thachair Blàr a' Chumhaing anns a' Ghiblinn 1882, cha robh ann ach toiseach tòiseachaidh. Thàinig aimhreit Ghleann Dail is Bhaltois na dhèidh. Tha na h-òrain aig Màiri a' leigeil fhaicinn na togarrachd a bha an lùib na strì, gu h-àraid an dèidh do na croitearan a' bhòta fhaighinn ann an 1884. Rinn i òran (Oran 32) aig àm Taghadh Pàrlamaid 1885, a' chiad uair a b' urrainn do na croitearan a' bhòta a chleachdadh. Bha i a' tairgsinn "còir às ùr air bhur cuid fearainn" don fheadhainn a chuireadh taic ri Teàrlach Friseal Mac-an-Tòisich. Chan urrainn gu dearbh nach do chuidich òrain Màiri le buaidh buill nan croitearan le bhith a' cumail nan adhbharan strì gu soilleir fa chomhair an t-sluaigh, is le bhith a' brosnachadh, a' moladh, is a' càineadh dhaoine, nuair a bha feum air sin.

B' e buaidh buill nan croitearan a thug air a' Phàrlamaid adhartas luath a dhèanamh leis a' bhile a thàinig gu buil mar Achd nan Croitearan anns an Ogmhios 1886. Thug an Achd barantas do chroitearan nach rachadh an cur a-mach às na croitean cho fad' 's gum pàigheadh iad am màl, agus chuireadh cùirt air chois gus màil chothromach a rèiteach. An lorg seo chaidh màil a' Bhràighe anns an Eilean Sgiathanach ìsleachadh 50%, agus, rud a b' fheàrr buileach, fhuair na croitearan còir air feurach Beinn Lì. Cha bu bheag an gàirdeachas a rinn Màiri nuair a thachair seo anns a' Chèitein 1887 (Oran 35).

Bha seo na bhuaidh mhòir do na croitearan mar a tha a h-òran a' cur an cèill. Ach ged a fhuair croitearan còir air feurach anns a' Bhràigh, cha robh an Achd a' toirt tuilleadh fearainn do chroitear no coitear sam bith sa Ghàidhealtachd. Mar sin, cha tàinig crìoch air an iorghaill, mar a tha soilleir bho na h-aimhreitean ann an Tiriodh (1886) is ann an Leòdhas (1887). Bha na croitearan anns an dà àite ag iarraidh gun rachadh bailtean mòra fearainn a roinn eadar na croitearan is na coitearan. Bha aimhreit cuideachd mu na frìthean, mar a dhearbh Creach Mhòr nam Fiadh ann an Leòdhas. Bha Màiri air taobh na feadhainn a bha ag iarraidh tuilleadh fearainn, 's gu h-àraid briseadh nam frìthean. Nuair a chuala i gu robh

Sir Seòras Trevelyan a' cur air chois coimisean gus ceist nam frìthean a rannsachadh, rinn i òran a tha a' leigeil fhaicinn mar a rinn daoine fiughair ris (Oran 38).

Rinn Màiri an t-òran mu na frìthean ann an 1892. Anns an aon bhliadhna, chaill aon de na buill a b' ainmeile anns an *Land League*, Teàrlach Friseal Mac-an-Tòisich, àite mar Bhall Pàrlamaid Siorramachd Inbhir Nis, is b' e aon eile às an *Land League* a bhuannaich. Thug Màiri iomradh air seo anns an òran mu na frìthean, ach a rèir choltais cha robh i a' tuigsinn dè bha e a' ciallachadh, oir cha robh i a' cur ùidh ann am poileataics fharsaing. B' e an fhìrinn gu robh an *Land League* a-nis sgarte le gnothaichean eile (mar Fhèin-riaghladh Eirinn) a bha a' buntainn le ceartas don t-saoghal taobh a-muigh na Gàidhealtachd. Bha na croitearan iad fhèin air fàs eòlach ann am poileataics, agus bho nach robh mòran a bharrachd strì ri dhèanamh, cha leigeadh iad a leas na seann cheannardan a leantail. Bha an cath air tighinn gu crìch.

Am feadh 's bha i ann an teas a' chatha, 's e glè bheag aire a bh' aig Màiri don t-saoghal taobh a-muigh na Gàidhealtachd. Ged a bha na h-Eireannaich a' strì anns an aon dòigh airson ceartais, agus ged a bha buaidh mhòr aca air na thachair anns a' Ghàidhealtachd, chan fhaighear aon iomradh orra. Bha Màiri o thoiseach gu deireadh a' cur a h-ùidh anns an dùthaich aice fhèin, 's a rèir choltais cha robh an còrr a' cunntas. Cò aige tha fhios nach robh seo fìor mu a luchd-dùthcha anns an fharsaingeachd?

MEAS IS ATH-MHEAS: BEACHDAN LUCHD-SGRUDAIDH AIR NA H-ORAIN

Sìos tro na bliadhnachan, tha deifir bheachdan air a bhith aig daoine mu Mhàiri Mhòr agus a cuid òran. Tha feadhainn ann nach fhaca, agus nach fhaic, mòran as fhiach na saothair, agus tha cuid eile ann a tha a' gabhail rithe mar dheagh òranaiche. Anns an latha againn fhìn, tha Màiri air a sgeadachadh le urram, agus air a h-athchruthachadh mar bhana-ghaisgeach a dh'fhosgail slighe ùr do chroitearan na Gàidhealtachd aig deireadh na naoidheamh linn deug. Bheir sinn sùil a-nise air an dòigh anns an robh Màiri agus a bàrdachd air am meas na h-àm fhèin agus na dhèidh, agus mar a tha a h-ìomhaigh (mar a their sinn an-diugh) air a bhith ag atharrachadh ann an ruith nam bliadhnachan.

Ann an 1875, bha fear dom b' ainm Alasdair Bàn (faic Oran 10) a' sgrìobhadh anns an *Ard-Albannach* (*The Highlander*) mu Mhàiri agus a h-òrain. Mar a tha i fhèin ag innse dhuinn ann an Oran 10, bha dùil aice leabhar fhoillseachadh aig an àm sin, agus seo mar a thubhairt Alasdair Bàn:

> Tha litrichean agamsa o chuid dem chàirdean agus tha iad ag
> ràdh gu bheil na h-òrain aig Màiri nighean Iain Bhàin os cionn
> a' chumanta, agus gum bu chòir an clò-bhualadh (*H*,
> 20.3.1875).

Ach cha robh a h-uile duine cho moltach. Ann an 1877, sgrìobh
"Fionn" (Eanraig Mac 'Ille Bhàin, bràthair Iain Mhic 'Ille Bhàin,
a chruinnich na h-òrain aig Màiri ann an 1891) mar a leanas ann
an "Litir Ghlaschu" anns an *Oban Times*:

> I understand that one of our most voluminous if not refined
> Bardesses has a work in the press at present. Her poetic (?)
> soul has been moved by the recent state of ecclesiastical mat-
> ters in the Highlands, and she has endeavoured to give expres-
> sion to her feelings in the shape of a Dialogue between two
> Mountains in the North. It is to be hoped that this poetic effu-
> sion will heal the various breaches visible in our northern
> Zion (*OT*, 26.5.1877).

Tha tomhas mòr de mhagadh anns na facail sin; bha "Fionn" den
bheachd gu robh Màiri ro bhriathrach, agus nach robh snas anns
na h-òrain aice; bha iad cho corrach, caobach ris na beanntan a bha
a' labhairt annta! Bha "Fionn" cuideachd a' cur teagamh (le
comharradh ceiste!) ann an comasan Màiri mar bhàrd, agus tuigidh
sinn bhuaithe sin nach robh e a' creidsinn gur e bàrd a bh' innte
idir. Faodaidh sinn a bhith cinnteach nach b' e bàrd den aon seòrs-
sa ri "Fionn" fhèin a bh' innte co-dhiù – rud a tha gu math fol-
laiseach nuair a nìthear coimeas eadar bàrdachd Màiri, a tha cho
talmhaidh, agus na h-òrain cheòthach, mhilis a bhiodh a' sruthadh
à peann "Fhinn".

   Bha daoine eile ann a bha a cheart cho mothachail air an eadar-
dhealachadh a bha eadar saothair Màiri agus saothair nam bàrd
ròlaisteach. B' iad na bàird ròlaisteach a b' fheàrr le cuid mhath
de Ghàidheil anns a' chiad leth den fhicheadamh linn, agus
chìthear seo anns na sgrìobh Alasdair MacNeacail ma deidhinn na
leabhar fiachail, *History of Skye*, 283:

> In celebration of these functions [in Glasgow and Greenock]
> she often composed, and sang, songs that evoked a large
> amount of enthusiasm at the time, but now that the scenes
> have changed, and the personalities represented have passed
> away, one is forced to admit that the great majority of these
> effusions have no permanent value. Indeed, but few of her

productions are worthy of preservation. She was incapable of
sustained effort, her imagery was too fleeting and superficial,
and we tire of her pleonastic and rambling treatment of her
subject. In '*Nuair Bha mi Og*', which is one of her best efforts,
she rouses us momentarily with a pleasing sentiment here and
there, only to accord us a shock elsewhere by her common-
place observations. In another of her most popular pieces,
'*Soraidh le Eilean a' Cheò*', she depicts beautiful vignettes
of scenes in her native isle, but displays them in such rapid
succession, and in such a haphazard manner, that the mind
wearies in following her, so that the whole production too
often resolves itself into a glorified tourist's guide…At that
time [from 1882] the land troubles were agitating the island,
and she championed the people's cause in speech and song.
Many of her poems were then composed, though few of them
possess much poetic value. Among her works appear a large
number of elegies; but in these, as in her political songs, she
betrays the shallowness of her genius, borrowing largely
from the works of other bards.

Tha e soilleir gum b' fheàrr le MacNeacail na h-òrain aig Niall
MacLeòid seach an fheadhainn aig Màiri, agus gur h-e "pleasing
sentiments" a bu taitniche leis na "commonplace observations". A
dh'aindeoin sin, faodaidh sinn gabhail ri pàirt de na beachdan aige;
mar a chunnaic sinn, tha gu leòr anns na h-òrain aig Màiri a tha
"commonplace" seach na gheibhear ann an òrain a comhaisean,
agus chan eil i an-còmhnaidh comasach air eadar-dhealachadh a
dhèanamh eadar an rud a tha "commonplace" is an rud nach eil.
Chan eil e na comas smachd a chumail air a h-inntinn a bharrachd.
Mar thoradh air a sin, chan eil rian air cruth cuid de na h-òrain.
Anns an sgrùdadh a rinn sinn gu h-àrd, ged tha, thubhairt sinn gur
h-iad na h-òrain a rinn Màiri mu aimhreit an fhearainn cuid den
fheadhainn a bu luachmhoire a rinn i, agus gur h-iad na h-òrain a
rinn i mun Eilean Sgiathanach – 's cuid dhiubh co-ionnan ri
"glorified tourist's guide" a rèir MhicNeacail – an fheadhainn a bu
drùidhtiche buileach.
    Ged a dh'aidicheas luchd-sgrùdaidh litreachas na Gàidhlig
an-diugh gu bheil laigseachan mòra ann an cuid de na h-òrain aig
Màiri, tha iad a' toirt inbhe dhi nach toireadh Mac 'Ille Bhàin no
MacNeacail. Cuin, agus carson, a dh'atharraich na beachdan a bha
aig luchd-sgrùdaidh an litreachais oirre?
    'S ann san linn seo fhèin, eadar 1936 is 1939, a thàinig sgrùd-
aidhean am follais a bha a' tairgsinn mìneachadh air saothair Màiri
a bha mòran na bu bhàidheile rithe. B' e Murchadh Moireach a'
chiad neach a thug ionnsaigh air MacNeacail, agus air an dìmeas

a bha luchd litreachais a' dèanamh air Màiri. Sgrìobh esan aiste chomasach a chaidh a liubhairt mar òraid do Chomunn Gàidhlig Inbhir Nis air an 13mh den Mhàrt 1936 (Moireach, "Màiri Nighean Iain Bhàin"). Mar a tha e fhèin ag ràdh: "Chuir e iomadh uair gu smaoineachadh mi an dìmeas a chaidh a dhèanamh oirre leothasan a sgrìobh mu litreachas na Gàidhlig". Am beachd a' Mhoirich, "chuir a' bhuaidh is an grinneas a tha air òrain MhicLeòid seòrsa de dhrùidheachd oirnn, air chor is gur lìonmhor iad a tha de an bheachd mur 'eil gach rann ann an cainnt mhìn, shlìm, shleamhuinn, bhòidhich, nach bàrdachd idir i." Bha Murchadh Moireach mothachail air cho beairteach 's a bha saothair Màiri a thaobh cànain, is gach facal air a thoirt "á fìor charraig na Gàidhlig". Ach chuir e a chorrag air puing eile: mar a tha na h-òrain aig Màiri ag èirigh às a pearsa fhèin, loma-làn is mar a tha i de fheartan is de lochdan – "a mèinn 's a h-aignidhean is eadhoin na blaomaidhean sin anns a bheil i leigeil ris dhuinn an dlùth-dhàimh daonndail a tha eadarainn uile." 'S e an rud a tha am Moireach a' cur mu ar coinneamh, gu bheil bàrdachd Màiri fìor a rèir an t-seòrsa neach a bh' innte fhèin; cha robh i a' cleith a nàdair: "Chì sinn Màiri ann a sin dìreach mar a bha i, le fuil bhlàith a' ruith tro a cuislibh, am math is an t-olc air a mheasgachadh mar ann an càch…"

Beagan an dèidh sin, chuir an t-Ollamh Somhairle MacGill-Eain an cèill a bheachdan ann an aiste cho cumhachdach 's a chaidh riamh a sgrìobhadh ann an eachdraidh litreachas na Gàidhlig, "The Poetry of the Clearances", a chaidh a liubhairt mar òraid do Chomunn Gàidhlig Inbhir Nis air an 10mh den Ghearran 1939. Dhearbh an aiste seo gu robh an sruth a' tionndadh; bha sgoil de sgrùdairean ùra a' nochdadh aig an robh càil is breithneachadh nach robh idir air an aon ràmh ri Mac 'Ille Bhàin is MacNeacail. Sheall an t-Ollamh MacGill-Eain gu follaiseach gu robh ròlaist-eachd is draoidheachd fhacal a' lagachadh mòran de bhàrdachd na naoidheamh linn deug, ach, na bheachd-san, bha cuid a bhàird san linn sin anns an robh neart is treibhdhireas. Nam measg, chuir e Màiri Mhòr nan Oran, ged a bha e mothachail air na gaisidhean is na laigseachan a bha an lùib a cuid òran:

It is not easy to give a consistent account of Màiri Mhòr's poetry, as she herself was the least logical of people. The only logic in her poetry is a logic of feeling and inconsistencies abound…I think Màiri Mhór had the qualities and defects that make a popular poet, a poet of the people, and I believe that her limitations have been exaggerated and her merits depre-ciated. I grant that it is not possible to take any one poem of hers, except 'Nuair bha mi òg', and say that it is truly a fine

47

poem, but to me at least the cumulative effect of her poetry is very convincing.

Mar a thubhairt mi, bha an sruth a' tionndadh, ach carson? Saoilidh mi gu robh buadhan ùra a' tighinn a-steach do shaoghal breith-neachadh-litreachais na Gàidhlig aig an àm seo. Bha neochion-tachd an luchd-sgrùdaidh a' sìoladh às, agus mar sin cha robh iad idir buailteach a bhith a' moladh neochiontachd ann an litreachas. 'S e fìrinn is fìreantachd a b' fheàrr leotha, ged nach biodh an dealbh air uairean coileanta. Tha amharas agam gu robh ceangal aige seo ris a' Chiad Chogadh. Dh'atharraich clàbar is fuil na Frainge an dòigh anns an robh mòran dhaoine a' coimhead air an t-saoghal; bha iomadh bruadar air a fuadach anns na trainnseachan, agus bha Murchadh Moireach e fhèin am measg nan saighdearan Breatannach a bha thall is a chunnaic a' bhrùidealachd. Ann am bàrdachd na Beurla, chìthear mar a thòisich cuid de bhàird a' chogaidh air tàir a dhèanamh air muinntir a' bheòil mhilis is na teanga breugaich. Mar a thubhairt am bàrd Sasannach, Arthur Graham West (faic Martin, *War Poems*, 40):

> God, how I hate you, you young cheerful men,
> Whose pious poetry blossoms on your graves
> As soon as you are in them…
>   Hark how one chants –
> "Oh happy to have lived these epic days" –
> "These epic days"! And *he'd* been to France,
> And seen the trenches, glimpsed the huddled dead…

Eadar an dà chogadh mhòr, thòisich còmhstri eile a thaobh na Spàinne, agus chuir am buaireadh sin (1936–39) agus feall-sanachdan poileataiceach an ama an dreach air smuaint is bàrdachd Shomhairle MhicGill-Eain. Tha e annasach gur h-ann aig àm Cogadh na Spàinne a bha am Moireach is MacGill-Eain a' dèanamh ath-thomhas air luach nan òran aig Màiri. Bha iadsan nan sgrìobhadairean a bharrachd air a bhith nan sgrùdairean, agus bha an inntinnean air an geurachadh le faireachdainnean an latha fhèin. Gu ìre, b' e sin a thug an comas dhaibh faobhar ùr a chur air sgrùd-adh litreachas na Gàidhlig, agus an cùl a chur ris an urram gun seagh a bha aig iomadh neach eile do bhàird gun bhrìgh nach robh a' faicinn an t-saoghail mar a bha e. Bhuannaich Màiri agus bàird eile às a sin, am feadh 's a chaill Niall MacLeòid am prìomh àite a bha aige am measg nam bàrd Gàidhlig.

Chomharraich MacGill-Eain gur h-e òranaiche, is nach e bàrd litreachais, mar gum biodh, a bh' ann am Màiri Mhòr, eadar-dhealachadh as fhiach a chumail air chuimhne. Dh'fhaodamaid a ràdh nach e ealain a' chiad rud a bha Màiri a' sireadh, ged is iongantach mura robh i glè eòlach air na modhan labhairt a bhiodh bàird mhòra a' cleachdadh. Dh'amaiseadh i air ealain, ceart gu leòr, ach 's e faireachdainnean is beachdan (cuid dhiubh, air uairean, gu math pearsanta) a chur an cèill a bu mhotha a bha fa-near dhi. Ann an dòigh annasach, dh'amais i cuideachd, gun fhios di, air cuid de na buadhan a bu mhotha a bhiodh bàird ùra na ficheadamh linn a' sireadh, ged nach robh an ealain acasan aice.

Tha na breitheamhan litreachais a thàinig gu ìre an dèidh an Dàrna Cogaidh a' tomhas saothair Màiri anns an aon dòigh ri Murchadh Moireach is Somhairle MacGill-Eain, ach chìthear barrachd cudthrom ga chur, mar shlat-tomhais, air teòmachd is ealain nam bàrd litirichte. Tha am Proifeasair Ruaraidh MacThòmais ag ràdh mu Mhàiri (*Introduction to Gaelic Poetry*, 246):

> Her political verse is of course of great interest in an historical context, and other parts of her work are of interest to the social historian. They do not seem to me to carry much weight as poetry, though her work has indeed a great deal of pithy, down-to-earth realism which jolts it out of the nostalgic rut of the period…Yet, despite the very real legend of her life, what will perhaps survive longest are her evocations of Skye and the community she knew there in her youth. She belonged to the people there, and had a voice that could reach them, and that is the voice that survives.

Tha am measadh sin eirmseach; tha e fìor gu bheil na h-òrain a rinn Màiri mun Eilean Sgiathanach brìoghmhor agus dealbhach seach càch. Tha e follaiseach gu bheil muinntir an eilein agus seinneadairean à ceàrnan eile fhathast glè mheasail orra. 'S iad na h-òrain sin as àirde thogas a cliù, ach chan urrainn dhuinn cùl a chur ris na h-òrain eile air sgàth cion ealain.

Tha Iain Mac a' Ghobhainn, ann an ath-sgrùdadh a rinn e ann an *Gairm* (1985), glè chothromach ann a bhith a' mìneachadh nan subhailcean a tha esan a' faicinn na cuid obrach, ach tha e cuideachd ag ràdh nach eil i ag amas air bàrdachd mhòir mar a gheibh sinn ann an saothair Iain Mhic a' Ghobhainn eile, Bàrd Iarsiadar: "…tha fìor dhoimhneachd, tha fìor phongalachd, an t-sàr bhàird a dhìth oirre. Tha i a' fiaradh ro thric bhon chuspair, tha a sgrìobhadh (*sic*) ro fhaisg aig amannan air duilleagan falbhach a' phàipeir naidheachd." Nuair a thigear gu bhith tomhas bàrdachd mar bhàrdachd, no mar ealain anns a bheil facail is cruth is smuain air an tàthadh ri chèile le snas, tha Màiri (am beachd nan sgrùdairean sin) lag mar as trice. Ach, mar a tha Mac a' Ghobhainn agus MacThòmais a' cur an cèill, tha guth làidir aice, guth sluagh

49

a latha fhèin, agus 's e an guth sin a mhaireas.

Tha na beachdan sin onorach agus ceart, nam bharail-sa, agus saoilidh mi gun gabhadh Màiri fhèin riutha. Chan iarradh i an còrr. Ach a bheil e cothromach saothair òranaiche a mheas mar "bhàrd-achd" anns an t-seagh litirichte? An e ealain na "sàr bhàrdachd" a bha Màiri a' sireadh? Nach e idir meadhan anns an cuireadh i an cèill eachdraidh a beatha agus a sealladh air an t-saoghal, an leithid de dhòigh 's gun tuigeadh muinntir a latha fhèin brìgh a seanchais agus an teachdaireachd a bh' aice dhaibh? A bheil na slatan-tomhais againn da rèir sin?

Gun teagamh, tha cunnart ann, mar a tha Mac a' Ghobhainn ag ràdh, gum bi sinn a' tomhas nan òran aig Màiri a rèir na rinn i às leth nan Gàidheal, seach a bhith gan tomhas mar litreachas. Mar sin, faodaidh gum bi sinn a' gabhail a leisgeul ann an dòigh nach eil a' cur ri ar creideas fhìn no ri creideas Màiri. Feumaidh sinn gabhail rithe mar a tha i; tha na h-òrain aice duilich am mìneachadh, a chionn 's gu bheil iad cho caochlaideach nan adh-bhar agus nan cruth. Ach carson a tha a' chaochlaideachd sin ann? Mar a tha Meg Bateman ag ràdh ("Women's Writing in Scottish Gaelic since 1750", 663–5), 's e bun a' ghnothaich gur h-e ealain na h-aithris-bheòil a tha aig cridhe a cuid òran. Tha a guth is a gleus ag atharrachadh a rèir a' chuspair air a bheil i a' seinn.

Tha guthan is gleusan eile ann cuideachd, nach buin do Mhàiri fhèin, a tha gar mealladh agus a' cur claonadh san dealbh. Feumar cuimhneachadh gu bheil an leabhar seo fhèin mar phàirt den chlaonadh sin. Tha e a' cruinneachadh na cuid as fheàrr de na h-òrain aice, agus tha e an comas neach-deasachaidh sam bith an fhianais a thaghadh mar as miann leis. Rinn mise sin, agus is dòcha gun do rinn Iain Mac 'Ille Bhàin an aon rud ann an 1891. Feumaidh sinn a bhith air ar faiceall, oir tha iomadh dàn ann a rinn Màiri nach eil idir cho snasail ris an fheadhainn a th' anns an leabhar seo – agus tha cuid dhiubh sin (a tha anns an leabhar seo) gu math luideach, mas e slat-tomhais na "sàr bhàrdachd" a bhios sinn a' cleachdadh.

'S e creutair iomadh-fhillte a bh' ann am Màiri, na bàrdachd agus na beatha. Tha an aon eadar-dhealachadh barail a bha, agus a tha, aig daoine air a bàrdachd ri fhaicinn a thaobh a nàdair is a pearsa. Thòisich an leabhar seo le dealbh gasda dhith air an àrd-ùrlar, ach tha cuid ann fhathast, a bhuineas don Eilean Sgiathanach, a dh'innseas dhut gur h-e culaidh-thruais a bh' innte, gu h-àraid aig deireadh a làithean, is i a' siubhal nan taighean is a' sàrachadh dhaoine, ag iarraidh an aiseig gu taobh thall Loch Aoidhneart air oidhche stoirmeil, no a' lorg aoidheachd a rèir nan àilgheasan neò-nach aice fhèin. Bha e furasda fàs searbh dhith fhèin 's de a cuid iarrtasan. Bha i ris an drama agus a' gabhail snaoisein, agus bha na "blaomaidhean" (mar a thubhairt Murchadh Moireach) gu math follaiseach. Ach bha Màiri na deagh bhanacharaid do dh'iomadh neach, agus choisinn i urram nach gabh àicheadh, eadhon leothasan as buailtiche dìmeas a dhèanamh oirre.

An-diugh 's e an ìomhaigh as taitniche is as neartmhoire a tha a' nochdadh ann am film is ann an dealbh-chluich. Tha pearsa làidir Màiri a' lìonadh beàrn mhòr ann am fèin-fhiosrachadh Gàidheil ar latha-ne – a' bheàrn sin a dh'fheumas a bhith air a lìonadh le gaisgeach no bana-ghaisgeach a tha a' riochdachadh treubhantas nan linntean a dh'fhalbh. Ann am meadhan gluasadan ùra ar latha-ne, nuair a tha buidhnean is daoine fa leth a' tagradh còirichean na Gàidhlig agus na Gàidhealtachd às ùr, tha Màiri agus a cuid òran gar tàladh a-rithist. Chaidh ise an aghaidh an t-srutha, agus tha i a' toirt misneach do dh'iomadh neach a tha a' strì ri cruadal is ana-ceartas an t-saoghail. Ann an suidheachadh mar sin, ged tha, tha an sealladh dualtach a bhith a' tilleadh gu ròlaisteachd. Tha e ceart gun cuimhnicheamaid Màiri, mar a dh'iarr i fhèin, ach bu chòir dhuinn an dealbh iomlan a shireadh, agus chan e bloigh dheth a fhreagras air na faireachdainnean againn fhìn. 'S e sin, gu cinnteach, a b' fheàrr le Màiri cuideachd. 'S e sin a tha mise a' feuchainn ri chur fa-near do luchd-leughaidh an leabhair seo.

DUALCHAS AGUS DEASACHADH NAN ORAN

Na h-Orain anns an Dualchas

Chaidh na h-òrain aig Màiri Mhòr aiseag thugainn ann an deifir dhòighean. Anns a' mhìneachadh a rinneadh gu h-àrd, thug sinn iomradh san dol seachad air cuid de na dòighean sin, ach is fhiach dhuinn beachdachadh nas dlùithe orra aig an ìre seo.

(1)   Mar bu dual am measg nan Gàidheal, bha àireamh chuimseach de na h-òrain aice beò air bhilean an t-sluaigh. Dh'fhan cuid dhiubh air bhilean an t-sluaigh chun an là an-diugh (faic (4) gu h-ìosal). Chaidh rannan nach do chuireadh an clò ann an *DO* a thogail bho bheul-aithris eadhon san linn againn fhìn.

(2)   Bha cuid de na h-òrain aig Màiri, no rannan sònraichte a bha air an toirt asda, gan clò-bhualadh ann am pàipearan-naidheachd agus ann an irisean Gàidhlig fad a rèise mar òranaiche, eadar 1874 agus deireadh a beatha. Bha cuid eile a' nochdadh air duilleagan-leathann (m.e. Oran 34).

(3)   A bharrachd air na bha anns a' bheul-aithris choitcheann air

an tug sinn tarraing ann an (1), bhiodh a h-uile aon de na
h-òrain tasgte ann an ceann Màiri fhèin, oir tha e coltach gu
robh fìor dheagh chuimhne aice (faic an t-iomradh air *Dàin
agus Orain* gu h-ìosal).

(4) Bha cuid de na h-òrain gan cleachdadh aig na Mòdan, agus
chaidh an eagrachadh às ùr ann an leabhraichean-òran a’
Mhòid agus ann an cruinneachaidhean mar *A’ Chòisir Chiùil*.
A rèir choltais, chaidh beagan atharrachaidh a dhèanamh air
na facail air sgàth modhan seinn. Chaidh òran no dhà, le cruth
a’ Mhòid air na facail agus air an fhonn, air ais don bheul-
aithris mar a dhearbhar le Orain 11, 12 agus 13 anns a’
chruinneachadh seo.

Dàin agus Orain

Nuair a rinneadh a’ chiad deasachadh de na h-òrain aig Màiri le
Iain Mac ’Ille Bhàin ann an 1891, chaidh Màiri fhèin do dh’Inbhir
Nis tacan mus do nochd e, agus bidh e coltach gun deachaidh i ann
airson na h-òrain aice a dheachdadh no a sheinn fa chomhair an
deasachaidh. Mar sin, is dòcha gun tàinig a’ mhòr-chuid de na tha
ann an *DO* às a beul fhèin. Chan urrainn nach robh saothair mhòr
aig Iain Mac ’Ille Bhàin ann a bhith a’ sgrìobhadh nan òran am
feadh ’s a bha i fhèin gan gabhail.
  Gidheadh, bidh e coltach nach ann bho aithris Màiri a thàinig a
h-uile òran a tha ann an *DO*. Tha dreach air feadhainn dhiubh a tha
a’ toirt oirnn a chreidsinn gun deachaidh an togail bho dhuilleag-
an-leathann a bha ri làimh aig an àm; faodaidh gur h-e sin an
fhianais a tha air chùl an fhacail “duilleag” mar phàirt de ainm
òrain (faic Oran 27).
  Ged a tha a h-uile coltas gun deachaidh “duilleagan” a chur gu
feum, tha fianais ann cuideachd nach do chleachd Mac ’Ille Bhàin
na leagaidhean a bha anns na pàipearan-naidheachd, co-dhiù ann
an dòigh mhionaideach, oir air uairean tha eadar-dhealachadh gu
math follaiseach eadar leagadh a’ phàipeir-naidheachd agus leag-
adh an leabhair, a thaobh facail agus cruth nan òran (faic Orain 6
is 10). Glè thric, nuair a thèid againn air coimeas a dhèanamh eadar
na leagaidhean fa leth, tha na leagaidhean ann an *DO* nas motha
na an fheadhainn a tha anns na pàipearan-naidheachd. Mar sin, chì
sinn gu robh Màiri ag atharrachadh cruth cuid de na h-òrain aice
mar a bha na bliadhnachan a’ dol seachad.
  Tha e soilleir gun deachaidh feadhainn de na h-òrain aig Màiri
fhàgail às a’ chiad leabhar, eadhon ged a bha iad ann an clò ann
am pàipearan no air duilleagan-leathann ùine ro 1891. Chì sinn sin

le Oran 34. Chan eil e ann an *DO* idir, agus 's ann an dèidh don chiad deasachadh den leabhar seo nochdadh ann an 1977 a fhuair mi dearbhadh gum b' i Màiri Mhòr a rinn e. Chan eil fios cinnteach agam carson a chaidh an t-òran sin fhàgail às an leabhar ann an 1891, ach faodaidh gu robh e air a mheas mar fhear a bha ro sgaiteach. Faodaidh gu robh tomhas de dh'eagal air Mac 'Ille Bhàin gum milleadh e cliù Màiri no gun toireadh e oilbheum don luchd-leughaidh no eadhon don t-Siorram Ivory. 'S e òran cumhachdach a th' ann, agus, a rèir an t-seallaidh a tha againn oirre an-diugh, tha e a' cur ri inbhe Màiri mar òranaiche.

Chùm Màiri oirre a' dèanamh nan òran an dèidh do *DO* nochdadh, agus, air an adhbhar sin, tha dòrlach bheag de dh'òrain ann nach eil anns a' chiad chruinneachadh, mar a chì sinn anns an liosta aig deireadh an leabhair seo.

Obair an Fhir-deasachaidh

Mar a chunnaic sinn gu h-àrd, tha modhan-aisig measgaichte aig na h-òrain aig Màiri. An lorg seo, tha barrachd is aon leagadh ann de chuid de na h-òrain. Ann an suidheachadh mar sin, b' e mo dhleasdanas-sa mar fhear-deasachaidh teacst earbsach a chur an eagair a bhiodh a' riochdachadh gach òrain anns a' chruth a b' fheàrr a ghabhadh lorg eadar gach leagadh a bh' ann. Ciamar a bha mi a' meas "a' chruth a b' fheàrr"? Mar a bu trice ghabh mi ri leagadh *DO* mar bhun-teacst, nuair a bha leagadh an dà chuid ann an *DO* agus ann an tobar-fiosrachaidh eile. Far an robh e follaiseach gu robh tomhas mòr de dh'eadar-dhealachadh eadar an dà theacst, shoilleirich mi an càirdeas a tha eatorra anns na notaichean an cois gach òrain. Chithear gu bheil cuid de leagaidhean ann a tha nas tràithe na an fheadhainn ann an *DO* (m.e. Oran 10) a' riochdachadh ciad chruth nan òran, agus tha iad nas lugha am meudachd na na leagaidhean ann an *DO*. Air uairean gheibhear rannan anns na leagaidhean tràtha nach eil a' nochdadh idir ann an *DO*. Far an robh rann(an) mar sin a' neartachadh cruth òrain, thug mi a-steach e (iad) don deasachadh agam fhìn.

Tha grunnan òran anns an leabhar seo nach eil ann an *DO* (m.e. Oran 34), ach a tha anns na pàipearan-naidheachd agus na duil-leagan-leathann (faic (2) gu h-àrd). Far a bheil a' bhun-teacst air a toirt à tobar eile seach *DO*, tha mi a' cur nan aon mhodhan-deasachaidh an sàs.

'S glè bheag atharrachaidh a rinn mi air na h-òrain mar a tha iad againn anns na bun-teacstan. A thaobh facal no dhà (m.e. ann an Oran 13) tha mi den bheachd gu bheil mearachdan deachdaidh a' nochdadh anns a' chlò, agus nach cuala an neach-sgrìobhaidh an

aithris aig Màiri gu ceart, no gun do rinn e atharrachadh beag a tha
a' cur dreach annasach air brìgh nam facal. Far a bheil amaladh
mar sin (nam bheachd-sa) anns an teacst, tha mi ga mhìneachadh
agus a' cur na h-argamaid agam an cèill anns na notaichean.
Feumar a bhith air leth faiceallach le ath-chruthachadh den t-seòr-
sa sin, oir 's e bun a' ghnothaich gu robh a' chiad neach-
deasachaidh beò ri linn Màiri fhèin.

Rinn mi beagan sgioblachaidh air corra òran (mar eisimpleir,
Orain 9 is 10), le bhith a' gearradh asda rannan a bha a' freagairt
air co-theacst a' chiad leagaidh. Mar sin tha na h-òrain comasach
air seasamh leotha fhèin anns a' chruinneachadh seo.

Ann a bhith a' deasachadh nan òran, dh'fhaodainn a bhith air
ceann-uidhe eile a thaghadh, m.e. a bhith a' riochdachadh gach
leagadh de na h-òrain, agus a' mìneachadh na dàimhe a bha eator-
ra. Bhiodh e luachmhor obair mar sin a ghabhail os làimh uair-
eigin, oir bheireadh seo tuilleadh fiosrachaidh dhuinn mun dòigh
anns an robh Màiri a' cruthachadh nan òran.

Cruth an Leabhair

Tha cruth an deasachaidh seo eadar-dhealaichte seach an cruth a
tha air *DO*. Tha *DO* a' cur nan òran fa chomhair an leughadair a
rèir prionnsabailean a bha freagarrach is iomchaidh gu leòr san àm
anns an do nochd e. Tha e a' tòiseachadh leis an òran a rinn Màiri
do Lachlann Sgèabost (Oran 22 againne), a chionn 's gum b' esan
a phàigh airson a' chiad chlò-bhualaidh, agus ('s dòcha) a chionn
's gu robh e cho coibhneil rithe nuair a thill i don Eilean
Sgiathanach. Chan eil fiachan mar sin cho cudthromach an-diugh.

An dèidh a' chiad òrain, tha *DO* a' toirt dhuinn cuid de na
h-òrain as ainmeile is as measaile a rinn Màiri, gu h-àraid na
h-òrain mun Eilean Sgiathanach. Gheibhear cuideachd grunnain de
dh'òrain ann an *DO* a tha air an tarraing ri chèile a rèir a' chuspair,
mar a tha follaiseach a thaobh nan òran a rinn i do Theàrlach Friseal
Mac-an-Tòisich (*DO*, 134–52). Gidheadh, chan eil e furasda na
prionnsabailean uile a tha air chùl *DO* a thuigsinn, agus bidh feum
air tuilleadh sgrùdaidh mus bi sinn buileach soilleir mu na slatan-
tomhais a bha aig Iain Mac 'Ille Bhàin nuair a bha e an sàs san
leabhar. Saoilidh mi fhìn gur h-e cumantachd nan òran a' phrìomh
shlat a bha e a' cleachdadh; tha na h-òrain air a bheil daoine eòlach
a' nochdadh mar as trice anns a' chiad leth den leabhar, agus tha
an fheadhainn air nach eil daoine cho eòlach a' nochdadh anns an
dàrna leth dheth. Tha cuid mhath de na h-òrain mun tàmailt anns
an dàrna leth, ged a tha a dhà de na h-òrain againne (Orain 3 is 4)
gu math faisg air an toiseach.

Chaidh an deasachadh ùr seo a chruthachadh a rèir dà bhun-bheachd a tha a' cur dreach eile air òrdugh nan òran. 'S iad na bun-bheachdan sin:

(1) gu bheil na h-òrain aig Màiri air an ceangal gu dlùth ri a beatha fhèin, mar sheòrsa de dh'eachdraidh-beatha ann an rann; agus

(2) gu bheil cuspairean is gleusan sònraichte aig Màiri a tha a' tighinn am follais gu làidir aig deifir amannan na beatha.

Tha na cuspairean sin mar as trice a' toirt dealbh dhuinn air mar a bha cùisean a' tighinn gu ìre anns an àm san robh i beò, agus mar a bha an sealladh aice fhèin ag atharrachadh rè nam bliadhnachan. Mar sin, tha na h-òrain anns an leabhar seo air an cur an òrdugh a rèir na bliadhna, agus cuideachd a rèir a' chuspair. Tha an dà chomharradh-stiùiridh sin a' tighinn a rèir a chèile gu math, agus, le bhith a' leughadh an leabhair o thoiseach gu deireadh, bu chòir gum faigheadh an leughadair dealbh air an t-saoghal mar a chun-naic Màiri e, ann an dòigh a tha an dà chuid pearsanta is poblach.

Tha an deasachadh seo a' cur cudthrom mòr air òrain Màiri mar sgàthan air a h-inntinn fhèin agus air an àm anns an robh i beò. Ach tha e cuideachd a' feuchainn ris a' chuid as snasaile is as fheàrr de na h-òrain a thaghadh, gun a bhith a' cur cùl ris an fheadhainn nach eil buileach cho brèagha mar litreachas. Mar a thubhairt sinn mar tha, tha e doirbh gearradh glan a dhèanamh eadar math is dona ann an saothair Màiri, agus cha mhath gun cuireamaid rìomhadh no sgleò oirre.

Chan eil ann an *DO* ach corra nota a tha a' mìneachadh nan òran fhèin, agus 's gann gu bheil sinn a' faighinn fiosrachadh sam bith mu na daoine a tha air an ainmeachadh annta. Bhiodh a' mhòr-chuid den luchd-leughaidh aig deireadh na naoidheamh linn deug eòlach air ainmean nan daoine a bu shuaicheanta a bha a' nochdadh anns na h-òrain.

Chan ann mar sin a tha cùisean an-diugh, agus air an adhbhar sin tha notaichean anns an deasachadh seo. Tha na notaichean a tha an cois gach òrain a' mìneachadh càit am faighear bun-teacst(an) an òrain, dè a ghluais Màiri gu dàn, agus cuin a chaidh an t-òran a dhèanamh (ma thèid againn air na puingean sin a shoilleireachadh). Tha na notaichean fa leth a' toirt fiosrachadh don leughadair mu na daoine is mu na tachartasan a tha air an ainmeachadh ann. Cha ghabh a h-uile nì a mhìneachadh, agus cha ghabh a h-uile duine aithneachadh, oir tha cuid de na h-iomraidh-ean, gu h-àraid an fheadhainn as pearsanta (mar ann an Oran 21), air am falach bhuainn an-diugh. Tha an leabhar a' crìochnachadh le liostaichean de na h-òrain a tha air am fàgail às an taghadh seo.

Tha an deasachadh seo a' tairgsinn 40 òran an àite nan 32 a bha ann nuair a chaidh fhoillseachadh ann an 1977. 'S iad na h-òrain "ùra": 8, 14, 18, 21, 25, 30, 33 is 34. Tha iad sin a' neartachadh na tuigse a tha againn air sealladh Màiri fhèin, gu h-àraid a thaobh dhaoine mar Dhiùc Chataibh (Oran 8) is an Siorram Ivory (Oran 34). Chì sinn tuilleadh den àbhachdas a bha innte cuideachd ann an Orain 21 (do Bhean Ois) agus 25 (don "Chlaidheamh Mhòr").

Cha bhi dealbh iomlan againn air saothair Màiri gus an tèid a h-uile òran a th' againn a sgrùdadh 's a mhìneachadh. Chan eil an seo ach ceum beag eile air an t-slighe sin, ach bidh sinn an dòchas gun toir e sinn nas fhaisge air Màiri fhèin.

Giorrachaidhean

Tha na giorrachaidhean a leanas air an cleachdadh anns an deasachadh:

àir. = àireamh (iris)
ibid. (ibidem) = anns an aon leabhar no tobar-fiosrachaidh
n. = nota
s. = sreath, ss. = sreathan
s.v. (*sub verbum*) = fon fhacal
t.d. = taobh duilleig

NA H-ORAIN

AN TAMAILT

(Orain 1–5)

Tha na h-òrain seo gar toirt am broinn inntinn Màiri aig àm dòrainneach na beatha, nuair a bha an tàmailt a ghluais i gu bàrdachd fhathast ga criomadh gu geur. Tha i a' tuigsinn gu math gur h-e meadhan cumhachdach a th' anns an òran airson faireachdainnean leònte a chur an cèill. An toiseach cluinnidh sinn i a' toirt a beachd fhèin air a' chùirt agus na thachair innte air an latha shearbh ud.

Ann an Oran 1 tha Màiri a' toirt ionnsaigh air urracha mòra na Beurla a rinn a dìteadh, agus tha ise, mar bhreitheamh i fhèin, gan dìteadh-san. Tha i ag innse cò na càirdean a sheas a còirichean, agus tha an càirdeas agus an co-chomann a th' aice ris na Gàidheil ga neartachadh. Tha a creideamh ('s gu h-àraid an dùil a tha aice gum faighear ceartas air Latha a' Bhreitheanais, ss. 21–8) a' toirt cuideachadh dhi.

Ann an Oran 2, tha i a' feuchainn ri a cruaidh-chàs a thomhas le slat a tha nas fharsainge na a beatha phearsanta fhèin; tha an tàmailt a thàinig oirre air a dealbhachadh mar phàirt de chlaonadh a tha a' tighinn am follais ann an cùisean creidimh air feadh na tìre, agus tha seo a' toirt faochadh dhi. Tha an t-ana-ceartas a' co-fhreagairt air gnè an ama; tha na h-eaglaisean fhèin air am buaireadh le cealgairean. Ann an Oran 3, tha Màiri a-rithist a' suidhe air cathair breitheanais, agus a' toirt binn air fear-lagha nach robh idir a rèir gnè nan Gàidheal.

Tha am fìrinneachadh nas pearsanta ann an Orain 4 is 5. Ann an Oran 4, tha Màiri ga coimeas fhèin ri pearsachan às a' Bhìoball a dh'fhuiling tàir is masladh, agus, ged a dh'fhaodas sinn a ràdh gu bheil na coimeasan car àrdanach, tha iad a' cur an cèill dhuinn gu robh am Bìoball a' toirt cofhurtachd dhi ann an àm na h-èiginn. Tha gleus an t-searmonaiche follaiseach anns an òran seo, agus tha blas na cùbaid a' nochdadh uair is uair nuair a tha Màiri a' togail a gutha an aghaidh mì-cheartais.

Ann an Oran 5, tha Màiri a-mach air a h-uaisleachd fhèin, seach dìblidheachd a' Bhàillidh a thug binn cho cruaidh oirre. Tha i a' faighinn cofhurtachd à deagh bheusan a' chinnidh dom buin i, Clann Dòmhnaill. Cha bhuin am Bàillidh idir don treubh òirdheirc sin.

1. LUCHD NA BEURLA

Tha mi sgìth de luchd na Beurla,
Tha mi sgìth dhiubh cheart da-rìreadh;
'S ann leam fhìn gur fhada 'n cèilidh;
Tha mi sgìth de luchd na Beurla.   4

Chunnaic mise ann am bruadar
Saighdearan a' tighinn mun cuairt domh,
Caiptin Bolland 's dà mhnaoi uasail,
   'S ghabh mi uamhas 's rinn mi èirigh.   8

Gura mise tha fo mhì-ghean,
Bhon a chuireadh mi [dh]an phrìosan;
Bha h-aon-deug a rinn mo dhìteadh,
   'S thug iad mo bhinn anns an eucoir.   12

Chuir iad mi air leacan fuara,
'S chuir iad bòrd fom cheann mar chluasaig,
'S b' fheumail cogais shaor dhomh 'n uair sin —
   Chùm i suas mi 's rinn i m' èideadh.   16

Bu mhath dhòmhsa mar a thachair,
Nach robh chogais ga mo thachdadh;
Siud an nì a chùm an taic rium,
   Nuair a thachair dhomh bhith 'm èiginn.   20

Nuair a thig latha mòr a' chunntais,
'S a thèid gach cogais a dhùsgadh,
Bidh iomadh h-aon is crith nan glùinean
   Reic an crùn le fianais bhrèige.   24

Cha do chreid iad air mhodh slàinteil,
Gu robh ac' anmannan neo-bhàsmhor,
Dh'fheumas seasamh anns a' ghàbhadh,
   An là a nì E 'n àird a sheudan.   28

Neach a shàraicheas an truaghan,
'S a' bhanntrach nach gabh e truas dith,
Thig an là an cluinn an cluas
   A' bhinne chruaidh thèid orr' èigheach.   32

Thuirt an Cèarrach rium gu dàna,
"Dè do bharail air an àite?
'S math an airidh thu bhith tàmh ann —
   Nach eil nàir' ort airson d' eucoir?"   36

'S ann a labhair mi gu dàna,
"Chan eil agam adhbhar nàire,
Cha do ghoid mi fiach an fhàirdein,
    'S cha dèan càineadh sian a dh'fheum dhut."   40

Nuair bha Iòseph anns a' phrìosan,
Bha e foighidneach na inntinn;
'S math a thàinig siud gu crìch da;
    Fhuair e sìth ri Rìgh na h-Eiphit.   44

Tha ioghnadh orm ri Bàillidh Simpson,
Nach do chùm e dlùth ra fhacal,
Nuair a leig e luchd mo chasaid
    A dhol gam thachdadh leis an eucoir.   48

Ach bha Mammon dlùth dha 'n càirdeas,
Le chuid ionmhais anns a' mhàileid;
'S e gaol nam bonn a reic ar Slànaighear,
    'S air a sgàth chaidh mise cheusadh.   52

'S e thuirt e latha na cùirte,
"Tha 'n uiread-s' agamsa de dh'ùghdar;
Cuiribh fiach air ceann nan clùdan,
    'S gheobh a' bhean an rùm gum pàigheadh."   56

Thuirt Caiptin Bolland 's e ag èirigh,
"Ochd puinnd Shasannach nan èirig";
Thuirt m' fhear-cinnidh fhèin gu h-eudmhor,
    "'S mise fhèin nì sin a phàigheadh."   60

'S ann a chruinnich iad ma thimcheall,
Coltach ri sgaoth de na guilbnich —
"'S fiach mun dèan i roinn is tiomnadh,
    Cuiribh Murchadh às a dèidhe."   64

Tighinn a-nuas Sràid a' Chaisteil,
Shaoil leam gun d'fhàilig mo chasan,
'S mur biodh Murchadh rium cho cneasda,
    'S ann san Leacainn bha mi 'g èirigh.   68

Gur e fhèin an duine dàicheil,
'S gur math as aithne dha àite,
Ach nuair thachras e ri meàirlich,
    Gheobh e chàineadh 's bheir iad beum dha.   72

'S e cuibhl' an fhortain a dhol tuaitheal
A chuir mise anns a' chruaidh-chàs;
Cha robh aon a ghabhadh truas dhiom,
    Oir cha chual' iad mu mo dhèidhinn.   76

Ach nam bithinn na mo dhùthaich,
Far na dh'àraicheadh air tùs mi,
Cha robh Sasannach fon Chrùn
    A dh'fhaodadh sùil thoirt orm le eucoir.   80

Gura mise tha gu cràiteach
Smaoineachadh cor mo chuid phàisdean,
Ach an Tì bhon d'fhuair mi fàbhar,
    Bheir E 'n àird iad 's cha tig beud orr'.   84

Bha mi seachd is fichead bliadhna
Fo èisdeachd an duine dhiadhaidh,
'S nuair a thàinig uair mo dheuchainn,
    'S ann a dh'fhiach e nach robh feum ann.   88

Nuair a chuir mi air a thàilleadh,
'S ann a rinn e gu tur m' àicheadh;
Siud agaibh mar a rinn Pàdraig,
    Nuair chaidh an Slànaighear a cheusadh.   92

'S mise nach do ghabh an t-ioghnadh,
Ri leithid de dhuine gaolach,
Nuair a chreid e bean dhem aois
    A dhol a thaobh cho fad' an eucoir;   96

Dhol a nàrachadh mo dhaoine,
Choisinn cliù air feadh an t-saoghail,
Airson clùdan de sheann aodach —
    Tha sin saor dhuibh, 's dèanaibh èisdeachd.   100

Bu bhan-Stiùbhartach mo sheanmhair —
Dòmhnallaich bho thaobh nan Garbh-chrìoch;
Bha Clann Aonghais, 's cha bu chearbach,
    Fhuair iad ainm am Blàr na h-Eiphit.   104

Tha cuid eile dhiubh nan sìneadh
Aig na Sasannaich lem mìorun;
'S e Cùl-lodair tha mi 'g innse,
    'S rinn na mìltean sin a leughadh.   108

Tha ar dùthaich air a truailleadh
Leis a' ghràisg tha tighinn mu thuath oirnn;
Chan eil creutair bochd a ghluaiseas
    Nach tèid a chuaradh 's a reubadh.   112

Cha b' e siud a bha mi faicinn,
Aig na daoine còir' a chleachd mi,
Ach bhith blàth ann an caidreamh,
    'S a bhith cumail taic ri chèile.   116

Tha iad a-nis air am fuadach
Aig an nàimhdean thar nan cuantan;
Chan eil geum aig mart air buaile,
    'S chan eil buachaille nan dèidh ann.   120

Gum b' iad siud na daoine còire;
'S ann nam measg a gheobht' a' chòisir;
Far am b' àbhaist daibh bhith còmhnaidh,
    'S ann tha ròidean aig na fèidh ann.   124

Far an robh mòran de dhaoine,
'S ann a tha e 'n-diugh fo chaoraich,
Cìobair am mullach gach maoile,
    Coin san aonach 's iad ag èigheach.   128

Chuala mi gun tuirt Bean Bhàlaidh
Gu robh cridhe 'n comhair sgàineadh,
Smaoineachadh nighean Iain Bhàin
    A bhith ga sàrachadh aig bèistean.   132

Nam biodh Fear Bhàlaidh an làthair,
'S e bhiodh duilich air mo chàramh,
Ach tha cuid dhen t-sliochd a dh'fhàg e
    Ghabhas mo làmh 's a nì feum dhomh.   136

Tha iad fhathast air an caomhnadh,
Aig bheil cumhachd agus ùghdar,
Chumas taic rim bean-dùthcha,
    'S a bheir dùbhlan do luchd-eucoir.   140

Bha "Eileanach" mar bu dual dha,
'S fhuair mi fhèin e na dhuin'-uasal —
Sìol Chlann Choinnich on Taobh Tuath,
    'S gur math thig suaicheantas an fhèidh dha.   144

Gu bheil Inbhir Nis na fhiachan
Bho chionn còrr is fichead bliadhna;
Is iomadh creutair bochd gun rian
    Dhan d'rinn e dìon an àm am feuma.   148

Is mise dh'fhaodadh siud a ràdh;
An uair a dh'fhiosraicheadh le cràdh mi,
Cha do thachair fear a bhàidh rium
    Anns an fhàsach fad mo rèise.   152

Tha cuid dha nach aithne 'n àithne
Ghabhas orra dhol ga chàineadh;
Tha iad coltach ri Balàam —
    Thug an t-asal àithn' dha eucoir.   156

'S ann a tha chridhe ga leònadh,
Mar bha Lot ann an Sòdom,
Faicinn aingidheachd na h-òigridh,
    A' dèanamh rathad mòr dhan eucoir.   160

Ach tha na carbadan cho luath,
A ghiùlaineas e thar gach truaighe,
Is chì e fhathast cor nan uaibhreach,
    Nuair thèid e suas a-chum an t-slèibhe;   164

Far nach inntrig aon nì truaillidh,
'S a nàimhdcan chan fhaod a bhuaireadh,
Nuair a gheobh e staigh dhan t-suaimhneas
    Dh'ullaicheadh dhan t-sluagh thug spèis dha.   168

NOTAICHEAN AIR ORAN 1

Bun-teacst: *DO*, 225. Dh'fhoillsich Iain MacMhuirich (*John Murdoch*) dà cheathramh (ss. 85–92) anns an Iomradh-dheasachaidh aige ann an *H*, 30.10.1875.

Am an òrain: 'S e seo an cunntas as mionaidiche a th' againn bho bhilean Màiri fhèin air mar a thachair dhi anns a' chùirt. Chan urrainn gun deachaidh an t-òran a chur ri chèile ro fhada an dèidh na cùirte. Tha fhios againn gu robh pàirt dheth co-dhiù air a chruthachadh ron Dàmhair 1875, nuair a chaidh dà cheathramh dheth fhoillseachadh le Iain MacMhuirich, 's e a' toirt ionnsaigh air a' chlèir leis cho gann 's a bha iad de charthannas is de cho-fhaireachadh ri cor an t-sluaigh. Tha e a' mìneachadh nan ceathramhan Gàidhlig leis na facail, "The poor poetess, forsaken in her distress by her pastor, said:-", agus tha an dà cheathramh a' leantainn nam facal sin.

7 Caiptin Bolland: G. Herbert Bolland a bha na chaiptin anns na *Royal Engineers* (*Inv. Dir.* 1869). Faic Iomradh-toisich an leabhair airson beachd air carson a bha e sa chùirt. Faic cuideachd s. 57.

11 Bidh e coltach gu bheil an t-sreath seo a' ciallachadh gu robh a h-aon-deug de dh'fhianaisean an làthair sa chùirt a thug fianais an aghaidh Màiri.

33 an Cèarrach: Peter Cumming Kerr, fear-riaghlaidh a' phrìosain (*Inv. Dir.* 1869).

41 Iòseph: Faic Oran 4, s. 33 n.

45 Bàillidh Simpson: 'S e seo Alasdair Simpson, am Bàillidh a bha na bhreitheamh ann an Cùirt a' Phoileis nuair a bha Màiri air a feuchainn, agus 's esan am Bàillidh a tha i cho tric a' càineadh na h-òrain. 'S ann do Abhach anns an Eilean Dubh a bhuineadh Seumas Simpson (1798–1874), athair a' Bhàillidh, agus bha e na ghreusaiche ann an Cùl-càbaig ann an Inbhir Nis. Bha Isaac Mac-a'-Phearsain, an duine aig Màiri, an toiseach ag obair còmhla ri Seumas Simpson.

'S e Alasdair Simpson am fear a b' àirde de bhàillidhean a' bhaile aig àm na tàmailt, agus bha e na phròbhost o 1875 gu 1880. Bha e na Cheannard air Comunn Gàidhlig Inbhir Nis ann an 1876 ged a tha e coltach nach robh mòran Gàidhlig aige. Mu 1880 dh'fhàg e Inbhir Nis an dèidh aimhreit mu chùisean airgid. Ann an òran a chuir i ri chèile ann an 1886 (Oran 33, ss. 23–4) tha Màiri ag ràdh gu bheil e "ga fhalach fhèin an tìribh cèin / 'S cha chluinnt' a sgeul nas mò."

Bha am Bàillidh Simpson na charaid do Theàrlach Friseal Mac-an-Tòisich, agus air a thàillibh sin 's dòcha gu robh dùil aig Màiri gun dèanadh e mòran air a son air latha na cùirte. Mar a tha ss. 45–52 a' cur an cèill, fhuair Màiri briseadh-dùil leis cho beag taic 's a thug e dhi.

(Airson fiosrachaidh mun Bhàillidh, faic Inverness Burgh Council Minutes, 1875–80; *TGSI*, ii, 62; v, 41; vi, 22; vii, 95, 221, 240: *Inv. Dir.* 1869; J. Murdoch, Autobiography, iv, 247.)

51–2 Tha Màiri a' toirt tarraing air an dòigh anns an deachaidh Crìosd a bhrath le Iùdas air sgàth deich buinn fhichead a dh'airgead; faic Soisgeul Mhata, xxvi, 14–16.

59 m' fhear-cinnidh: Faic an ath nota.

64 Murchadh: *Murdoch*, anns a' Bheurla. 'S dòcha gum b' e seo Iain MacMhuirich (*John Murdoch*, 1818–1903). Bha e ag obair ann an Seirbhis nan Cìsean 's na Cuspainn, agus chaidh e do dh'Inbhir Nis mar fhear-stiùiridh na cuspainn ann an 1866. Stèidhich e am pàipear *The Highlander* ann an Inbhir Nis ann an 1873. Nochd e coibhneas ri iomadh duine a bharrachd air Màiri. Dh'fhaodadh Màiri a ràdh gum b' e a "fear-cinnidh" a bh' ann a chionn 's gum biodh i fhèin a' cleachdadh an t-sloinnidh "NicMhuirich" airson a h-ainm pòsda. (Faic Hunter, *For the People's Cause*, agus Cameron, *The Old and the New Highlands*, 26–32, airson iomradh air beatha MhicMhuirich.)

65 Sràid a' Chaisteil: Chan e seo Castle Street san latha an-diugh ach Castle Wynd o shean. Bha Taigh na Cùirte air an t-sràid seo, 's bha am prìosan anns a' chaisteal gu ruige 1880 (*Sixpenny Guide to Inverness and Vicinity*, 8). 'S dòcha gu robh Màiri air a gleidheil anns a' phrìosan ro latha na cùirte, 's gun do choisich i a-nuas bhon phrìosan an latha sin.

68 an Leacainn: coimhearsnachd chroitearan air taobh an iar Inbhir Nis. Bha ospadal-inntinn Creag Dhùn Athain (*Craig Dunain*, mar as aithne dhuinn an-diugh i) an sin ri linn Màiri.

82 cor mo chuid phàisdean: Bhiodh an dà phàisde a b' òige aig Màiri, Iain is Oighrig, 16 is 13 ann an 1872.

86 an duine dhiadhaidh: Ann an Oran 2, ss. 49–50, tha Màiri ag ùis-neachadh cha mhòr nan aon fhacal mu mhinistear dom b' ainm MacAidh. B' e seo an t-Urr. Seòras MacAidh, D.D., a bha anns an Eaglais Shaor a Tuath (*Free North*) ann an Inbhir Nis o 1845 gu 1886. B' e MacAidh a phòs Màiri is Isaac Mac-a'-Phearsain (*AFC*, i: 234; Register of Marriages for the Town and Parish of Inverness, 1835–54, Samhain 1847, àir. 11). Tha e annasach nach eil Màiri ag ainmeachadh MhicAidh idir anns an òran seo. Faodaidh gun deachaidh rann fhàgail às (le Iain Mac 'Ille Bhàin?) nuair a rinneadh a' chiad deasachadh, a chionn 's gu robh e ro fhollaiseach cò air a bha Màiri a' bruidhinn.

91–2 Pàdraig: 'S e sin an t-Abstol Peadar; faic Soisgeul Eòin, xviii, 15–18, 25–7.

104 Bha Breatann a' sabaid an aghaidh nam Frangach aig Aboukir san Eiphit ann an 1801; chuireadh "Blàr na h-Eiphit" ('s e sin *The Battle of Alexandria* anns a' Bheurla) anns a' bhliadhna sin. Faic Brander, *Scottish Highlanders and Their Regiments*, 109–12, 144–6.

108 'S dòcha gu bheil Màiri a' toirt tarraing an seo air an leabhar aig Iain MacCoinnich mu Bhliadhna Theàrlaich, *Eachdraidh a' Phrionnsa*.

129 Bean Bhàlaidh: Iseabal Màiri, Bean MhicRath, a rugadh ann an Snìosart mu 1801. Chaochail an duine aice ro 1861. Ann an cunntas-sluaigh na bliadhna sin (113:11), tha iomradh air a mac, Dòmhnall, mar thuathanach chaorach ann a' Bhàlaidh, eilean a tha na laighe thar cladach Uibhist a Tuath.

141 "Eileanach": an Lighiche Iain MacCoinnich, M.D. (1803–86), a bha a' fuireach san taigh dom b' ainm "Eileanach" ann an Inbhir Nis. Bha e na mhac do Shir Eachann MacCoinnich, Fear Gheàrrloch, agus bha deagh Ghàidhlig aige. Tha an taigh bhon d'fhuair e an t-ainm "Eileanach" (an dàrna taigh den ainm sin, a chaidh a thogail ann an 1861) air taobh sear na h-aibhne, dìreach mu choinneamh nan eilean a tha ann an Abhainn Nis, agus ris an canar *Ness Islands* an-diugh. Bha MacCoinnich na bhall de Chomhairle Baile Inbhir Nis bho 1866, agus na phròbhost air a' bhaile eadar 1867 is 1873. Bha e na eildear anns an Eaglais Shaoir Aird (*Free High*) ann an Inbhir Nis. Airson beatha MhicCoinnich, faic Shaw, *Pigeon Holes of Memory*.

Tha na ceathramhan mu dheireadh den òran (ss. 161–8) annasach a chionn 's gu bheil iad a' bruidhinn mu MhacCoinnich mar gum biodh e air leabaidh a bhàis. Faodaidh gun do chuir Màiri na rannan sin ris an òran timcheall air 1886.

152 anns an fhàsach: anns a' bheatha seo. Chìthear an seo buaidh a' chreidimh shoisgeulaich air dòigh-labhairt Màiri; bha "am fàsach" air a chleachdadh aig searmonaichean is luchd-aidmheil mar dhealbh air falamhachd is dòrainnean na beatha tìmeil. Bha an dealbh air a bhonn-tachadh air turas Chloinn Israeil on Eiphit gu tìr Chanàain ann an Leabhar Ecsodus.

153 an àithne: Faic Oran 2, 25 n.

155 Balàam: Faic Leabhar nan Aireamh, xxii.

158 Lot ann an Sòdom: Faic Leabhar Ghenesis, xix.

2. CLO NA CUBAID

I

Tha caochladh cur air clò na cùbaid,
Neòil nan trioblaidean a' dùsgadh,
Easbaigean a' faotainn gnùis,
    A' spùilleadh cliù ar n-athraichean.   4

Thog mi teaghlach aig a' Chùdainn,
'S gun neach riamh a chreach no spùinneadh,
'S chan eil deur a thuit on sùilean
    Nach do dhrùidh air m' fhaireachdainn.   8

Ach, fhir a shiùbhlas gu mo dhùthaich,
'S a thèid rathad Clach na Cùdainn,
Innis dhi gun d'fhàg mi 'n tùrsa
    'N cùil aig cùl an dorais aic'.   12

'S on tha brìgh is cliù na Gàidhlig
Faotainn aoidheachd anns gach àite,
Thòisich mis' air deilbh an t-snàth
    Air fuaidnean nàdair m' anshocair.   16

Innsidh mi dhuibh anns a' chànain
Dh'ionnsaich mi ri linn mo mhàthar,
Cliù luchd-aideachaidh gun ghràs
    A ghabh am fàth air m' aineolas.   20

Gun d'fhuair fear dhiubh ùghdar Bàillidh,
'S thog e cas air beairt an àrdain,
'S nuair a fhuair e 'n spàl na làimh,
    Gun d'rinn e 'n snàth a theannachadh.   24

Dhùin e shùilean ris an àithne,
'S dh'fhosgail e le sannt a mhàileid,
'S lìon e suas le sprùidhleach chàich i,
    'S dh'fhalbh am màs gu talamh aisd'.   28

Chùm e taic ri druim nan nàimhdean
Bha cur smal air cliù na banntraich,
Chumadh suas ris neò-ar-thaing
    Don h-uile dall a theannadh ris.   32

Nuair chaidh lagh is sannt is àrdan
Thaosgnadh suas an eanchainn Bàillidh,
Lìon e dhòmhsa spàin dhen chàl,
    'S a bhlas gu bràth cha dealaich rium.   36

'S ged a fhuair thu suas am fàradh
Ceum no dhà thar d' uile chàirdean,
Cuimhnich nuair a thig am bàs
    Gun toir e 'n t-sràic fon talamh leat.   40

Is iomadh duine math chaidh ceàrr
Le gaol an t-saoghail 's eagal tràilleil,
'S a dh'fhàg dìleab aig a chàirdean,
    An dèidh am bàis nach glanar dhiubh'.   44

Ach seinneam daonnan cliù MhicAidh,
Ged a dh'fhàg e mi san àraich,
'S na tha chòrr ann dhen t-seann nàdar,
    B' fheàirrde pàirt a cheannach uaith'.   48

Bha mi seachd is fichead bliadhna
Fo èisdeachd an duine dhiadhaidh;
Shèid an t-àrdan le gaoth 'n iar,
    'S mun d'rinn e fiath gun dhealaich sinn.   52

Thog mi orm mar chaora-thuaineil,
'N dèidh a dalladh leis an tuaicheal,
Dh'èisdeachd teagasgan nan uaibhreach,
    Anns nach robh buaidh no fallaineachd.   56

Thàinig fear a-nall air chuan diubh,
'S craiceann caorach air a ghuailnean,
'S mura dèanadh esan nuallan,
    Bòdhradh chluasan tachasach!   60

Fhuair e gairm o chòmhlan uaislean,
Air an sèideadh leis an uabhar,
'S nuair a dh'èirich tuinn a thruaighean,
    'S iad bu luaith' a dhealaich ris.   64

II

Tha caochladh cur air clò na cùbaid,
Neòil nan trioblaidean a' dùsgadh,
Feallsanaich a' snìomh an dlùth,
 'S a' milleadh cliù ar n-athraichean.   68

Is iomadh fear le foghlam dùbailt,
'S mùsg an aineolais mu shùilean,
Thòisich air a' Chreud a spùilleadh
 Bhon là a chùinneadh fallain i.   72

Ach tha 'n cùmhnanta cho sìorraidh
An Trì Pearsachan na Diadhachd,
'S nach sèid gaoth bho Ifrinn shìos
 A spìonas den a' Charraig i.   76

'S iomadh fear a chaidh [dh]an chùbaid
Nach do dh'altaich riamh a ghlùinean,
Dh'fhàg na caoraich on a' mhùr,
 Ma fhuair e 'n rùsg gun cheannach dhiubh.   80

Is cuid dhiubh 'n Eaglais Shaoir na h-Alba —
'S duilich leamsa dol ga sheanchas —
Dh'ith an fheòil 's a dh'òl an eanraich,
 'S thug iad oilbheum 's sgannal oirr'.   84

Ach mìle beannachd aig na Murchaidh;
'S fada chluinnear fuaim an urchair,
Ga losgadh ann am briathran cuimseach
 Air gach furbaidh ceannairceach.   88

'S nuair a thàras muinntir Rònaigh
Nall gu Ratharsair nan Leòdach,
Ma bhios iomrall anns a' chlò,
 Gun stròicear bhàrr nam bannan e.   92

'S nuair a chruinnicheas muinntir Gheàrrloch
Suas gu Leabaidh na Bà Bàine,
Seo mo làmh gun innis Bàillidh
 Dhaibh gun dàil na mearachdan;   96

Ach fàgaidh sinn air cùl a' ghàrraidh
A' chuid a chùm am beòil cho sàmhach,
'S ged a leag na nàimhdean beàrna,
 Cas no làmh cha d'charaich iad.   100

NOTAICHEAN AIR ORAN 2

Bun-teacst: *DO*, 238.

Am an òrain: Le ceartas, 's e dà òran a tha an seo, ach tha iad cho dlùth air a chèile ann an cruth 's ann an smuaint 's gum faodar am meas mar dhà phìos den aon òran. Chan eil e soilleir cuin a rinneadh a' chiad phìos, ach tha s. 95 a' nochdadh gun do rinneadh an dàrna pìos mu 1875, no às a dhèidh. Fhreagradh an t-àm eadar 1875 is 1880 air an dà phìos.

1–4 Tha Màiri a' bruidhinn mu na trioblaidean anns an Eaglais Shaoir nuair a bha ministearan den "sgoilearachd ùir" a' cur teagamh ann am fìrinn a' Bhìobaill, 's an dòigh anns an deachaidh a dheachdadh. Cf. ss. 69–72 73–6. Bha i a' faicinn ceangal eadar seo 's am masladh a fhuair i fhèin bho dhaoine aig an robh dàimh ris an eaglais. Cf. ss. 81–4. (Faic Drummond is Bulloch, *The Church in Victorian Scotland 1843–74*, 240 air adhart.)

3 easbaigean: Chan e easbaigean mar a gheibhear anns an Eaglais Easbaigich, ach ministearan 's pearsachan eaglais aig an robh dùil ri adhartas saoghalta. Bhiodh Màiri a' smaointinn air easbaigean ro 1690, 's dòcha, 's bhiodh an t-ainm mar dhroch fhacal aice. A bharrachd air sin, 's dòcha gur h-i an Eaglais Easbaigeach ann an Inbhir Nis a bhiodh na Turners (agus na Bollands) a' frithealadh.

5 a' Chùdainn: Clach na Cùdainn ann an Inbhir Nis. Tha a' chlach seo air a suidheachadh ann an stèid Crois a' Mhargaidh taobh a-muigh Taigh a' Bhaile, 's bha i an sin nuair a bha Màiri sa bhaile. Nuair a bhiodh mnathan a' bhaile a' dol suas bhon abhainn, bhiodh iad a' cur an cùdainnean (bucaidean fiodha) air a' chloich 's a' stad a dh'èisdeachd ri naidheachdan an àite (*Sixpenny Guide to Inverness and Vicinity*, 1872, 7).

13–14 Thòisich comainn thall 's a-bhos air ùidh a ghabhail anns a' Ghàidhlig ùine ghoirid an dèidh 1870. Bha Comunn Gàidhlig Inbhir Nis gu h-àraid a' seasamh còirichean na Gàidhlig anns na sgoiltean an dèidh 1872, a' bhliadhna a nochd Achd an Fhoghlaim, nach tug iomradh idir air teagasg na Gàidhlig anns na sgoiltean.

25 an àithne: "Na tabhair fianais bhrèige an aghaidh do choimhearsnaich": Ecsodus, xx, 16.

25–8 Tha e duilich brìgh nan sreathan seo a mhìneachadh le cinnt. Faodaidh gu bheil Màiri a' toirt tarraing air an dòigh anns an deachaidh a leigeil mu sgaoil an dèidh don Bhàillidh binn a thoirt a-mach oirre. Bhiodh mìneachadh mar sin a' toirt taic do na tha Uilleam MacCoinnich

71

ag ràdh mun t-searbhanta Ghallda a bu choireach airson na tàire a fhuair Màiri. Air an làimh eile, faodaidh gu bheil Màiri a' bruidhinn air na thachair don Bhàillidh Simpson mu 1880, nuair a thàinig air teicheadh à Inbhir Nis, ach chan eil seo ro choltach a chionn 's gu bheil i a' bruidhinn ann an ss. 37–40 air an inbhe a tha aige fhathast. Faic Oran 1, s. 45 n.

45 MhicAidh: Faic Oran 1, s. 86 n.

57–60 'S iongantach mura h-e seo Iain Seumas Black, a rugadh ann am Baile Atha Cliath, 's a thàinig don Eaglais Shaoir Aird ann an Inbhir Nis ann an 1872 (*AFC*, i: 97). Choisinn e urram bho mhòran, ach cha robh meas sam bith aig Màiri air. Tha sin soilleir bho òran eile, "Còmhradh nan Cnoc" (*DO*, 202–3), far a bheil i a' toirt tarraing air a "ghuthannan fuaimneach" 's air na h-uaislean a bha sa choithional aige. A rèir nota a nochd ann an *IC*, 8.10.1948, bha cuid den bheachd nach robh e fallain na chreideamh a chionn 's gu robh e a' toirt taic do na dòighean aig Moody is Sankey. Bha guth brèagha, soilleir aige, ach cha robh e a' labhairt ann an dòigh a bha furasda a leantainn.

71 a' Chreud: Aidmheil a' Chreidimh, mar a tha i ann an Leabhar Aidmheil a' Chreidimh, 's e sin a' *Westminster Confession of Faith*. Bha deasbad mun aidmheil, 's cuid ag iarraidh a cur às a h-àite mar riaghailt, a' togail aimhreit anns an Eaglais Shaoir aig deireadh na naoidheamh linn deug.

85 na Murchaidh: Faodaidh gur h-e iomradh air fine Iain MhicMhuirich (faic Oran 1, s. 64 n.), air mhodh na Beurla *the Murdochs*, a tha againn an seo, ach chan eil am mìneachadh sin a' freagairt ro mhath air cuspair an òrain. Faodaidh gu bheil Màiri a' toirt tarraing air dà neach (no barrachd) leis an ainm *Murdoch* mar chiad ainm no mar shloinneadh.

89–90 Bhiodh muinntir Rònaigh a' tighinn do Ratharsair aig àm comanachaidh.

93–4 Bhiodh an comanachadh ann an Geàrrloch glè thric air a chuartachadh a-muigh air a' bhlàr ann an Leabaidh na Bà Bàine, lagan a tha an-diugh am meadhan Pàirc Gholf Gheàrrloch.

95 Bàillidh: Iain Baillie, a bha na mhinistear ann an Eaglais Shaoir na Mòighe o 1862 gu 1875, nuair a ghluais e do Gheàrrloch (*AFC*, i: 88). Bha a dhà mhac, Dòmhnall (1887–1954) agus Iain (1886–1960), ainmeil mar sgoilearan diadhachd: faic *DSCHT*, 49–50. Bha Màiri den bheachd gu robh Iain Bàillidh air taobh nan "libearalach" anns an eaglais, agus tha tàir anns an dòigh anns a bheil i a' cleachdadh an fhacail "Bàillidh", air sgàth 's mar a thachair dhi fhèin fo Bhàillidh eile anns a' chùirt.

3. ORAN SARACHAIDH

Och-òin a Rìgh, 's gura mi tha muladach,
Airson na tàmailt 's na tàir a dh'fhuiling mi,
Le droch luchd-riaghailt, gun Dia gun duinealas,
Nach tèid air dìochuimhn' gu crìoch mo thurais leam.   4

Cha tèid mi dh'innse gach nì a chunnaic mi
Mu Chlach na Cùdainn 's mi ùine fuireach ann;
'S ge h-iomadh tàrmagan grànd' thug buille dhi,
Tha Chlach an àird agus càirdean duineil aic'.   8

'S tha cuid 's nan cual' iad san uair mar thachair dhomh,
Mun d'fhàs e fuar nach b' e cluas bu chlaisteachd dhaibh;
Gum biodh luchd m' fhuath, ged bu chruaidh an aisneachan,
Le smior an guaillean nan cual mar asbhuain leo.   12

A Chlach na Cùdainn, dèan d' ùrnaigh 's d' achanaich,
Is faigh an dùrachd air taobh an fhasgaidh dhìot;
Gun tèid do nàimhdean air chall 's nach faicear iad,
A chreic do chlann airson gamhlas Shasannach.   16

A Chlach na Cùdainn, mo dhùrachd fhallain dut;
Tha cuid dhed fhiùrain an dùthaich aineolaich,
A thogadh mùirneach le cliù gun sgainnealaich,
A dh'fhàgadh rùisgt' ann an cùirt gun bharantas.   20

'S ge math am Bàillidh 's ge àrd a theisteanas,
Cha d'chùm e àit' air a' chlàr 'n do sheasadh leis;
'S chan fhaod e àicheadh air cnàmh a pheircill
Nach do ghabh e pàirt agus pàigheadh nan easbaigean.   24

B' e d' àithne 's d' ùghdar sa chùirt nuair sheas thu innt'
Gum faighinn-s' ùine mo chùis a leasachadh;
'S chuir thu na clùdan fo chonn luchd-freiceadain,
'S ged fhuair mi ràthan chaidh m' fhàgail eatorra.   28

Sheas mi 'm aonar sa chaonnaig fhuileachdaich,
Am fianais cheudan 's tha deuchainn uil' orra;
Fo spògan dhiabhail nach iarradh tuilleadh
Ach luchd-lagh' a bhiathadh gu dìon an cunnart bhuainn.   32

'S ged fhuair mi tàmailt o làmh an eascaraid
A rinn am pàigheadh gu 'n àite sheasamh dha,
Chaidh aon fhear àrach an àird aig Easaich dhiubh,
Lem b' àill mo bhàthadh ach b' fheàrr mo theisteanas.   36

'S ged rinn thu breugan gan dìon 's gan teasraiginn,
Chan fhacas riamh air mo bhlian san eabar mi,
An taigh an òil le luchd-pòit a' sgeigireachd —
'S e siud am bòrd aig am bu dòcha sheasadh tu.   40

'S tu 'n sionnach ròmach tha seòlta, fuileachdach,
Tha làn de ainneart is tuill a chumas e;
Ma thèid thu shealg nuair bhios fearg is acras ort,
Mo thruaigh an t-ainmhidh a dh'earbs a charcais riut.   44

'S iomadh creutair le èiginn 's uireasbhaidh
Dan d'rinn thu bòidean an còir gun cumadh tu;
Ach gheàrr thu 'n sgòrnan, is dh'òl thu 'n fhuil aca,
'S an cairbh air mòintich fo spòig nan iolairean.   48

'S ged tha thu 'n-dràsd' ann an slàint' is seasgaireachd,
'S do shàibhlean làn de na dh'fhàs san Easaich dhut,
Ma thig am bàs, mur dèan gràs do theasraiginn,
Bidh a' chogais làidir a-ghnàth ga teasachadh.   52

Ach tionndaidh tràth gus an t-slàint' a dheasaicheadh,
Mun tig am bàs ort nach tàr thu teicheadh uaith';
Cuimhnich Pàl agus pàirt mar eisimpleir
Bha cheart cho dàn ann an càs an eascaraid.   56

Seo mo làmh 's na biodh càil a dh'eagal ort
Nach suidh mi làimh riut — tha gràs cho freagarrach;
Ach fàg do bhràthair is càch ri ceistean,
Agus lean an Ceann a nì bhanntrach eadraiginn.   60

'S ged rinn mi 'n duan duibh chan fhuath leam idir sibh,
Bhon dh'fhalbh am fuachd agus cruas mo thrioblaide,
'S gun thill an samhradh gun chall san fhreasdal dhomh,
Tha mi taingeil — thug ainneart leasan domh.   64

NOTAICHEAN AIR ORAN 3

Bun-teacst: *DO*, 49.

Am an òrain: Chan eil dad anns an òran seo a dh'innseas a' bhliadhna anns an deachaidh a chur ri chèile, ach tha e soilleir bho ss. 17–18 gu robh Màiri air Inbhir Nis fhàgail aig an àm a rinn i e.

21 am Bàillidh: Faic Oran 1, s. 45 n.

24 easbaigean: an teaghlach aig Harriet Turner, 's dòcha; faic Oran 2, s. 3 n.

35 Chaidh aon fhear àrach: Cho fad' 's a ghabhas lorg, cha robh gnothach sam bith aig a' Bhàillidh Simpson ris an Easaich, agus tha e coltach nach ann air a tha Màiri a' bruidhinn an seo. A rèir choltais, 's ann air fear-lagha dom b' ainm Iain Colvin a tha i ag amas. Bha Colvin a' fuireach anns an Easaich, far an robh baile fearainn aig a chuideachd fad iomadh bliadhna. Bha e na fho-chlèireach ann an cùirt a' J. P. ann an 1869 (*Inv. Dir.* 1869), agus bhiodh e air uairean na eadar-theangaire Gàidhlig anns a' chùirt (*IC*, 9.5.1861). Chaochail e ann an 1881 (*IC*, 21.5.1881). Bha a bhràthair, Donnchadh, na mhinistear san Eaglais Shaoir (*AFC*, i, 123).

59 do bhràthair: Donnchadh Colvin, 's dòcha: faic s. 35 n.

4. NA DH'FHUILING MI DE DH'FHOIRNEART

Ma thèid mi dhèanamh òrain,
Gun tèid mi dh'innse sgeòil dhuibh,
Na dh'fhuiling mi de dh'fhòirneart,
    'S cha mhòr nach robh mi marbh leis.   4

Bha mòran a dh'eudòchas
A' leantainn rium bho m' òige;
Ach thugadh deoch ri òl dhomh
    Le dòrlach luibhean searbha.   8

Ach rinn Dia na thròcair
Mo chiall a chumail còmhnard,
Bhon gheall e sin le bòid,
    Do na chuireas dòigh is earbs' ann.   12

Thugadh mi don fhàsach,
Is dh'òl mi uisge Mhàrah,
Ach chumadh suas tre ghràs mi,
    Ged shàraicheadh gu searbh mi.   16

Chuireadh mi am prìosan
Gun seasamh lagh no binne,
Ach Sasannaich lem mìorun
    Gam dhìteadh len cuid seanchais.   20

Bhon bha iad fhèin nan tràillean,
Nam murtairean 's nam meàirlich;
Ach, gu onair Mhordecài,
    Rinn Hàman croich ga mharbhadh.   24

'S le Bàillidh truagh gun dìlseachd,
Bhon bhochdainn a rinn dìreadh;
Bha sheanair truagh cho dìblidh
    'S gun dèanar leinn a dhearbhadh.   28

Ged chuir thu mi cho ìosal,
Bhon t-saoghal gus mo dhìteadh,
Bha 'n cùmhnanta cho cinnteach
    'S nach do dhìobair mi de dh'earbs' ann.   32

Chuimhnich mi air Iòseph,
'S fear eile 'n sloc nan leòghann;
Chaidh glasan air am beòil,
    'S cha d'fhuair iad còir a mharbhadh.   36

Chuimhnich mi air càramh
Nan abstol is nam fàidhean,
Bhon là a dh'fhuiling Abel
    Bho Chàin leis an fharmad.   40

Chuimhnich mi air an triùir
Anns an teine nach do mhùchadh;
Bha 'n ceathramh air an cùlaibh —
    San fhùirneis rinn e 'n dearbhadh.   44

Chuimhnich mi air èiginn
Clann Israeil anns an Eiphit,
'S mar chaidh an cuan a reubadh
    Bhon thug E spèis da leanaban.   48

Chuimhnich mi Delìlah,
Is Samson aic' na h-ìongnan,
'S na Philistich nam mìltean
    A' dèanamh lìon ga mharbhadh.   52

'S ged cheangail iad le cùird e,
'S ged chuir iad mach a shùilean,
Gun d'fhuair e neart às ùr,
    Agus rinn e brùchd dhiubh mharbhadh.   56

Chuimhnich mi air còmhlan
Thug mionnan agus bòidean
Nach itheadh iad 's nach òladh,
    Gu 'n dèanar Pòl a mharbhadh.   60

Chuimhnich mi air mìorun
Nan easbaigean len innleachd;
Mun deach an cur fo chìs
    Chaidh na mìltean dhinn a mharbhadh.   64

Chuimhnich mi air àmhghar
Is fulangas mo Shlànaighir,
'S mar choisinn E buaidh-làraich
    A' cur fo shàil a nàimhdean.   68

Chuimhnich mi air Iùdas,
'S an sporan aig' ga ghiùlan,
'S na nàimhdean ris an cùmhnant,
    Is ùidh ac' anns an airgead.   72

NOTAICHEAN AIR ORAN 4

Bun-teacst: *DO*, 45.

Am an òrain: Chan eil e soilleir cuin a rinn Màiri an t-òran seo ach tha an fhaireachdainn ann cho làidir 's gu bheil e cho dòcha gun deachaidh a dhèanamh gu math faisg air àm na tàmailt. Anns an òran, tha Màiri a' dèanamh coimeas eadar i fhèin agus fir is mnathan anns a' Bhìoball ('s gu h-àraid anns an t-Seann Tiomnadh) a dh'fhuiling tàmailt is geur-lean-mhainn.

14 uisge Mhàrah: tarraing air cuairt Chloinn Israeil anns an fhàsach. Bha uisge Mhàrah searbh ri òl: faic Leabhar Ecsodus, xv, 23.

17–18 Tha e coltach gum biodh Màiri air a gleidheil anns a' phrìosan gus an rachadh i air beul cùirte.

19 Sasannaich: Mar as trice, tha Màiri a' ciallachadh daoine a bhruidhneadh Beurla a-mhàin, eadhon Goill. Tha e coltach cuideachd gur h-e Sasannaich an ceart da-rìribh a bha anns an teaghlach aig Harriet Turner agus ann an G. Herbert Bolland (faic Oran 1, s. 7 n.), agus faodaidh gur h-ann orrasan a tha i a-mach anns an t-sreath seo.

23–4 Tha iomradh an seo air mar a thachair don bhànrigh Ester; chaidh Hàman, nàmhaid Esteir agus nan Iùdhach, a chrochadh air a' chroich a rinn e do Mhordecài: faic Leabhar Esteir.

33 Iòseph: Faic Leabhar Ghenesis, xxxvii-l.

34 Iomradh air mar a thachair do Dhàniel: faic Leabhar Dhàniel, vi.

39–40 Faic Leabhar Ghenesis, iv.

41–2 Iomradh air Sadrach, Mesach agus Abednègo, a bha air an cur don àmhainn theinntich le àithne Nebuchadnesair: faic Leabhar Dhàniel, iv.

45–8 Faic Leabhar Ecsodus, xiv, far a bheil iomradh air mar a chaidh Clann Israeil tron Mhuir Ruaidh.

49–56 Gheibhear sgeulachd Shamsoin ann an Leabhar nam Breitheamh, xiii-xvi.

57–60 Faic Gnìomharan nan Abstol, xxiii, 12–14.

61–4 Iomradh air aimhreit a' Choicheangail (*Covenant*). Cf. Oran 3, s.
'24 n.

69 Iùdas: am fear a bhrath Crìosd air deich buinn fhichead airgid; faic
Soisgeul Lùcais, xxii, 47–8.

5. FAGAIL EILEAN A' CHEO

Och mar tha mi 's mi cur mo chùl
Ris an Eilean chùbhr' anns an robh mi 'm òige,
A' falbh gu Galldachd a shiubhal chabhsair,
'S cha chluinn mi srann dhen a' chainnt bu chòir dhomh.　　4

Gu bheil còrr is dà fhichead bliadhna
Bhon rinn mi triall às chur rian air pòsadh,
'S cha bheag a' mhìorbhail gun thill mi 'm chiall ann,
'S na fhuair mi riasladh o làmh luchd-fòirneart.　　8

Bha mi tàmh ac' aig Clach na Cùdainn
Còrr 's leth na h-ùine on thugadh treòir dhomh;
'S e 'n torran ùrach tha dhomh cho cùbhr' ann,
Gun tugainn sùil oirre fhad 's bu bheò mi.　　12

Ach dh'aindeoin buairidh is tonnan uaibhreach,
Is iomadh truaigh' a tha 'n dual dham sheòrsa,
Tha èibhleag uasal na laighe 'n uaigneas
A chumas suas mi cho fhad' 's as beò mi.　　16

Cha robh dualachas aig mo shinnsir
Ri teàrr no lìth bhith na sgìom rim meòirean,
'S am Bàillidh dìblidh a thug mo bhinne,
Gum fàg mi dhìleab dha linn gu ceòl dhaibh.　　20

Bha do sheanair na neach cho cianail
'S a chunnacas riamh far an robh e còmhnaidh,
'S gur mi nach ainmicheadh e nad fhianais,
Nan [do] chùm thu riaghladh rium mar bu chòir dhut.　　24

Gu robh d' athair na dhuine riaslach
Na ablach greusaich a' càradh bhrògan,
'S gur iomadh bliadhna rinn mise dìon da,
Is m' fhear gan dèanamh 's gan cur dha 'n òrdugh.　　28

Ach nuair a thàrladh, o staid cho dìblidh
Gun d'fhuair thu dìreadh 's tu strì ri mòrchuis,
Gun reic thu bhanntrach ri luchd a mìoruin,
'S do chreud ag innse nach b' e do chòir e.　　32

Ach nuair a sheallas mi air gach taobh dhomh
'S a chì mi 'n taois san robh gaoid is fòtas —
Na bonnaich àlainn air mullach sràide,
Gun gluais e 'n t-àrdan am fuil Chlann Dòmhnaill.　　36

'S bhon dh'fheuch thu dhomh a leithid a dh'ainneart,
Cha teirig cainnt dhomh air fhad 's as beò mi;
'S bha 'n lot cho ciùrrte 's nach eil e dùnadh —
'S e gràs bheir lùths dhuinn à mùr na feòla.   40

Cha robh bruachag no lagan luachrach
No creag uamha san robh mi eòlach,
Nach d'rinn mi chnuasach 's mo cheann na thuaineil,
'S na deòir lem ghruaidhean nan sruth a' dòrtadh.   44

Nuair a chuimhnichinn Maighstir Ruairidh
Le chòmhlan uan 's a chuid sluaigh na chòmhdhail,
'S mi fhèin cho suaimhneach a' ruith mun cuairt daibh,
'S an cnoc cho fuar dhomh ri stuadhan reòdhta.   48

'S ged a tha mi a' cur mo chùl ris,
Gum bi mo dhùrachd dha fhad 's as beò mi —
'S nan gabhainn comhairl' o luchd mo dhùthcha,
Cha togainn smùid anns na bailtean mòra.   52

Ach nuair a ruigeas mi baile Ghrianaig,
Far 'm bi na siantannan dian a' dòrtadh,
Bidh còmhlan rianail de Ghàidheil fhiachail
Ag innse sgeula dhomh 'n Comann Ossian.   56

'S ged a dh'fhuadaicheadh sinn on dùthaich
San robh sinn mùirneach an tùs ar n-òige,
Gun tog e sunnd uainn am measg nan Dùbhghall
Bhith faicinn gnùis ar luchd-iùil is eòlais.   60

Ach nam faigheamaid ar dùrachd,
'S a h-uile cùis a bhith mar bu chòir dhi,
Ged tha sinn beò ann am measg nan Dùbhghall
Gun d'reigheadh an ùir oirnn san dùthaich eòlaich.   64

NOTAICHEAN AIR ORAN 5

Bun-teacst: *DO*, 252.

Am an òrain: Chan eil cinnt cuin a rinn Màiri an t-òran seo, ach a-mhàin gu robh i ann an Grianaig aig an àm (ss. 53–6). Bhiodh a' bhliadhna 1878 reusanta.

5 dà fhichead bliadhna: Nam biodh an àireamh bhliadhnachan seo ceart,

81

bhiodh Màiri air an t-òran a dhèanamh timcheall air a' bhliadhna 1885, ach chan eil seo a' freagairt air an fhianais a tha anns an òran fhèin (s. 53) gu robh Màiri a' fuireach ann an Grianaig. Tha an aon trioblaid againn le "dà fhichead bliadhna" ann an òrain eile: faic Oran 11: ss. 9–10 n.

19 am Bàillidh: Faic Oran 1, s. 45 n.

45 Maighstir Ruairidh: an t-Urramach Ruairidh MacLeòid, ministear cho ainmeil 's a bha riamh anns an Eilean Sgiathanach. Rugadh e ann an Gleann Haltainn ann an 1794. Bha athair, a bha na mhinistear ann an Snìosart, na mhac do Mhac 'Ille Chaluim Ratharsair. Bha Maighstir Ruairidh an toiseach na mhisionaraidh ann an Liandail, 's b' ann an dèidh sin a chaidh iompachadh anns an dòigh shoisgeulaich fo bhuaidh Dhòmhnaill Rothaich, "An Dall Ma' Rotha". Chaidh a ghairm gu Bràcadail ann an 1823 's gu Snìosart ann an 1838. Cha b' fhada gus an do choisinn e ainm dha fhèin a chionn 's gu robh e cho trom air "gnothaichean faoin" na beatha seo, ged a bha e aig an aon àm glè thruacanta na nàdar. Ann an 1843 chaidh e don Eaglais Shaoir, 's bha e na Mhoderàtor air Ard Sheanadh na h-eaglaise sin ann an 1863. Chaochail e ann an 1868. (MacLeod, 'The Bishop of Skye'; *Disruption Worthies of the Highlands*, 25–30; *AFC*, i, 250; MacCowan, *The Men of Skye*.)

50 *'S gum bi mo dhùrachd*, *DO*. Tha ciall na sreatha nas soilleire le bhith a' fàgail às *'S*.

56 Comann Ossian: Faic Oran 17, s. 3 n.

TOISEACH NA STRI

(Orain 6–10)

Chì sinn anns na h-òrain seo mar a bha Màiri a' gabhail ùidh anns na gluasadan ùra a bha a daoine a' cur air chois gus ceartas fhaighinn do na Gàidheil. Ged a bha i a-nise a' fuireach ann an Glaschu, bha a sùil air Inbhir Nis agus air na bha a' tachairt do Theàrlach Friseal Mac-an-Tòisich, mar a tha Oran 6 a' cur an cèill.

'S e co-ghàirdeachas a tha air chùl an òrain sin, agus tha Màiri gu h-àraid moiteil às a' bhuaidh a thug Teàrlach Bàn a-mach air na fir-lagha a bha nan nàimhdean dhi ann an Inbhir Nis. Tha gleus na buadha a' nochdadh gu làidir ann an Oran 7, far a bheil i a' moladh gaisgeachd muinntir Bheàrnaraigh Leòdhais. Ged nach b' ionnan bàillidhean, tha Màiri a' coimeas a tàire fhèin ri èiginn nan Leòdhasach, agus tha a' bhuaidh a thug iad a-mach air a' "bhàillidh dhubh" aca fhèin a' toirt misneach dhi.

Tha dòchas ùr anns na h-òrain seo, agus tha sin gu math follaiseach ann an Oran 8, far a bheil i a' moladh Diùc Chataibh. Tha am moladh annasach, a chionn 's gu robh fìor dhroch cliù aig a theaghlach a thaobh nam fuadaichean ann an Cataibh; ach tha Màiri deònach urram a thoirt dha mar dhuine air sgàth leasachadh na tìre, ged a tha puingean pearsanta a' nochdadh aig deireadh an òrain.

Ann an Orain 9–10 chì sinn mar a dhrùidh cor truagh nan Gàidheal oirre. Ann an Oran 9, tha Màiri a' meòrachadh air mar a thachair da h-athair nuair a bha cùisean duilich anns an Eilean Sgiathanach, agus tha meòrachadh den aon seòrsa soilleir ann an Oran 10. Nuair a bha na Gàidheil a' teannadh ri aimhreit an fhearainn a chur air saod ro 1880, bha an seòrsa meòrachaidh seo a' tighinn am follais nam bàrdachd (faic Meek, *Tuath is Tighearna*, 26–7). Chìthear ann an Oran 10 cho èifeachdach 's a bha cruinneachaidhean nan Gàidheal air Ghalldachd ann a bhith a' brosnachadh an t-sluaigh. Bha an sealladh aig Màiri, agus an sealladh a bha aig na Gàidheil fhèin, a' leudachadh eadar 1874 is 1880.

6. CAITHREAM-BHUAIDH
(do Theàrlach Friseal Mac-an-Tòisich)

Nis seinnibh cliù nan àrmann
    Chuir am blàr aig Clach na Cùdainn,
Gun chlaidheamh thoirt à sgàbard,
    Ach len tàlantan 's len dùrachd.   4

Cha robh bristeadh chnuac ann,
    'S cha robh spuacadh leis na dùirn ann,
Ach teang' is peann gam fuadachadh
    Nan cruachan bhon a' Chùdainn.   8

Nuair fhuair a clann an còirichean,
    'S gu leòr aca de dh'fhùdar,
Nuair dh'fhosgail iad a' bhòlaidh,
    Chuir iad Rathaig Mhòr na smùid leis.   12

Nuair chrìochnaicheadh am batail,
    Air an fhaich' aig Clach na Cùdainn,
Gun thog na suinn am brataichean
    Gu caismeachd thoirt don dùthaich.   16

Nuair chuala sinn an tàirneanach
    Le làmhach cruaidh nan diùlnach,
'S a chunntais sinn an àireamh
    Sheas le Teàrlach aig a' Chùdainn,   20

Gun [d']rinn ar cridhe gàirdeachas,
    'S gach bean is pàisd' bha 'g ùrnaigh,
Gun choisinn e bhuaidh-làraich
    Air an nàmhaid aig a' Chùdainn.   24

Nis òlar do dheoch-slàinte leinn,
    A Theàrlaich Bhàin, gun chaomhnadh,
Is ged bhiodh troigh air àird innte,
    Gun tràigh sinn gus a' ghrunnd i.   28

Their sinn anns a' Ghàidhlig i,
    Mar b' àbhaist dar luchd-dùthcha —
Dhut saoghal fada 's gàirdeachas
    Is càirdean mun a' Chùdainn.   32

A' chuid a thuit san àraich seo
    Cha b' urrainn càch an giùlan,
'S a' chuid nach d' rinn a' Cheàrdach dheth
    Gun d'fhuair iad àit' aig Dougall.   36

Bha Colvin bochd 's an Ròsach,
    Gun do thachd an ceò 's an stùr iad,
'S gun deachaidh Burns a leònadh —
    Chuir na Dòmhnallaich an t-sùil às.   40

Is bochd dhuinn mar a dh' èirich dhut,
    'S tu fhèin a bhith cho tùrail,
'S gum feum thu nise speuclairean,
    Gad lèidigeadh gu cùirtean.   44

Rinn iad coileach-òtraich dhiot
    Le itean mòr' is stiùir ort,
'S do cheann cho dubh ri ròcais
    Le do spuir gun bhròig, gun ghlùinean.   48

NOTAICHEAN AIR ORAN 6

Bun-teacst: *DO*, 137. Nochd ss. 1–32 ann an *IA*, 28.2.1874. 'S dòcha gun deachaidh ss. 33–48 fhàgail às a' phàipear a dh'aon ghnothach, a chionn 's gu robh iad a' dèanamh tàire air cuid de dh'fhir-lagha chumhachdach a' bhaile. Bha aon dhiubh sin (Colvin, s. 37) na dhearg nàmhaid do Mhàiri fhèin (faic Oran 3).

Am is adhbhar an òrain: Rinn Màiri an t-òran nuair a bhuannaich Teàrlach Friseal Mac-an-Tòisich (1828–1901) àite mar Bhall Pàrlamaid Liberalach airson Bailtean Inbhir Nis (*Inverness Burghs*) anns an Taghadh Phàrlamaid sa Ghearan 1874. Bha e a' strì an aghaidh dithis eile – Mac-an-Tòisich Rathaig Mhòir (faic s. 12) a bha a' riochdachadh nam bailtean o 1868, agus Aonghas Mac-an-Tòisich à Holm ("Fear an Tuilm"). B' e seo toiseach a chùrsa iomraitich mar Bhall Pàrlamaid agus mar fhear-tagraidh còirichean nan Gàidheal. An dèidh 1880 bha e ainmeil airson na bha e a' dèanamh gus cor croitearan na Gàidhealtachd a leasachadh, agus ann an 1885 bhuannaich e àite mar Bhall Pàrlamaid airson siorramachd Inbhir Nis. Chaill e àite ann an 1892, a chionn 's gur h-e Aonaiche (*Unionist*) a bh' ann (faic Oran 39).

35 a' Cheàrdach: am *Falcon Foundry* a bha aig an àm air Sràid na h-Acadamaidh. Bhiodh Rathad-iarainn na Gàidhealtachd (*The Highland*

Railway) a' togail an cuid einnseanan 's charbadan an sin (*Inv. Dir.* 1869).

36 Dougall: Anndra Dougall, fear a mhuinntir Pheairt a bha na mhanaid-sear air Rathad-iarainn na Gàidhealtachd. Leig e dheth a dhreuchd ann an 1896 (Vallance, *The Highland Railway*, 72; *Inv. Dir.* 1869).

37 Colvin: Iain Colvin, am fear-lagha: faic Oran 3: s. 35 n. Bhiodh na fir-lagha a th' air an ainmeachadh san rann seo nan riochdairean aig an fheadhainn a bha a' strì.

an Ròsach: Uisdean Ròsach (Rose), fear-lagha ann an Cùirt a' J.P. (*Inv. Dir.* 1869, 1885). Chaochail e mu 1890.

39 Burns: Uilleam Burns, fear-lagha (*ibid.*). Bhiodh sabaid eadar na buidhnean-strì fa leth, le pocannan-flùir is uisge is armachd den t-seòrsa sin, a' tachairt aig àm nan Taghaidhean Pàrlamaid anns an naoidheamh linn deug. Bidh e coltach gu robh cath den t-seòrsa sin ann an Inbhir Nis ann an 1874, agus gun d'fhuair Burns buille san t-sùil.

40 na Dòmhnallaich: Bha Coinneach Dòmhnallach ("Coinneach Beag") (1850–1921) na Chlèireach Baile ann an Inbhir Nis, agus na riochdaire aig Teàrlach Friseal Mac-an-Tòisich aig àm nan Taghaidhean Pàrlamaid. Bhiodh e cuideachd a' dìon nan croitearan a bhiodh air an cur an sàs aig àm aimhreit an fhearainn. Tha tomhas de mhoit ann am briathran Màiri, a chionn 's gur e ban-Dòmhnallach a bha innte fhèin.

45 coileach-òtraich: Nuair a bhiodh ainmean luchd-buannachd is luchd-calla nan Taghaidhean Pàrlamaid air am foillseachadh, bhiodh e air uair-ean na chleachdadh aig na buidhnean fa leth a bhith a' dèanamh ìomhaighean de na fir (no den luchd-taic ainmeil) a chaill no a bhuan-naich anns a' chòmhstri. Bidh e coltach gur h-e ìomhaigh den t-seòrsa sin a tha san amharc aig Màiri anns a' "choileach-òtraich" seo. Bhiodh an ìomhaigh a' magadh air Burns.

7. CEATHARNAICH BHEARNARAIGH

A dhaoine còire Bheàrnaraigh,
Gun òlar ur deoch-slàinte leam,
'S ged b' ann a dh'fhìon na Spàinte
    Gum pàigh sinn i gun sòradh.   4

Nuair chuala sinn ur sàrachadh
Le Bàillidh is le bàirligean,
Gur tionndadh às na fàrdaichean
    Sna dh'àraicheadh cho òg sibh.   8

Ge h-iomadh ùrnaigh uaigneach
Chuir ur sinnsre riamh a-suas annta,
Gum b' fheàrr le Bàillidh truagh
    Bhith 'g èisdeachd nuallaich damh nan cròcan.   12

'S ma ghabh thu fhèin an t-ùghdarras
Na daoine còir a sgiùrsadh às,
Gun toir thu fhathast cunntas
    As do bhrùidealachd is d' fhòirneart.   16

Is ged chuir thu na breugan orr',
Gur daoine fiadhaich, dìomhain iad,
'S nach faighte car de ghnìomh asda,
    Ach iasgach 's buain na mòna;   20

Gun dearbh na Goill 's na Sasannaich
Gur daoine treuna, sgairteil iad,
'S gur beag a dhèanadh Machraich
    Ann an glacaibh luchd nan clòithnean,   24

A shnìomhadh dhaibh ler màthraichean,
'S an nigheanan ga chàrdadh dhaibh,
'S a dh'fhigheadh anns na fàrdaichean,
    'S ga luadh le gàir nan òran.   28

Nuair chaidh sibh ann an òrdugh
Le ur camain 's le ur còtaichean,
Dol suas gu baile Steòrnabhaigh,
    Bu bhòidheach leam an còmhlan;   32

Le pìobaire na cheannard oirbh,
A' seinn a' chiùil a b' annsa leam,
'S gun d'rinneadh riamh 's gach aimhreit leibh
    Ur nàimhdean chur air fògar.   36

Nuair ràinig sibh an aitreabh,
Gun dh'fhaighneachd Seumas Mathanach,
"Ciod a-nise thachair
    Nuair tha luchd nan creach an tòir oirnn?"   40

Sheas fear a-mach sa champa dhibh
'S a bhoineid ghorm na làimh aige,
'S le Beurla chruaidh gun mheang
    Gun [d']rinn e cainnt ris mar bu chòir dha: 44

"Bhon tha sinn fhèin 's ar sinnsireachd
Gun fhiachan no gun chìs oirnn ann,
'S do Bhàillidh dubh le innleachdan
    Gar cur à tìr ar n-eòlais;   48

"Ma dh'innseas tu gu rianail dhuinn
An e thu fhèin a dh'iarr air e,
Gun dèan sinn mar as miannach leat
    Mas duin' thu 's fhiach do chòta."   52

"Cha fhreagair dhomh 'n-diugh innse dhuibh,
Tha nitheigin de dh'fhiamh orm,
'S sibh coltach ris na Fiantaichean
    Nach strìochd gum faigh iad tòrachd."   56

Na daoine dhearbh ur còirichean
Mo bheannachd gu robh còmhla ribh,
Na Gàidheil bhochda chòmhnadh
    Bho gach fòirneart agus dòrainn.   60

Beannachd leibh, a chàirdean;
Tha mi toilichte gun d'fhàgadh sibh,
'S nach deach an ruaig mar chàch oirbh,
    Le Bàillidh dubh gun tròcair.   64

NOTAICHEAN AIR ORAN 7

Bun-teacst: *DO*, 272. Nochd an t-òran seo an toiseach ann an *H*, 4.7.1874.

Am is adhbhar an òrain: B' e ar-a-mach croitearan Bheàrnaraigh anns a' Mhàrt 1874 a' chiad chomharradh follaiseach nach robh na Gàidheil riaraichte leis an dol a-mach aig na h-uachdarain agus aig an searbhantan, na bàillidhean. Ged nach deachaidh suim a ghabhail dha le luchd-riaghlaidh Bhreatainn, tha e soilleir gu robh buaidh mhòr aig ar-a-mach Bheàrnaraigh air inntinnean dhaoine, gu h-àraid air na Gàidheil fhèin.

'S e bh' air chùl na h-aimhreit gun do chaill muinntir Bheàrnaraigh am feurach-samhraidh a bh' aca air monadh Beannaibh a' Chuailein, air tìr-mòr Leòdhais dlùth air crìoch na Hearadh, le òrdugh bho Dhòmhnall Mac-an-Rothaich, Seumarlan MhicMhathain, ann an 1871. Chaidh am monadh seo a chur fo fhèidh. Na àite fhuair iad fearann ann an Iarsiadar air a' chùmhnant gum pàigheadh iad màl an croitean ann am Beàrnaraigh. Cha robh iad idir deònach gabhail ri seo bho nach robh fearann Iarsiadair cho math ri talamh Beannaibh a' Chuailein, ach aig a' cheann thall dh'aontaich iad ris. Ann an 1874, an dèidh dhaibh gàrradh-crìche seachd mìle a dh'fhad a thogail mun fheurach ùr, fhuair iad fios bho Mhac-an-Rothaich gum feumadh iad a-nis Iarsiadar fhàgail, 's gabhail ri baile beag fearainn a bha e a' toirt dhaibh ann an Hàcleit ann am Beàrnaraigh fhèin. Dhiùlt na croitearan am fearann fhàgail, eadhon an dèidh do Mhac-an-Rothaich a dhol a Bheàrnaraigh a bhruidhinn riutha.

Mu dheireadh thàinig oifigeach-fearainn MhicMhathain, Cailean MacIllinnein, a thoirt bàirlinn do chòrr is lethcheud ceann teaghlaich, 's e a' toirt àithne dhaibh chan e a-mhàin fearann Iarsiadair fhàgail, ach an croitean cuideachd. Thug na croitearan dha droch ghiollachd le clachan, 's beagan an dèidh seo, nuair a chuala iad gu robh e a' bagairt dol nam bad le gunna, rinn buidheann dhiubh grèim air, 's shrac iad a chòta. Tha e air aithris gun deachaidh fear à Beàrnaraigh, a bha air chuairt ann an Steòrnabhagh, a chur an sàs an lorg seo, ach gun deachaidh a leigeil mu sgaoil gun dàil.

Glè ghoirid an dèidh sin, rinn ceud gu leth de mhuinntir Bheàrnaraigh an gearan follaiseach don t-saoghal nuair a ghairm iad caismeachd 's a thog iad orra le pìobaire air an ceann gu Caisteal Steòrnabhaigh, a bhruidhinn ris an uachdaran, Sir Seumas MacMhathain. A rèir aon naidheachd, cha d'fhuair iad a-steach don chaisteal fhèin, ach fhuair iad cothrom bruidhinn ri MacMhathain ann am pàirc dlùth air làimh, 's thugadh dhaibh gealladh gun rachadh cùisean a rannsachadh. Chan e a-mhàin gun do chaill Dòmhnall Mac-an-Rothaich àite air thàillibh an rannsachaidh, ach anns a' chùirt a ghleidheadh ann an Steòrnabhagh a dh'fheuchainn na feadhainn a thug ionnsaigh air an oifigeach, thugadh a' bhinn nach robh na croitearan idir ciontach anns a' ghiollachd a thug iad dha (*H*, 25.4.1874 9.5.1874 11.7.1874, 25.7.1874, 1.8.1874; *The Scotsman*, 15.7.1974; MacLeòid, *Bàrdachd Leódhais*, 70–2).

Faodaidh gun deachaidh an t-òran a chur ri chèile mun robh sgeul chinnteach aig Màiri air a h-uile nì a thachair, oir chan eil e a' toirt iomradh buileach ceart air mar a chrìochnaich am meàirdse. Fhuair na croitearan barrachd bho MhacMhathain 's na tha Màiri ag ràdh.

Chaidh an t-òran seo fhàgail air Iain Dòmhnallach, aon de oifigich Caisteal Steòrnabhaigh, 's b' fheudar do Mhàiri òran eile a chur ann an *H*, ag ràdh gur h-ise a rinn e; faic *DO*, 274–6.

23 Machraich: daoine às a' Mhachair Ghallda, 's dòcha; ach *marcaich*, *H*.

35 's gach aimhreit leibh: *'s gach arabhaig leibh*, *H*.

41 Sheas fear a-mach: Aonghas MacMhathain à Circeabost ann am Beàrnaraigh (MacLeòid, *Bàrdachd Leódhais*, 71).

55 Fiantaichean: seann ghaisgich na Fèinne.

62 *Is aighearach leam gun d'fhagadh sibh*, *H*.

8. ORAN AN DIUC CHATAICH
an uair a chuir e an rathad-iarainn do bhaile Uig an
Gallaibh.

Tha 'n t-Ard-Albannach cho coibhneil,
Ag innse dha chloinn san dà chànain
Gu bheil Cataibh air a riaghladh
Le uachdaran ciallach, càirdeil,   4
Aig a bheil suim da chuid daoine,
'S chan iad caoraich mhaola bhàna,
Chùm am fearann daibh gun daoradh,
'S a' toirt aonta dhaibh gu bràth air.   8

'S o tha 'n Gàidheal a' cur nar cuimhne
Eachdraidhean is rainn na Fèinne,
'S a' Ghàidhlig a' togail a cinn,
Am measg nan rìghrean 's luchd na Beurla; 12
Bhon dh'fhosgail Blackie mo shùilean,
Bheir mi ionnsaigh chur an cèill dhuibh,
Diùc Chataibh le shluagh gun chunntas,
'S mìltean air a ghrunnd gun èis dhiubh. 16

Chan e fèidh is eòin is caoraich,
Cìobairean le maoil is teàrr orr',
Tha an Diùc an-diugh a' riaghladh
Ach suinn a dhèanadh gnìomh sna blàraibh; 20
Tha gach gleann is glac is aonach
Ga shaorachadh le luchd-àitich;
'S ma thig cogadh 's feum air daoine,
'S treun na laoich tha 'n Diùc ag àrach. 24

Ach òlaidh dròbhairean is coisichean
An toiseach do dheoch-slàinte,
B' àbhaist a bhith air am pianadh,
A-nise suidhe sìos gu sàmhach,   28
Gus an cluinn iad an t-each iarainn,
Fallas air le sian 's e rànaich,
'S bheir iad beannachd air an Diùc,
A dh'fhosgail rathad ùr da shàiltean. 32

Is iomadh aon a shàraich coiseachd
Eadar Goillspidh 's Taigh Iain Gh ròta,
A-nise suidhe sìos gu socrach
A' gabhail ceò 's ag innse stòraidh; 36

91

Gach aon diubh moladh an Diùc
A rinn an rathad ùr cho còmhnard,
Spealgadh chreagan leis an fhùdar,
'S gan càradh ann an grunnd na mòintich.   40

Chuala mi seann daoine liath,
Aig ceithir fichead bliadhna 's còrr dhiubh,
'G innse mar a chaidh an riaghladh
Gu seo riamh a-nuas on òige;   44
Pailteas aca bhiadh 's a dh'aodach,
Crodh is caoraich air na lòintean,
'S o fhuair an Diùc am Bròra biadh dha,
Thug e 'n t-each-iarainn gar còmhnadh.   48

'S iomadh car a chaidh dhen t-saoghal
Agus caochladh thàinig oirnne,
A h-uile nì air fàs cho daor
'S gur gann as urrainn daoin' bhith beò ann;   52
Ma thig gainne staigh dhan dùthaich,
Thèid sinn uile a dh'ionnsaigh Iòseiph —
Or Chill Donnain air a chùinneadh
'S pailteas aig an Diùc na stòr dheth.   56

'S beag an t-ioghnadh e bhith ciallach,
B' urramach am freumh on d'fhàs e;
Bha athair na dhuine fiachail,
Mòralach na ghnìomh 's na nàdar;   60
A mhàthair bha na mnaoi ro-dhiadhaidh,
'S chùm i riaghailt riamh na fàrdaich,
'S tha 'n gealladh air a cho-lìonadh
Dhan Diùc is dha shìol na h-àite.   64

'S a' Bhan-diùc tha an-diugh a' riaghladh,
Tha i fialaidh, ciallach, càirdeil;
'S a h-uile nì a rinn i iarraidh
Dh'èirich a' ghrian air le fàbhar;   68
Bha cuid ìochdaran ag ùrnaigh
Rìgh nan Dùl a bhith ga teàrnadh,
Ge b' e àird an tog i cùrsa
Fad a h-ùine anns an fhàsach.   72

'S a' Bhan-diùc Chatach, do shìn-seanmhair,
Choisinn i do dh'Alba fàbhar;
Thog i rèiseimeid de dhiùlnaich
Nach eil fon a' Chrùn an àicheadh —   76

"Cheithir fichead 's a trì deug"
Tha cho miadhail aig a' Bhànrighinn,
'S chuireadh dà fhichead 's a sia dhiubh
Ruaig air ceithir chiad dhen nàmhaid.   80

Gum b' iad siud na laoich gun tiomadh
Dol ri teine 's aghaidh gàbhaidh;
'S iad nach tilleadh riamh le giorraig,
Air cho teann 's gun tig an nàmhaid;   84
Choisinn iad buaidh anns na batail,
Len cuid lannan sgaiteach Spàinneach,
'S gach aon a thig air an ais dhiubh,
Bheir Diùc Chataibh dhaibh an àite.   88

Tha uachdarain eile cho gòrach
Cur an t-seòrs' ud thar an t-sàile,
Luchd-dìon na rìoghachd bho fhòirneart,
'S a-nise seasamh còir na Bànrighinn;   92
Chan eil batal mum bheil cunntas
Anns nach cualas cliù nan Gàidheal;
'S iomadh laoch dhiubh tha na shìneadh
Gun chiste ann an tìr an nàmhaid.   96

Cuiridh mi crìoch air mo sheanchas,
Leanainn fad' air deilbh an t-snàthainn;
Chan eil feum air tuilleadh dearbhaidh,
'S aithne do dh'Alba mar tha e;   100
Tillidh mi nise gum eòlas,
Far an d'fhuair mi gu h-òg m' àrach;
Beannachd leis an Diùc 's le chòmhlan
'S bidh mi aig an t-Stròm a-màireach.   104

'S nuair a ruigeas mi MacRath,
Gum bi mo dhachaigh mar a b' àbhaist;
Gheobh mi biadh, is deoch, is caidreabh,
Agus leabaidh nach bi tàireil;   108
'S iomadh aon le fuachd is acras
A fhuair cairtealan nad fhàrdaich,
'S o chaidh do chliù fad' is farsaing,
'S onair Clann 'ic Rath Chinn t-Sàil' thu.   112

Nis togaidh mi mo chùis don Diùc,
Chluainidh, mo luchd-iùil, 's Sir Pàdraig,
Feuch an gluais iad a' chlach-mhuilinn
Chuireadh air muineal mo phàisdean;   116

93

Rinn na Sasannaich mo dhìteadh
Le Bàillidh dìblidh gun tàlant,
'S gus an cluinn an sluagh an fhìrinn,
Cha bhi sìth agam gu bràth leis. 120

NOTAICHEAN AIR ORAN 8

Bun-teacst: *DO*, 125. Nochd an t-òran seo an toiseach ann an *H*, 5.12.1874, fon ainm "The Duke of Sutherland and his noble deeds". Tha aon rann ann an *H* nach fhaighear ann an *DO*; gheibhear an rann sin san deasachadh seo mar ss. 17–24.

Am is adhbhar an òrain: Tha nota an cois an òrain ann an *H* mar a leanas: "We have abundant proof of the excellent crops which the recently reclaimed lands on Loch Shin have produced, but the more interesting fruit of the Duke of Sutherland's doings is found in such expressions as the above from a bard of the people."

Mar a tha Màiri fhèin ag ràdh aig toiseach an òrain, bha *H* a' moladh Diùc Chataibh aig an àm, agus bha i gu ìre a' leantainn beachd a' phàipeir. Feumar a thuigsinn mar sin nach e claonadh pearsanta a bha a' tighinn am follais nuair a rinn Màiri an t-òran; bha i fhèin is Iain MacMhuirich air an aon ràmh. Cha robh MacMhuirich (no Màiri) an aghaidh leas-achaidhean a bha a-chum maith an t-sluaigh.

'S e cuspair an òrain an 21mh Iarla Catach (1829–92). Bha e ainmeil an dà chuid airson a bhith a' saoradh fearainn ann an Cataibh, agus air-son rathad-iarainn a thogail mu thuath gu Inbhir Uige. Chosg saothair an rathaid-iarainn gu lèir £400,000 don Diùc. 'S e fialaidheachd an Diùc a bu mhotha a ghluais Màiri gu dàn.

Chaidh an rathad-iarainn eadar Goillspidh agus Inbhir Uige a chruthachadh ann an dà cheum. An toiseach, thog Diùc Chataibh loidhne phrìobhaideach eadar Goillspidh agus Bun Ilidh, agus chaidh seo a chrìochnachadh anns an t-Samhain 1870. Ghabh Rathad Iarainn na Gàidhealtachd an loidhne os làimh anns an Ogmhìos 1871. Chaidh com-panaidh ùr, Rathad-iarainn Ghallaibh, a stèidheachadh an uair sin airson geug den rathad-iarainn a chur mu thuath gu Inbhir Theòrsa agus Inbhir Uige. Thug Diùc Chataibh £60,000 don chompanaidh sin, agus chaidh an rathad-iarainn fhosgladh air an 28mh den Iuchar 1874. Airson cunn-tas iomlan, faic Vallance, *The Highland Railway*, 28–33.

9 'n Gàidheal: Chan e seo a' *Highlander*, 's e sin *An t-Ard-Albannach* (s. 1), ach an iris a bha a' nochdadh fon ainm sin bho 1873 gu 1877. Chaidh a stèidheachadh ann an Toronto, ach rinn am fear-deasachaidh, Aonghas MacNeacail, imrich do Ghlaschu ùine ghoirid an dèidh sin (MacLean, *Typographia*, 131).

54 Iòseph: Tha Màiri a' coimeas an Diùc ri Iòseph anns an t-Seann Tiomnadh. Bha esan os cionn nan stòrasan sìl aig Phàraoh nuair a thàinig àm na gorta anns an Eiphit; faic Leabhar Ghenesis, xli.

72 anns an fhàsach: Faic Oran 1, s. 152 n.

75–7 Chaidh an rèiseamaid ris an canar an *93rd Sutherland Highlanders* a thogail ann an 1799. Bha na Sutharlanaich ainmeil airson an gnìomhan gaisgeil aig sèisd Lucknow aig àm na h-ar-a-mach (an *Indian Mutiny*) an aghaidh nam Breatannach ann an 1857–58. Bha iad fo chomannd aig an Ridire Cailean Caimbeul; faic Watson, *Highland Regiments*, 158–77.

105 MacRath: Fearchar MacRath, aig an robh an North Strome Hotel: faic Oran 31.

114 Cluainidh: an Ceann-feadhna, Eòghann Mac-a'-Phearsain (1804–85).

Sir Pàdraig: Faodaidh gur h-e seo *Sir John Peter Grant* (1807–93), a bha na shearbhanta poblach ann am Bengal, agus mu dheireadh na Fhear-riaghlaidh air Jamaica. B' esan am bràthair a b' òige aig Ealasaid Ghrannd, a sgrìobh *Memoirs of a Highland Lady*. (Am fiosrachadh bho Jeff MacLeòid, Inbhir Nis.)

9. COMHRADH EADAR IAIN BAN 'S COIRE CHUINNLIDH

Nuair a ràinig mi Port Rìgh,
Gun tàinig caochladh air an àite,
'S tric a sheas mi air an Fhèill
A' reic na sprèidh lem athair gràdhach,   4
'S nuair a thigeadh Coire Chuinnlidh,
'S a chuid uilnean tro a chòta,
"Ciamar tha thu 'n-diugh, Iain Bhàin,
'S a bheil an sprèidh 's an t-àl an òrdugh?"   8

Fhreagair m' athair mar a b' àbhaist,
Ann an càirdeas ri luchd-eòlais,
"Chan adhbhar gearain mar a tha mi,
Tha mo shlàinte mar as còir dhi;   12
Tha aon nì a tha gam chràdhadh,
Ainiochd is àrdan dhaoine mòra,
Toirt an fhearainn bho luchd-àitich,
'S nach fhaigh sinn leud sàil ar bròige."   16

Coire Chuinnlidh:

"'S duilich leam do chor, Iain Bhàin;
An d'fhuair thu 'm bàirligeadh le òrdugh?
Innis dhòmhsa, 's na gabh tàmailt,
Mas e 'm màl tha cur na tòir ort;   20
'S ged nach eil na prìsean àrd,
Gun toir mi 'n-dràsda na do dhòrn dut
Fichead not 's gun dèan thu phàigheadh;
Seo mo làmh nach iarr mi gròt ort."   24

Iain Bàn:

"Tapadh leat, a Choire Chuinnlidh,
Tha thu coibhneil mar bu chòir dhut;
'S iomadh not a rinn mi chunntadh
Riut on thionndaidh thu nad dhròbhair;   28
Chan e dìth creideis no airgid,
Taing don t-Sealbh, tha cur na tòir orm,
Ach uachdaran truagh gun eanchainn
A reic ri sealgairean ar còir dheth."   32

Coire:

"'S ann mar siud tha chùis a' tionndadh
Feadh na dùthcha le cuid mhòr dhiubh;
Amadain gun cheann gun sùilean,
'S iad an dùil gu bheil iad seòlta;   36
Ma bheir Sasannaich dhaibh iùnnas,
Cosdaidh iad an lionn 's an ròic e;
Suas do Lunnainn bheir iad sùrdag,
'S cha sguir iad fhad 's bhios crùn nam pòcaid."   40

Iain:

"'S nach eil fàistneachd Choinnich Uidhir
Tighinn gu fradharc air gach làimh dhinn,
'S ged tha cuid a' cur na aghaidh,
Le foighidinn gum faic sinn ceann air —   44
'S e peirceall na caorach Gallda
Chuir an crann air cùl na còmhla —
'S coisichidh sinn latha samhraidh
Measg nan gleann 's chan fhaic sinn ceò ann."   48

Coire:

"'S ann tha sin na adhbhar mulaid,
'S an cunnart gun tig na Frangaich,
'S ged bheireadh iad oirnn turadh
Chan eil duine chumas thall iad;   52
'S an àite nan leòghann sgairteil
A chùm riamh fo smachd ar nàimhdean,
'S e chì sinn a-nis ann caisteil,
Fèidh, is glasaichean, is faingean."   56

Iain:

"Ged thigeadh Turcaich agus Frangaich,
Gur iad ceannardan a b' fheàrr oirnn,
Na cuid de dh'uachdarain aingidh
Tha cur ar cloinne thar an t-sàile;   60
'S ged a chuireadh iad an ceann diubh,
Cha bu mhòr an call do phàirt e,
'S mi nach seasadh anns an aimhreit
Ged thigeadh iad a-nall a-màireach."   64

97

Coire:

"Beannachd leat a-nis, Iain Bhàin,
Bhon lìbhrig thu dhomh 'n t-àl 's am meanbh-chrodh;
'S mi tha duilich air do chàramh,
'S toiseach is ceann-fàth do sheanchais;   68
Ach tillidh fhathast sliochd nan àrmann,
Daoine càirdeil, làidir, calma,
'S bidh na glinn ud air an àiteach,
'S cà 'm bi ghràisg a chuir air falbh iad!"   72

NOTAICHEAN AIR ORAN 9

Bun-teacst: *DO*, 130. Nochd an t-òran seo an toiseach ann an *H*, 30.10.1875.

Am is adhbhar an òrain: B' e Coire Chuinnlidh dròbhair a bhuineadh do chinneadh nan Camshronach, 's a bha a' gabhail an ainm "Coire Chuinnlidh" bho àite dlùth air Drochaid Aonachain (*Spean Bridge*). Bha e air dròbhair cho iomraiteach 's a bha ann an Albainn: tha A.R.B. Haldane ag ràdh mu dheidhinn:

> Cameron of Corriechoillie in Lochaber, perhaps the greatest of all drovers, held in the cattle-dealing world a place unchallenged for the scale of his dealings and the degree of his integrity.

'S ann às a' bhochdainn a thàinig e fhèin, agus mar sin bha co-fhaireachadh aige ri croitearan a bh' ann an cruaidh-chàs. Bhiodh e a' frithealadh fèilltean na Galldachd bho thoiseach na naoidheamh linn deug, 's bha e aig àird a chomais mu 1840. A dh'aindeoin a chuid airgid cha robh a choltas ach gu math peallach, mar a tha Màiri ag innse dhuinn! Chaochail e anns a' Ghearran 1856. Airson beatha Choire Chuinnlidh, faic Haldane, *The Drove Roads of Scotland*, 65–6.

Nuair a thàinig gnothaichean teann air Iain Bàn, athair Màiri, cheannaich Coire Chuinnlidh na beothaichean aige aig fèill Phort Rìgh, agus, anns an dàn seo, tha Màiri ag ath-chruthachadh a' chòmhraidh a bha eatorra an latha sin.

Tha an lethbhreac seo a' fàgail às a' chiad rann agus an dà rann mu dheireadh ann an *DO*. Tha e cuideachd a' cur an òrain fon ainm a th' air ann an *H*. Chan eil fhios carson a thugadh "Duilleag gu Gàidheil Chanada" air an òran ann an *DO*. Faodaidh gun deachaidh a chlò-bhual-adh an toiseach mar dhuilleag-leathann (*broadside*) airson Gàidheil Chanada, ged nach eil sgeul air a leithid de chlò-bhualadh an-diugh.

41 'S e an cruth as cumanta air an t-seanfhacal seo, "Cuiridh peirceall na caorach an crann air an fharadh." Airson iomradh air Coinneach Odhar, faic MacKenzie, *The Prophecies of the Brahan Seer*, agus Matheson, "The Historical Coinneach Odhar", *TGSI* 46 (1969–70), 66–88.

50 Frangaich: Anns a' chiad leth den naoidheamh linn deug, bha eagal air sluagh Bhreatainn gu lèir gun toireadh na Frangaich ionnsaigh orra, an dà chuid an lorg Cogadh Napòleon agus an uair sin mar thoradh air na h-aimhreitean a thòisich anns an Roinn Eòrpa ann an 1848. Faic Meek, *Tuath is Tighearna*, 52, 63.

10. AIRGEAD-CINN ALASDAIR BHAIN

Gum b' aoibhneach an sealladh leat fhaicinn
San fhàrdaich nuair thionail na suinn,
An comann as uaisle tha 'n Glaschu,
No chìthear air faiche no fonn,   4
Lem fèilidhean beag' air am pleatadh,
'S an calpannan taiceil cho cruinn
'S am mnathan 's an clann anns an fhasan,
A' dannsa ri caismeachd nam pìob.   8

    Buaidh le comann mo ghaoil,
    Piseach air comann mo ghaoil,
    'S gun soirbhich gu math leis a' chomann
    Dhan suaicheantas monadh is fraoch.   12

Nuair ràinig mi doras an talla,
'S a dh'fhairich mi caithream nam pìob,
'S a chuala mi Gàidhlig ga labhairt,
Toirt crathadh dhen làmhan domh fhìn,   16
"Cuin thàinig thu Ghlaschu, Mhàiri?
Gur fhada o dh'fhàg thu Port Rìgh;
'S math a b' aithne dhut m' athair 's mo mhàthair,
Nuair bha sinn a' tàmh anns na glinn."   20

Cha mhòr gun d'tharraing mi m' anail
Nuair chruinnich na Gàidheil mum cheann,
A dh'fhaighneachd dhiom, "Ciamar a tha thu,
No bheil thu nad shlàint' aig an àm?   24
Nach tusa bha dèanamh nan òran
Chuir onair cho mòr air ar clann,
Thug a leithid a stialladh don Bhàillidh,
'S do churaidhean Bheàrnaraigh taing?"   28

Fàgaidh sinn sin mar a tha e,
Bho choisinn na h-àrmainn an geall,
A' seasamh cho duineil an àite,
Is òrdugh a' bhàillidh cho teann;   32
Tha fhios aig na ceudan mar tha
Nach eil mis' ann am fàbhar nan Gall,
Ach 's coma leam 's d' athair na Ghàidheal,
Ged thigeadh do mhàthair on Fhraing.   36

Nuair shuidh mi 's a chunna mi 'n sluagh,
Thàinig seòrsa de thuaineal am cheann,
A' faicinn nan ceudan mun cuairt domh,
Cho modhail 's cho stuama nan cainnt;   40
Gun ghin ann ach gineal na tuatha
A choisinn a' bhuaidh anns gach àm,
Rinn na Sasannaich fhuadach a Ghlaschu,
'S nach cluinn iad ach glagadaich Ghall.   44

Thig mi air ais leis an fhacal
Ach maitheanas mise chan iarr;
Chan e Sasannaich uile bu choireach,
Ach uachdarain dhona nach b' fhiach;   48
A' cosd an cuid stòrais an Lunnainn,
Nach b' aithne dhaibh fuireach aig rian,
A' reic an cuid fearainn air faoineis,
'S nan èiginn gu saoradh nam fiach.   52

Ma ghabhas sibh comhairl' a' churaidh
Tha seasamh cho duineil ur taobh,
'S a' feuchainn an gluais e chlach-mhuilinn
A chuireadh air muineal nan laoch;   56
Cuiribh litrichean ciallach a Lunnainn,
'S dearbhaibh ur n-urram 's ur maoin,
Agus faighibh ur fearann air ais,
Agus nochdaibh ur gaisge dhan t-saoghal.   60

…

Beannachd leat, Alasdair Bhàin,
Agus innis dom chàirdean gu lèir
Gu bheil mi gu math na mo shlàinte,
A' bheannachd as fheàrr tha fon ghrèin;   64
Tha mòran de dh'òranan Gàidhlig
Bha mise a' tàthadh ri chèil',
'S ma chaomhnas am Freasdal mo shlàinte,
Gum faigh sibh an àireamh gu lèir.   68

NOTAICHEAN AIR ORAN 10

Bun-teacst: *DO*, 39. 'S e leudachadh a th' anns an òran seo air fear a nochd an toiseach ann an *H*, 27.2.1875.

Am is adhbhar an òrain: 'S e freagairt a bh' anns a' chiad òran (ann an

H) do fhear dom b' ainm Alasdair Bàn (chan eil fhios cò e) a chuir an sanas a leanas ann an earrainn Ghàidhlig a' *Highlander*, an t-*Ard-Albannach*, 30.1.1875: "Tha ioghnadh orm nach eil guth o Mhàiri nighean Iain Bhàin mhic Aonghais Oig agus tha mi ann an iomagain mu dèidhinn. Bu mhath leam cluinntinn uaipe." Chuir Màiri litir gu an *Ard-Albannach* (faic *DO*, 39 airson leagail eile den litir), 's a' chiad lethbhreac den òran na cois:

Tha mi gu mòr nad chomain airson thu bhith a' foighneachd am dhèidh tro an Ard-Albannach. Ged a chuireadh a' Bhànrigh fhèin fios am ionnsaigh anns na pàipearan Gallda cha bhiodh tuilleadh toil-inntinn agam. Tha fios agadsa agus agamsa o chionn fhada nach ann à mòr phailteas nan nithean a tha e a' seilbheachadh a tha beatha an duine. Nam bithinn cho beairteach 's a tha mi cho bochd, Alasdair, bheirinn punnd Sasannach gum bitheadh tu ann an Talla Mòr Ghlaschu an oidhche a bha coinneamh aig na Gaidheil ann. Nuair a chunnaic mi an t-Ard-Albannach le cheann cnuacach, dubh 's a shùilean cho biorach 's gun saoileadh tu gun rachadh iad tron bhalla, cha mhòr nach do shaoil mi gum bu leam fhèin an taigh 's na bh' ann! Ach 's ann a dh'fheumas mi innse dhut, Alasdair, ann an rannan mar a bu chòir a leithid a bhith air a chur an cèill. Seo mar theirinn e, matà:

A' Choinneamh Chaidreach

Gum b' aoibhneach an scalladh ri fhaicinn
San fhàrdaich aig tional nan sonn,
An comann as uaisle tha 'n Glaschu
No chithear air faiche no fonn.

Nuair a ràinig mi doras an talla
'S a dh'fhairich mi caithream nam pìob,
'S a chuala mi Gàidhlig ga labhairt
Is cuid innt' cur fàilt' orm fhìn,
A' faighneachd dhiom ciamar a bha mi,
Am mise bha dèanamh nan rann;
"An tu thug an t-urram do Theàrlach,
A chuir onair cho mòr air ar clann,
Thug a leithid a stialladh don Bhàillidh,
'S a sheinn muinntir Bheàrnaraigh 'n dàn?"

Nuair shuidh mi 's a chunnaic mi 'n sluagh,
Thàinig seòrsa de thuaineal nam cheann
A' faicinn nan ceudan mun cuairt domh
De fhìor luchd nam fireach 's nan gleann

Chaidh fhuadach à rathad nan Gall
A thoirt cothrom do chaoraich 's do dh'fhiadh,
A shàsachadh gion agus sannt
'S a thoileachadh uachdarain nach b' fhiach.

[Tha rann a tha co-ionnan ri ss. 53–60 a' leantainn nan sreathan seo, agus tha an t-òran a' crìochnachadh mar seo:]

Cha sgrìobh mi bheag tuilleadh san àm
Ged is mòr na bheil agam air làimh
An duan, ann an òran 's an dàn
Mu chor agus adhbhar nan Gàidheal;
Ach ma sheasas na Gàidheil rium dlùth,
Bidh mo rannan gu goirid an clò!

Chumadh a' choinneamh air a bheil Màiri a' bruidhinn le Comunn Gàidhealach Ghlaschu air 6.2.1875. Bha cuid ag ràdh gu robh sia ceud deug an làthair. Bha Iain MacMhuirich a' toirt òraid aig a' choinneimh (*H*, 13.2.1875).

Tha an lethbhreac anns an leabhar seo a' fàgail às dà rann a tha a' nochdadh ann an *DO* (t.d. 42), 's a tha a' tòiseachadh leis na facail: "Bha aon fhear is coltas ro shuairc air..."; is "Chan urrainn domh 'n ainmeachadh uile..."

53 an curaidh: Iain MacMhuirich fhèin, 's dòcha.

27 Faic Oran 1, s. 45 n.

28 Faic Oran 7.

AN T-EILEAN

(Orain 11–14)

'S ann nuair a bha i a' fuireach air Ghalldachd a rinn Màiri a' mhòr-chuid de a h-òrain ainmeil mun Eilean Sgiathanach. Ged as e òrain an eilthirich a th' annta, air an cruthachadh air mhodh na cumha mar as trice, tha teachdaireachd fa leth a' tighinn am follais anns gach dàn.

Ann an Oran 11, 's e neart is cumhachd an eilein mar choimhearsnachd bheò a tha a' gluasad spiorad Màiri. Tha i mar gum biodh i a' toirt freagairt do dhaoine a bha den bheachd nach robh neart no treòir anns na h-eileanan, 's gur h-e daoine gun spionnadh a bh' anns na Gàidheil, a bha an-còmhnaidh an eisimeil nan Gall. Seo eilean, am beachd Màiri, a bha cho làidir 's gu robh a shluagh a' cur loinn air an arm 's a' dìon muinntir Bhreatainn, a bharrachd air a bhith gam biathadh fhèin. Bu chòir do na Sgiathanaich a bhith a' sabaid air an sgàth fhèin a-nise, gus an coimhearsnachd fhèin a dhìon. Tha nàimhdean aca a tha mòran nas fhaisge orra na shaoileas iad; feumaidh iad "neart is cruas nan dòrn" a chleachdadh nan dùthaich fhèin. Tha dùbhlan is brosnachadh anns an òran seo, agus tha "cumhachd" mar chuspair a' toirt tomhas de cheangal 's de rian dha.

'S ann a' moladh gnè is maise tìr a dùthchais a tha Màiri ann an Oran 12; saoilidh tu gu bheil i a' togail dhealbhan den eilean le sùil camara a h-inntinn. Tha an t-eilean brèagha aig gach àm, ann an deifir shuidheachaidhean, eadar fiath is stoirm, agus tha seo a' tàladh dhaoine ga ionnsaigh. Tha ùidh an luchd-turais a' cur ri cliù an eilein, agus ga thogail os cionn gach eilein eile.

'S e call neochiontachd is aotromachd na h-òige a tha a' gluasad aigne Màiri ann an Oran 13, òran cho brèagha 's a tha againn sa Ghàidhlig. Tha neart an òrain ag èirigh às an dòigh anns a bheil i a' cur dealbh nan làithean a dh'fhalbh air uachdar dealbh an latha an-diugh, agus a' toirt sùil air adhart cuideachd. Tha iomadh buaidh anns an òran sgileil seo, ach 's e a' bhuaidh as motha gu bheil faireachdainn air leth domhain ann a tha air a grunnachadh ann am pearsa Màiri fhèin. Tha co-chomann eadar Màiri is gnè na tìre. Tha na h-ìomhaighean bunaiteach cho drùidhteach agus cho sgiobalta, snasail nan cruth – solas na grèine, na cnuic, na h-uillt, am fòd mòna le solas air a cheann, na flùraichean, agus mu dheireadh am bàta-smùide a tha ga giùlan air falbh ann an tìm is astar.

Ann an Oran 14, tha Màiri a' tilleadh air turas chun an eilein. Ged a tha am bàta a tha ga giùlan mar dhealbh air eilthireachd, tha i mar dhealbh air ùrachadh cuideachd. Tha Màiri a' faighinn misneach às a' mhaise mhòr a tha anns an àile agus ann an scasmhachd is mòralachd nam beann – "Beinn a' Chearcaill cruinn mar dh'fhàg mi" (s. 77), sreath eireachdail, air sgàth 's mar a tha i a' cleachdadh an fhacail "cruinn". 'S e coimhearsnachd làidir, "chruinn" a bh' anns an eilean aig Màiri.

11. EILEAN A' CHEO

Ged tha mo cheann air liathadh
    Le deuchainnean is bròn,
Is grian mo lethcheud bliadhna
    A' dol sìos fo na neòil,   4
Tha m' aigne air a lìonadh
    Le iarratas ro-mhòr
Gum faicinn Eilean Sgiathach
    Nan siantannan 's a' Cheò.   8

Tha còrr 's dà fhichead bliadhna
    Bhon thriall mi às dham dheòin,
'S a chuir mi sìos mo lìon
    Am meadhan baile mòir;   12
Is ged a fhuair mi iasgair
    A lìon mo thaigh le stòr,
Cha do dhìochuimhnich mi riamh
    Eilean Sgiathanach a' Cheò.   16

Nuair chuimhnicheam an Cuilithionn
    'S a thulchann ris na neòil,
Glàmaig is Beinn Bhuirbh,
    Eilean Thuilm is Leac-an-Stòrr;   20
Gun ruiginn Rudha Hùinis,
    Gach cnoc is cùil is fròg,
'S an taobh eile sealladh aoibhneach
    De Mhaighdeannan MhicLeòid.   24

An tìr san robh na fiùrain,
    'S gach cùis a sheas an còir,
Bha smior is neart nan dùirn,
    'S cha b' e 'n sùgradh tighinn nan còir;   28
'S on rinneadh dhuinn an cunntas,
    Gu onair, cliù, is glòir,
Na dh'èirich fon a' Chrùn diubh
    A Eilean cùbhr' a' Cheò: 32

Ma thèid mi dhuibh ga innse,
    Cha mhearachd brìgh mo sgeòil,
Oir tha e air a sgrìobhadh
    Dhan linn sa bheil sinn beò;   36
Bha còrr agus deich mìle
    Fon Rìgh a ghabh an t-òr,
Gu onair 's dìon ar rìoghachd,
    A Eilean grinn a' Cheò.   40

Chan eil mi dol a dhìteadh
    Aon tìr tha fo na neòil,
Ach 's nàdarrach gun innsinn
    Mun tìr san robh mi òg;   44
Measg nam pìobairean a b' fheàrr,
    A chuir gaoth am màl gu ceòl —
Chaidh ceud is fichead àrach dhiubh
    An Eilean àrd a' Cheò.   48

Cò nach tugadh gnùis
    Agus cliù sna h-uile dòigh
Do luchd nam breacan dùbhghorm,
    Nan lùirichean 's nan sròl?   52
Oir cha robh leud a ghrunnd
    Air a chunntas san Roinn Eòrp',
Thog uiread riamh a dhiùlnaich
    Ri Eilean cùbhr' a' Cheò.   56

Cuir mo shoraidh bhàrr nan cuantan
    Gu Eilean uain' a' Cheò,
Far am bi na fleasgaich uasal
    A' ruagadh damh nan cròc;   60
'S na mnathan-taighe guanach
    A' dèanamh uaill nan clò,
'S gur tric a ghabh mi duanag
    Ga luadh anns a' Ghleann Mhòr.   64

Nuair thigeadh tùs an t-samhraidh,
    Cha ghanntar a bhiodh oirnn;
Bhiodh pailteas bìdh is annlain
    Anns a' ghleann san robh na seòid;   68
Bhiodh gruagaichean air àirigh,
    'S an crodh len àl mun chrò,
'S a' dèanamh ime 's càise,
    An Eilean àrd a' Cheò.   72

Nuair thigeadh tùs a' Mhàigh,
    Bhiodh gach iasgair 's ràmh na dhòrn,
'S na bàtaichean nam mìltean
    Ann an Loch Phort Rìgh fon seòl;   76
Dol suas gu bun Loch Aoidhneart,
    'S gach sonn a' seinn a' cheòil
A rinn na bàird bu shaoibhir
    A bha 'm beanntannan a' cheò.   80

Nuair thigeadh an Fhèill Màrtainn,
  'S an sprèidh 's am bàrr air dòigh,
Na fir a' dèanamh cainnteig,
  'S na plataichean nan tòrr;   84
Ri taobh na brìg bhuntàta,
  Bhiodh baraill' làn de dh'fheòil —
Siud mar chaidh ar n-àrach
  Ann an Eilean àrd a' Cheò.   88

Is iomadh latha dìomhain,
  Gun chiall nuair bha mi òg,
A' bleoghann cruidh 's gam feurach
  Ann an Eilean ciar a' Cheò;   92
Ach tha mi 'n-diugh cho cianail,
  Le bonn-a-sia nam dhòrn,
'S nach faigh mi ach an iargain,
  'S cha lìon e slige cnò.   96

Ach cò aig a bheil cluasan,
  No crìdh' tha gluasad beò,
Nach seinneadh leam an duan seo,
  Mun truaigh' a thàinig oirnn?   100
Na mìltean a chaidh fhuadach,
  A' toirt uath' an cuid 's an còir,
A' smaointinn thar nan cuantan,
  Gu Eilean uain' a' Cheò.   104

Ach cuimhnichibh gur sluagh sibh,
  Is cumaibh suas ur còir;
Tha beairteas fo na cruachan
  Fon d'fhuair sibh àrach òg,   108
Tha iarann agus gual ann,
  Is luaidhe ghlas is òr,
'S tha mèinnean gu ur buannachd
  An Eilean uain' a' Cheò.   112

Cuimhnichibh ur cruadal,
  Is cumaibh suas ur sròl;
Gun tèid an roth mun cuairt duibh
  Le neart is cruas nan dòrn;   116
Gum bi ur crodh air bhuailtean,
  'S gach tuathanach air dòigh,
'S na Sasannaich air fuadach
  A Eilean uain' a' Cheò.   120

Nuair theannas mi ri smuaintean,
    Gur tric mo ghruaidh fo dheòir,
A' cuimhneachadh nan uaislean
    Dhan tug mi luaidh cho òg,   124
Chaidh thairis thar nan cuantan,
    'S a tha nise fuar fon fhòid,
Bho Sgoirebreac nan stuagh
    Far na thogadh suas na seòid.   128

Ach tiormaicheam mo ghruaidhean,
    Is taisgeam suas mo dheòir,
Bho thàinig earrach nuadh,
    'S gu bheil cuid a dh'uaislean beò;   132
Thall 's a-bhos mun cuairt domh,
    Gum faic mi snuadh an fheòir,
Meanglan 's badain luachrach
    Bho Eilean uain' a' Cheò.   136

Canaibh leam an duan seo,
    'S le suaimhneas seinnibh ceòl,
Mun naidheachd nuadh a fhuair sinn
    A Eilean uain' a' Cheò —   140
Gu Armadail nan stuagh
    Gun tug Raghnall gruagach òg,
Nighean còirnealair cho ainmeil
    'S a tha 'n-diugh a' falbh an fheòir.   144

Ach cuimhnich do chuid tuatha,
    Is cùm do chluas rim feum,
'S bi thusa mar bu dual dut
    Dhan t-sluagh a tha fod sgèith;   148
'S on thug thu 'n fhìor bhean-uasal
    A Crombagh ruadh an rèisg,
Biodh beannachd Dhè 's do shluaigh leat
    Nad eilean buadhmhor fèin.   152

Ma shaoileas cuid gur dìomhain
    Bhith snìomh leithid a ròp,
Bhon tha na stuic air crìonadh
    Ann an Eilean ciar a' Cheò;   156
Ach fhad 's bhios grian san iarmailt,
    Bidh cuid de dh'iarmad beò,
De shliochd nan daoine diadhaidh,
    'S bidh iad miadhmhor mar bu nòs.   160

Tha Clann Dòmhnaill le làimh làidir,
   Is gu h-àraidh Clann 'Ic Leòid,
Is iomadh fine dhàicheil
   Nach àicheadh dol san tòir;   164
'S on tha cuid diubh 'n-diugh an làthair
   Tha mo ghàirdeachas ro-mhòr;
Is chuir Blackie onair àraidh
   Air Eilean àrd a' Cheò.   168

Beannachd leibh, a chàirdean,
   Anns gach ceàrn tha fo na neòil,
Gach mac is nighean màthar
   A Eilean àrd a' Cheò;   172
Is cuimhnichidh sibh Màiri
   Nuair bhios i cnàmh fon fhòid —
'S e na dh'fhuiling mi de thàmailt
   A thug mo bhàrdachd beò.   176

NOTAICHEAN AIR ORAN 11

Bun-teacst: *DO*, 3. Tha ss. 1–16, 25–32 agus 97–112 anns *A' Chòisir Chiùil*, 35.

Am an òrain: Tha ss. 137–44 a' nochdadh gun deachaidh pìos co-dhiù den òran seo a chur ri chèile anns an fhoghar 1875. Faodaidh gun deachaidh pìosan eile a chur ris an dèidh seo. Faic ss. 9–10 n.

3–4 Ma chaidh a' chuid a bu mhotha den òran a chur ri chèile ann an 1875, bhiodh Màiri 54 bliadhna a dh'aois aig an àm. Ged a shaoileadh duine an toiseach gu robh i dlùth air 60 bhon dòigh sa bheil i a' bruidhinn an seo, faodaidh nach eil i a' ciallachadh ach gu bheil i air an lethcheud a chur às a dèidh.

6 *Le iarrtas tha ro mhòr, A' Chòisir Chiùil.*

7 *A dh'fhaicinn Eilean Sgiathach, A' Chòisir Chiùil.*

9–10 Ma dh'fhàg Màiri an t-Eilean Sgiathanach mu 1845 (faic Eachdraidh a Beatha aig toiseach an leabhair) shaoileadh duine bhuaithe seo gun do rinn i an t-òran uaireigin mu 1886. Ach faodaidh e a bhith gun do chuir i an rann seo ris an òran an dèidh làimhe. Air an làimh eile, faodaidh gun tuirt i an toiseach, "Tha còrr is *fichead* bliadhna…", 's gun d'atharraich i an t-sreath nuair a dh'fhàs i na bu shine.

10 às: *uait, A' Chòisir Chiùil.*

12 baile mòir: Inbhir Nis fhèin, 's dòcha. *baile-mhòir, DO.*

13 iasgair: Chan e iasgair ach greusaiche a bha anns an duine aig Màiri. Faodaidh gur e cainnt shamhlachail a tha an seo 's gu bheil Màiri a' leudachadh air an dealbh a th' aice air a bhith a' leigeil sìos a lìon. Faic Eachdraidh a Beatha.

15–16 *Bu chuimhneachail mi riamh ort,*
'S bu mhiann leam bhith nad chòir — A' Chòisir Chiùil

29–40 Bhiodh na Sgiathanaich gu math tric a' dèanamh uaill às an àireamh mhòr dhiubh a bh' ann an seirbhis a' Chrùin ri àm cogadh Napòleon. Mu 1860 chuir an t-Urramach Ruairidh MacLeòid a bha ann an Snìosart fa chomhair Ard Sheanadh na h-Eaglais Shaoir cho luachmhor 's a bha na Sgiathanaich anns an dòigh seo. Bha ministearan eile a' toirt tarraing air a' phuing seo cuideachd. Tha Alasdair MacNeacail (*History of Skye*, 410) ag ràdh mar a leanas:

> According to a statement made by the Rev. Dr Norman Macleod, the island of Skye made a contribution to the fighting forces of the Crown during a period of forty years from 1797 of 21 lieutenant-generals and major-generals, 45 colonels, 600 commissioned officers, 10,000 common soldiers and 120 pipers…It is said that the information was supplied by one who was himself a distinguished son of Skye, namely, Sir John MacDonald, the son of Norman MacDonald of Bernisdale; and as he was Adjutant-General of the Forces, he was in a position to acquire accurate knowledge.

101–4 Seo mar a tha a' cheathramh seo anns *A' Chòisir Chiùil*:

Na mìltean a chaidh fhuadach
Thar chuain gun chuid 's gun chòir,
Tha miann an crìdh' 's an smuaintean
Air Eilean uain' a' Cheò.

107–12 Bha beachdan mar seo mu shaoibhreas na Gàidhealtachd cuman-ta bhon ochdamh linn deug. Faic Youngson, *After the Forty-Five*, 65.

115–16 'S iongantach mura robh Màiri a' smaointeachadh air na thachair ann am Beàrnaraigh.

119 na Sasannaich: na cìobairean Gallda san eilean, 's dòcha. Cf. Oran 4, s. 19 n.

air fuadach: *air am fuadach, A' Chòisir Chiùil.*

128 na seòid: Clann MhicNeacail Sgoirebreac, 's dòcha. Cf. Oran 19, ss. 43–4 n.

142 Raghnall: B' e seo Sir Raghnall Gilleasbaig Bosville, an 6mh Morair Dòmhnallach. Fhuair e còir air oighreachd Shlèibhte ann an 1874. Air 1.10.1875 phòs e Louisa Jane Hamilton, an dàrna nighean aig a' Chòirnealair Seòras Uilleam Ros, à Crombaigh (MacDonald is MacDonald, *Clan Donald*, iii, 103, 479).

167–8 Bha am Proifeasair Iain Stiùbhart Blackie (1809–95) ainmeil airson na bha e a' dèanamh às leth nan Gàidheal, 's gu h-àraid às leth nan croitearan. Bha ùidh mhòr aige anns na cànainean Ceilteach, agus b' esan a bh' air chùl na h-iomairt airson Cathair Ghàidhlig a stèidheachadh ann an Oilthigh Dhùn Eideann. Bha e fhèin na Phroifeasair Greugais anns an oilthigh sin. Sgrìobh e mòran leabhraichean air litreachas na Gàidhlig, 's ann an 1885 dh'fhoillsich e leabhar air *The Highlanders and their Land Laws* (*Celtic Monthly*, iii, 130; *SH*, 28 March 1895). Chan eil mi cinnteach dè an "onair àraidh" a bha an seo. Faodaidh gu robh Blackie a' bruidhinn aig aon de choinneamhan nan Sgiathanach ann an Glaschu; air a' chiad latha den Ghiblinn 1875, bha e na fhear-cathrach aig Coinneamh nan Gàidheal anns na Queen's Rooms ann an Glaschu (*H*, 10.4.1875). Air an làimh eile, faodaidh gun deachaidh e don eilean a thrusadh airgid às leth na Cathrach Gàidhlig an Dùn Eideann.

12. SORAIDH LE EILEAN A' CHEO

Soraidh leis an àit'
    An d'fhuair mi m' àrach òg,
Eilean nam beann àrda
    Far an tàmh an ceò;   4
Air am moch a dh'èireas
    Grian nan speur fo ròs,
A' fuadach neul na h-oidhche,
    Soillseachadh an Stòrr.   8

Cur m' aghaidh air Glaschu,
    B' airtneulach mo cheum,
Cur mo chùl ri càirdean
    Nochd am bàidh cho treun;   12
Ghluais ar buadhan nàdair
    Ann an gràdh dha chèil';
Shruth mo dheòir a-bhàn,
    Is dh'fhàilnich guth mo bhèil.   16

Cò aig a bheil gràdh
    No tàlantan na cheann,
Is dèidh air obair nàdair,
    Nach toir stràcan ann?   20
Sasannaich is Stàdaich
    Agus àireamh Ghall,
A chosdas cuid dem maoin
    A dh'fhaicinn taobh Chuith-raing.   24

Flòdagaraidh sgiamhach,
    Càit eil d' fhiach de ghrunnd?
'S ainmeil an crodh-dàra
    A dh'àraicheadh air d' fhonn;   28
Is nuair thig an oiteag
    Bho Lochlann oirnn a-nall,
Sèideadh air Sròin Bhaornaill,
    'S cùbhraidh gaoth do bheann.   32

Tha 'n sneachda is an neòinean
    A' pògadh beul ri beul,
Shamhradh is a gheamhradh
    Ann an ceann a chèil';   36
Canach air do mhòintich,
    'S lògar air gach fèith,
Muran air do chruachain,
    'S luachair air do rèisg.   40

Creag Shniadhasdail nam biatach,
 Fraigh-shnighe sìos gu bonn,
Cruinneachadh na loch
 San seòladh coit is long;   44
'S ged bhiodh neach le prosbaig,
 Chan fhaiceadh e a grunnd;
Bhon nigh Fionn a chasan,
 Dh'fhàg e 'n t-uisge donn.   48

Tha do lochan rìomhach
 Sìnte staigh feadh d' eang,
Dealachadh ri chèile
 Rèidhleanan is bheann;   52
'S ma tha neach le lèirsinn,
 Chan i bhreug a th' ann,
Chì iad bhàrr do shlèibhtean
 Pàirt de dh'Eirinn thall.   56

'S aoibhneach Eilean Asgrab,
 Fàilteachadh nan tonn,
'S uaibhreach creagan Gheàrraidh,
 Sàilean os an cionn;   60
Suas gun ruig thu 'm Fàsach,
 Far an tàmh an sonn,
Steinn is Sgor a' Bhàigh,
 An t-àite 's àille fonn.   64

Seall fo Chaisteal Uisdein
 Feasgar ciùin gun cheò,
Ghrian a' dol san iar,
 'S a dreach air fiamh an òir;   68
An cuan na leabaidh dhìon
 Do dh'iasgaibh de gach seòrs',
Is buar a' dìreadh suas
 Gu ceann Bòrd uain' MhicLeòid.   72

Seallaibh on a' Chrannaig
 Madainn ghreannach fhuar,
Null gu Eilean Liandail,
 'S a' ghaoth 'n iar tighinn tuath;   76
Tonnan air an riasgladh,
 'G èirigh sìos is suas,
'S bàtaichean len iasgairean
 Cur siar nan stuagh.   80

Sealladh na bu bhrèagha
    Riamh chan fhaca sùil,
Spreidh a mach gam feurach
    Madainn ghrianach chiùin;   84
'N uiseag air a sgiath,
    Seinn gun fhiamh a ciùil,
'S an ceò mu cheann Beinn Tìonabhaig,
    Is an sliabh fo dhriùchd.   88

Suidh air cnocan uain'
    Air Cruachan Saidhebhìnn,
Seall gach taobh mun cuairt dut
    Eadar cuan is tìr;   92
Sgoirebreac nan stuagh
    Sna thogadh suas na suinn,
'S Dòmhnallaich nam buadh
    Cur snuadh air Port an Rìgh.   96

'S iomadh rosg a dh'iadhas,
    Sealltainn sìos le sùil,
Air do chreagan iargalt',
    Air gach lian is stùc;   100
Thig uaislean nan ceudan
    Nuair tha bhliadhna ciùin,
Tional às gach ceàrn
    Air bàtaichean na smùid.   104

Eileanan a' chuain
    Mun cuairt dut air gach àird,
Seallaidh iad le uamhann
    Air do stuaghan àrd;   108
Nuair a dh'èireas buaireas
    Eadar cuan is tràigh,
Nì Mol Stamhain nuallan
    'S uair dhaibh bhith nan tàmh.   112

Mhuinntir chòir tha làthair,
    'S a tha tàmhach ann,
Cumaibh suas ur gnàths,
    Ur bàidhealachd 's ur cainnt;   116
Tha mòran a dh'fhàg e,
    An ceàrnaidh fad' o làimh,
Chuimhnicheas le gràdh
    Beul-àtha-nan-trì-allt.   120

Nuair ràinig mi 'n t-àite
   'N d'fhuair mi m' àrach òg,
Far an robh ar n-àirigh,
   Sprèidh len àl mun chrò,   124
Choltaich mi ri Gàidhlig
   Torman tlàth nan lòn,
"'S aoibhneach leinn, a Mhàiri,
   D'fhaicinn slàn 's tu beò."   128

Seinneadh gach fear-ciùil
   Le mùirn a dhachaigh fhèin,
'S cumaibh suas a cliù
   Ma bhios ur cùrsa rèidh;   132
Ach cha ghabh sinn mùiseag
   Os ur cionn gu lèir
Nach eil spot as cùbhr'
   Air an laigh driùchd o nèamh.   136

NOTAICHEAN AIR ORAN 12

Bun-teacst: *DO*, 20.

Am an òrain: Chan urrainn dhuinn a bhith cinnteach cuin a rinn Màiri an t-òran seo. Faodaidh gu bheil s. 9 a' nochdadh gun do rinn i e mun do ghluais i do Ghrianaig ann an 1876. Tha an dòigh sa bheil i a' bruidhinn mu na h-àitean air an robh i eòlach gu math coltach ri "Eilean a' Cheò" (Oran 11) agus faodaidh gun deachaidh an dà òran a chur ri chèile gu math dlùth air an aon àm.

47 Fionn: prìomh ghaisgeach na Fèinne, buidheann de dh'òganaich sgairteil a bhiodh ris an t-seilg 's ri gnìomhan gaisge ann an Albainn 's ann an Eirinn. Chaidh iomadh sgeulachd is dàn a dhèanamh mun deidhinn. An seo tha Màiri a' toirt tarraing air sgeulachd mu Fhionn a bha air a h-aithris san Eilean Sgiathanach – 's e sin gun do nigh e a chasan anns an loch aig bonn Creig Shniadhasdail.

62 an sonn: B' e seo an Caiptin Ailean Dòmhnallach, "Caiptin an Fhàsaich". Fhuair e còir air oighreachd Bhatairnis an dèidh bàs athar ann an 1855. Bha athair, am Màidsear Ailean Dòmhnallach, na cheannard air Dòmhnallaich Bhail' Fhionnlaigh (*Belfinlay*) ann am Beinn-a'-Bhaoghla (MacDonald is MacDonald, *Clan Donald*, iii, 289–91).

65 Caisteal Uisdein: Tha an caisteal seo air ainmeachadh air Uisdean mac 'Illeasbaig Chlèirich, spùinneadair a bhuineadh do Chloinn

Dòmhnaill, a thog e aig fìor thoiseach na seachdamh linn deug. Faic
Miket is Roberts, *The Medieval Castles of Skye and Lochalsh*, 38–43.

81 *Seallanna bu bhriagha, DO.* Faodaidh gu bheil *seallanna* ann an *DO*
a' riochdachadh àireamh iolra, agus gum bu chòir dhuinn an t-sreath a
thuigsinn mar *Seallaidhean bu bhrèagha*. Tha an rann fhèin a' toirt iom-
radh air aon sealladh, ged tha, agus 's e sin as adhbhar don chruth a chuir
mi air an t-sreath.

89–90 Seo mar a tha na sreathan seo ann an *DO*:

> *Suidh air Cnocan-uain'*
> *Air Cruachan is Saoi-bheinn*

Tha mi gan ath-chruthachadh an leithid de dhòigh 's nach eil ach aon àite,
Cruachan Saidhebhìnn, air ainmeachadh. Tha seo a' freagairt nas fheàrr
air ciall an òrain.

93–4 'S ann air Taigh Sgoirebreac "nan stuagh " (*of the gables*) a tha
Màiri a-mach an seo, ged a tha e coltach gun deachaidh an rann seo athar-
rachadh mus deachaidh an t-òran a chur ann an *DO*, mar a chìthear anns
an ath nota. Faic Oran 14, s. 37 n.

95–6 'S iad seo Dòmhnallaich "Viewfield" is "Redcliffe", mar a theirear
riutha. B' e a' chiad fhear dhiubh Eanraig (Haraidh) Dòmhnallach, "an
Dòmhnallach Beag", a thàinig à Geàrrloch. 'S e fear-lagha (*writer*) a bh'
ann, agus stèidhich e companaidh lagha (a tha an-diugh fon ainm
MacDonald and Fraser) ann am Port Rìgh. Phòs e nighean don Dotair
Alasdair MacLeòid ("An Dotair Bàn"), agus b' e a mhac "Alasdair Ruadh
an Dòmhnallaich", a bha na bhàillidh air caochladh oighreachdan anns
an Eilean Sgiathanach o 1882. Chaochail e ann an 1897. B' iad mic
Alasdair: Haraidh Mòr, athair a' Chòirneil Seoc Dòmhnallach, aig an
robh an taigh ris an canar "Viewfield" (Goirtean na Creige) ann am Port
Rìgh, agus Iain, aig an robh an taigh ris an canar "Redcliffe" (An Uamha
Ruadh); gheibhear iomradh air na teaghlaichean ann am Macdonald, *A
Family in Skye 1908–1916*, 14. Faic Oran 26.
　　Tha an Dr Alasdair MacIlleathain ag innse dhomh gu robh cruth eile
air na sreathan seo an toiseach, mus deachaidh an t-òran a chur an clò
ann an *DO*, mar a leanas:

> *Taigh Armadail nan stuagh*
> *Cur snuadh air Port an Rìgh.*

B' e "Taigh Armadail" an t-àite-còmhnaidh aig Uilleam Stiùbhart
(faic Oran 14, s. 44 n.). A rèir an Dr MhicIlleathain, chìtheadh Màiri

"Taigh Armadail" bho Chruachan Saidhebhìnn, ach chan fhaiceadh i togalaichean nan Dòmhnallach.

120 Beul-àtha-nan-trì-allt: Faodaidh gu bheil Màiri a' toirt tarraing an seo air na coinneamhan mòra soisgeulach a bhiodh gan cumail aig Beul-àtha-nan-trì-allt leis an Urramach Ruairidh MacLeòid mu 1843. Faic Oran 29, ss. 12–19 n.

13. NUAIR BHA MI OG

Moch 's mi 'g èirigh air bheagan èislein
    Air madainn Chèitein 's mi ann an Os,
Bha sprèidh a' geumnaich an ceann a chèile,
    'S a' ghrian ag èirigh air Leac an Stòrr;   4
Bha gath a' boillsgeadh air slios nam beanntan,
    Cur tuar na h-oidhche na dheann fo sgòd,
Is os mo chionn sheinn an uiseag ghreannmhor
    Toirt na mo chuimhne nuair bha mi òg.   8

Toirt na mo chuimhne le bròn is aoibhneas
    Nach fhaigh mi cainnt gus a chur air dòigh,
Gach car is tionndadh an corp 's an inntinn
    Bhon dh'fhàg mi 'n gleann 'n robh na suinn gun ghò; 12
Bha sruth na h-aibhne dol sìos cho tàimhidh,
    Is toirm nan allt freagairt cainnt mo bheòil,
'S an smeòrach bhinn suidhe seinn air meanglan,
    Toirt na mo chuimhne nuair bha mi òg.   16

Nuair bha mi gòrach a' siubhal mòintich,
    'S am fraoch a' stròiceadh mo chòta bàn,
Feadh thoman còinnich gun snàthainn a bhrògan,
    'S an eigh na còsan air lochan tàimh;   20
A' falbh an aonaich ag iarraidh chaorach
    'S mi cheart cho aotrom ri naosg air lòn —
Gach bota 's poll agus talamh toll
    Toirt na mo chuimhne nuair bha mi òg.   24

Toirt na mo chuimhn' iomadh nì a rinn mi,
    Nach faigh mi 'm bann gu ceann thall mo sgeòil —
A' falbh sa gheamhradh gu luaidh is bainnsean
    Gun solas lainnteir ach ceann an fhòid;   28
Bhiodh òigridh ghreannmhor ri ceòl is dannsa,
    Ach dh'fhalbh an t-àm sin 's tha 'n gleann fo bhròn;
Bha 'n tobht' aig Anndra 's e làn de fheanntaig
    Toirt na mo chuimhne nuair bha mi òg.   32

Nuair chuir mi cuairt air gach gleann is cruachan,
    Far 'n robh mi suaimhneach a' cuallach bhò,
Le òigridh ghuanach tha nis air fuadach,
    De shliochd na tuath bha gun uaill gun ghò — 36
Na raoin 's na cluaintean fo fhraoch is luachair,
    Far 'n tric na bhuaineadh leam sguab is dlò,
'S nam faicinn sluagh agus taighean suas annt',
    Gum fàsainn suaimhneach mar bha mi òg.   40

An uair a dhìrich mi gual' an t-Sìthein,
   Gun leig mi sgìos dhiom air bruaich an lòin;
Bha buadhan m' inntinn a' triall le sìnteig,
   Is sùil mo chinn faicinn loinn gach pòir;   44
Bha 'n t-sòbhrach mhìn-bhuidh', 's am beàrnan-brìghde,
   An cluaran rìoghail, is lus an òir,
'S gach bileag aoibhneach fo bhraon na h-oidhche,
   Toirt na mo chuimhne nuair bha mi òg.   48

Nuair chuir mi cùl ris an eilean chùbhraidh,
   'S a ghabh mi iùbhrach na smùid gun seòl,
Nuair shèid i 'n dùdach 's a shìn an ùspairt,
   'S a thog i cùrsa o Thìr a' Cheò,   52
Mo chridhe brùite 's na deòir lem shùilean
   A' falbh gu dùthaich gun sùrd, gun cheòl,
Far nach faic mi cluaran no neòinean guanach
   No fraoch no luachair air bruaich no lòn.   56

NOTAICHEAN AIR ORAN 13

Bun-teacst: *DO*, 28.

Am an òrain: Chan eil cinnt cuin a rinn Màiri an t-òran seo ach a-mhàin gu robh i fhathast a' fuireach air Ghalldachd aig an àm (ss. 49–56). Mar sin tha e nas tràithe na 1882.

2 ann an Os: Faic Oran 20.

12 na suinn gun ghò: Chan eil mi buileach riaraichte ris an leagail aig *DO*; ged a tha e cothromach a thaobh bhriathran, tha a' chiall car annasach a rèir brìgh an rainn gu lèir. An e mearachd deachdaidh a tha ann? Bidh e nas coltaiche gur h-ann air na pàisdean, 's oirre fhèin nam measg, a bha Màiri a' bruidhinn. Bha na pàisdean làn de neochiontachd na h-òige nuair a bha iad òg anns a' ghleann, agus 's e call na neochiontachd sin aon de na puingean a tha Màiri a' cur mu ar coinneamh anns an òran seo. An e *'n robh sinn gun ghò* a bha aig Màiri an toiseach?

15 suidhe seinn: Mar a tha am Proifeasair Uilleam MacGill'Iosa a' cur air shùilean dhomh, tha an leagail aig *DO* car annasach. Am biodh eun a' *suidhe*? Tha amharas agam gur h-e mearachd deachdaidh a tha air chùl nam facal mar a tha iad againn. An e *'s i ri seinn* a bha aig Màiri air tùs?

31 Anndra: Chan eil cinnt cò bh' ann. Thubhairt an Dr Somhairle MacGill-Eain rium gu robh an t-ainm seo na bu chumanta air taobh

120

Bheàrnasdail, 's gum faod e bhith gur h-ann mun phìos sin den eilean a tha Màiri a' bruidhinn. Gu dearbh, tha na h-iomraidhean a th' aice air a h-òige fhèin a' leigeil fhaicinn nach eil ceangal mòr sam bith aig an òran ri Os, ged a thachair gu robh i a' fuireach an sin nuair a rinn i e. Tha Calum MacLaomainn (Inbhir Nis), a rugadh 's a thogadh ann an Uige, ag innse dhomh gu robh a chuideachd fhèin den bheachd gur h-e tobhta an taighe aig Anndra Stoddart anns an Dìg, faisg air Flòdagaraidh, a bha fa-near do Mhàiri.

41 gual' an t-Sìthein: Chan eil fhios càit a bheil "an Sìthean" seo. Faodaidh gu bheil e faisg air Os.

14. ATH-URACHADH M' EOLAIS

Is uallach mi cur cùl rim aineol,
Fàgail Chluaidh gu tìr nam beannaibh;
'S uallach mi cur cùl rim aineol.   3

Is toilichte mi 'n tùs an t-samhraidh
Gabhail cuairt gu tìr nam beanntan,
'S mo luchd-dùthcha orm cho dàimheil,
    'S nach eil taing agam ri faradh.   7

Is toilichte mi falbh gum eòlas
Suas a dh'Eilean uain' a' Cheò,
Far na dh'àraicheadh na seòid
    Nach dèanadh fòirneart air an ainnis.   11

'S ged a tha mo cheann air liathadh,
'S aois a' gealachadh mo chiabhag,
Nuair a nochd mi ri Eilean Diarmaid,
    Dh'fhalbh na strìochan às mo mhala.   15

Nuair a chunnaic mi mullach Ghlàmaig,
Taobh Beinn Lì is Ruighe Mhàrsgo,
Shaoil leam fhèin gun d'fhàs mi làidir
    Leis an fhàile thar nam beannaibh.   19

Pèighinn a' Chorrain is an t-Olach,
'S Lag a' Bhaile, 'n t-àite còmhnard,
Far am biodh na gillean òga
    'G iomain gu bòidheach le camain.   23

'S ged a bha mo chridhe leònte,
Snighe bho mo shùil a' dòrtadh,
Faicinn Ratharsair gun Leòdach,
    Rinn mi sòlas ri Dùn Cana.   27

Cha tèid ainm an dùin a chaochladh
Fhad 's bhios Leòdach beò san t-saoghal —
An dùn air an laigheadh na caoraich,
    Dùn gaolach Mhic 'Ille Chaluim.   31

Lady D'Oyly thug i gràdh dha —
A shliochd Iain Ghairbh, an duine dàicheil —
Thall sna h-Innsean rinn i dàn
    An dùin as àird' os cionn na mara.   35

Leagh mo chridhe staigh an Udairn,
Sgoirebreac am beachd mo shùilean;
Bha na laoich a dhèanadh taobh rium
    Fad' on dùthaich 's iad fon talamh.   39

Chan eil fàth a bhith ga iargain,
Bhon 's e nì a bha san riaghladh,
Ach bidh fuidheall beò dhen iarmad
    Fhad 's a mhaireas grian is gealach.   43

Nuair a ruigeas mi Uilleam Stiùbhart,
Cha bhi eagal dhomh no cùram;
Thig am botall às a' chùlaist,
    'S cha bhi caomhnadh dhuinn an drama.   47

Chan e fodar 's chan e sùgain
Tha a' tughadh do chuid tùran;
Tha na sglèatachan cho dlùth ann
    'S nach tig drùdhadh orr' ri gaillinn.   51

Rinn mi sòlas ris na cruachain,
Ris na glinn is ris na cluaintean,
Far am biodh ar clann cho suaimhneach
    Cuallach a' chruidh-laoigh as t-earrach.   55

Rinn mi sòlas ris na h-aodainn
Dh'fhalbhadh leam nuair bha mi aotrom,
Buain nan dearcag feadh an fhraoich,
    'S a' bleoghann chaorach anns a' mhainnir.   59

Nuair a ràinig mi Gleann Ois,
'S ann shaoil leam gun cual' mi còmhradh,
Aig gach gleann, is glaic, is òb —
    "A Mhàiri, 's math do chòir sa bhaile."   63

Cha robh faiteas orm no nàire
Ruigheachd Clann 'Ic Rath Chinn t-Sàile,
Ach dh'ionndrainn mi an crathadh làimh'
    Bhon tric a fhuair mi fàsgadh gramail.   67

Dh'èirich mi madainn Diciadain,
'S dh'fhàg mi taigh an diùlnaich fhiachail,
Treis mun d'èirich a' ghrian,
    'S gun tug mi 'n sliabh orm nam dheannaibh.   71

Ràinig mi Sgoirinis ìochdrach,
'S shuidh mi air an dùn bu mhiann leam;
Ghabh mi sealladh dhe na crìochan
    Nach dìochuimhnich mi rim mhaireann.   75

Hartabhal mhòr nan each àlainn,
'S Beinn a' Chearcaill cruinn mar dh'fhàg mi,
Null gu bruthaichean Torr Sgàlair,
    Lag nam Màrach 's Cnoc na Feannaig.   79

Dh'èirich a' mhadainn cho grianach,
'S bogha-froise anns an iarmailt,
Ag innse gum bristeadh na siantan
    'S nach biodh dìon orm nam fanainn.   83

Thog mi orm le cridhe cianail,
'S ràinig mi 'n taigh air mo phianadh;
Bha Clann Dòmhnaill rium cho tìorail,
    'S ged nach fàgainn riamh am baile.   87

Thuirt bean-an-taighe rium gu càirdeil,
"A-nuas [dh]an cheann seo dhen fhàrdaich,
'S eagal nach bi 'm fuachd nad fhàbhar,
    'S fheàirrd' thu, Mhàiri, làn na glainne.   91

"Olaibh às i air ar slàinte
Chum gun soirbhich sinn san àite,
Bhon a chuala sibh mar thà
    Gur ann a thàinig sinn à Barraigh.   95

"Fhir a shiùbhlas gu ar crìochan
Thoir ar beannachdan nan ceudan,
'S innis ged tha 'n t-Eilean sgiamhach,
    Chaoidh nach dìochuimhnich sinn Barraigh.   99

"Ged tha 'n t-Eilean làn de dh'òigridh,
'S diùlnaich sgoinneil mar bu chòir dhaibh,
Ged bhiodh aca pailteas stòrais,
    B' fheàrr leam òigearan à Barraigh.   103

"'S ann their Uilleam rium gu stàirneil
Nuair a shìneas sinn air mànran,
'Cha ghabh mise bean gu bràth
    Ach tè thèid àrach ann am Barraigh.'"   107

NOTAICHEAN AIR ORAN 14

Bun-teacst. *DO*, 191.

Am is adhbhar an òrain: Chan eil e idir soilleir cuin a rinn Màiri an t-òran seo, ach a-mhàin gu robh i a' fuireach ann an Glaschu aig an àm. Mar sin faodaidh gun deachaidh a dhèanamh timcheall air 1876. Chan eil an t-iomradh a tha i fhèin a' toirt dhuinn ann an *DO*, 191–2, idir a' dearbhadh cuin a rinn i an t-òran. 'S e litir a tha anns an iomradh sin, a chuir Màiri "gu 'n Urramach Cailean Caimbeul, ministear an t-soisgeil ann an Eilean Phrionns Edward". Bha an litir "an cois an òrain".

Anns an iomradh tha Màiri ag ràdh: "Is beag a shaoileadh do mhàthair gu robh mi dà fhichead bliadhna agus a h-aon gun ghas fraoich fhaicinn, no uiread agus sguabach a bheireadh sgrìob air an taigh gus an do thachair dhomh air là àraidh a dhol seachad air bùth ann an sràid Earra-Ghàidheal ann an Glaschu." Nuair a dhiùlt an luchd-malairt gas fraoich a reic rithe, "Dh'ullaich mi mi fhèin agus thog mi orm gu sunndach air an ath Dhiluain; ràinig mi am Broomielaw; leum mi staigh do shoitheach na smùide, an 'Clansman'. Cha chreid mi nach abair thu gu bheil an iorram a leanas mar gum b' ann a' freagairt do ghleadhraich a cuid ùpraid."

'S e an duilgheadas a th' againn a thaobh an ama nach eil fhios againn càit a bheil Màiri a' tòiseachadh nuair a tha i a' cunntas "dà fhichead bliadhna agus a h-aon".

Anns a' chiad phìos den òran, tha Màiri a' leantainn cùrsa a' bhàta nuair a tha i a' teannadh ris an Eilean Sgiathanach, a' dol tro Chaolas Slèibhte, agus an uair sin a' seòladh mu thuath gus an ruig i Port Rìgh (s. 44 n.). Tha an còrr den òran ag innse mar a tha i a' cur cuairt air cuid den eilean agus a' tadhal air a càirdean thall 's a-bhos.

14 Eilean Diarmaid: 'S e sin an t-eilean beag far cladach Eilein Iarmain (*Isle Ornsay*) ann an Slèibhte. Faodaidh gu bheil *Eilean Diarmaid* is *Eilean Iarmain* càirdeach da chèile; chan eil fhios nach deachaidh an t-ainm *Eilean Diarmaid* a chruthachadh mar thoradh air oidhirp mheall-ta air an dàrna pìos dheth a cheangal ri Diarmaid, aon de ghaisgich na Fèinne.

20–1 Tha na h-àitean uile anns a' Bhràighe.

32 Lady D'Oyly: Chuir a' Bhaintighearna D'Oyly (Ealasaid Ros) naoi òrain Ghàidhlig an clò ann an Glaschu ann an 1875; faic MacLean, *Typographia Scoto-Gadelica*, 111, far a bheil nota ag ràdh: "Lady D'Oyly was connected with the Island of Raasay.". Tha Màiri fhèin ag innse dhuinn gum buineadh i do Chloinn 'Ic Leòid Ratharsair. Rinn i òran a' moladh Ratharsair a chaidh a chur an clò na aonar, gun iomradh air bliadhna no àite foillseachaidh: *Oran do Rarsa, Dùthaich Mhic Ille*

Chaluim, Le Ealasaid Ros, Baintighearna Doyly (ibid.).

33 a shliochd Iain Ghairbh: B' e Iain Garbh an 7mh Ceann-cinnidh aig Cloinn 'Ic 'Ille Chaluim. Ghabh e àite a athar ann an 1648. Chaidh a bhàthadh ann an stoirm 's e a' tilleadh à Leòdhas (Nicolson, *History of Skye*, 298).

37 Sgoirebreac: Tha Sgoirebreac an ear-thuath air Port Rìgh, air an rathad a tha a' dol seachad air an Stòrr agus mu thuath gu Stamhain. Bha an oighreachd seo aig teaghlach ainmeil, Clann MhicNeacail Sgoirebreac. Rinn Tormod, an Ceann-cinnidh mu dheireadh, imrich gu Tasmania aig toiseach na naoidheamh linn deug (*ibid.*, 245). 'S dòcha gur h-e sin, agus fàsachadh an àite, a tha fa-near do Mhàiri nuair a tha i ag ràdh gu bheil na "suinn…fad' on dùthaich 's iad fon talamh."

44 Uilleam Stiùbhart: marsanta aig an robh bùth ann am Port Rìgh. Chaidh am bùth a stèidheachadh ann an 1840, agus tha e fhathast ann an seilbh nan Stiùbhartach. Tha e air a bhith air ainmeachadh fad iomadh bliadhna air Dòmhnall, mac Uilleim.

65 Clann 'Ic Rath Chinn t-Sàile: an cinneadh dom buineadh an duine aig Bean Ois, banacharaid Màiri: faic Oran 26.

72 Sgoirinis: air taobh an ear Loch Snìosart. Tha Màiri a' coimhead a-null gu taobh sear an Eilein ann an ss. 76–8.

78 Torr Sgàlair: A rèir an Dr Alasdair MhicIlleathain, faodaidh gu bheil an t-àite seo co-ionnan ri Dùn Sgàlair, a tha air a shuidheachadh os cionn Taigh Sgèabost.

86–7 Tha an Dr Alasdair MacIlleathain ag innse dhomh gu robh na Dòmhnallaich seo an toiseach nan luchd-tac air eilean Bhatarsaigh (faisg air Barraigh), ach gun d'fhuair iad aonta air Sgoirinis. Tha ss. 94–5 ag innse dhuinn gu bheil e coltach nach robh iad ach air ùr thighinn do Sgoirinis nuair a rinn Màiri na ceathramhan deireannach san òran. Bha aon de na mic, Iain Dòmhnallach, na fhear-tac ann am Milton an Uibhist a Deas, agus an dèidh sin ann an Dùn Tuilm agus ann an Rubh' an Dùnain. Bidh e coltach gur h-e fear eile de na mic a tha air ainmeachadh ann an s. 104.

CO-CHOMANN NAM BAILTEAN MORA

(Orain 15–17)

Ged nach robh na bailtean mòra cho tlachdmhor ris an Eilean Sgiathanach ann am beachd Màiri, bha iomadh rud annta a bha a' còrdadh rithe. Bha na comainn, gu h-àraid, a' cumail sunnd is aighear ri daoine, 's a' toirt cothrom dhaibh tighinn còmhla. Bhiodh na Gàidheil a' cleachdadh an fhèilidh na bu trice nuair a bhiodh iad air Ghalldachd, agus bha seo gan cur air leth seach càch.

Ann an Oran 15 tha Màiri eadar fealla-dhà is da-rìribh mun fhèileadh, 's i a' tarraing às an luchd-èisdeachd; tha i a' tuigsinn gur h-e ìomhaigh mheallta a th' ann, ach fhathast gu bheil e a' sònrachadh nan Gàidheal seach na Sasannaich – no gum bu chòir dha! Tha tomhas de phròis a' nochdadh ann, gu h-àraid nuair a tha Màiri a' toirt iomradh air na saighdearan gaisgeil a bhiodh ga chleachdadh. Chan eil i a' cur ceist sam bith anns a' ghnothach.

Bha cleachdaidhean aig na Gàidheil a bha gan tarraing ri chèile aig amannan sònraichte den bhliadhna, agus b' i a' chamanachd aon dhiubh sin. Tha Oran 16 a' toirt sealladh dhuinn air na gillean Gàidhealach aig an iomain air Latha na Bliadhn' Uire, 's fallas ag èirigh dhiubh, ann am Pàirc na Bànrigh ann an Glaschu. Seo dealbh air an iomain a tha cho snasail 's a gheibhear ann am facail; tha a' mheadaireachd a' co-freagairt air a' chuspair an leithid de dhòigh 's gum faic sinn 's gun cluinn sinn na gillean. Ann an Oran 17 tha sinn a' faicinn mar a bha comainn is cèilidhean ag oideachadh nan Gàidheal nan eachdraidh fhèin, a bharrachd air a bhith gan toirt cruinn.

15. BREACAN MAIRI UISDEIN
(air suidheachadh ùr)

Am breacan bòidheach, fasanta,
    Nach faighear anns na bùithean —
Tha geal is gorm is sgàrlaid
    Ann am breacan Màiri Uisdein.   4

Ged tha mo ghuth air fàilneachadh,
    'S cho fad' on dh'fhàg mi 'n dùthaich
Gun cuir mi rann sa Ghàidhlig dhuibh
    Air breacan Màiri Uisdein.   8

Nuair bha mi ris a' bhuachailleachd
    Air lòin is cluain mo dhùthcha,
Bhiodh brat a' cumail blàiths orm
    De bhreacan Màiri Uisdein.   12

'S nuair thàinig mi do Ghlaschu
    'N dùil ri fhaicinn anns na bùithean,
Chan fhaighear leud mo dheàrna ann
    De bhreacan Màiri Uisdein.   16

Tha mi nochd am measg nan Gàidheal,
    M' aigne blàth air taobh mo dhùthcha,
'S gun toir mi comhairl' àraidh dhuibh
    Mu bhreacan Màiri Uisdein.   20

Cuiribh onair air na h-àrmainn
    Anns na blàir a choisinn cliù dhuibh,
'S biodh fèile 's osain gheàrr agaibh
    De bhreacan Màiri Uisdein.   24

Nuair chì mi sgolb de Shasannach
    Le fhèile glas mu ghlùinean,
Gun gluais e m' fhuil le tàmailte
    Mu bhreacan Màiri Uisdein!   28

Nuair chuimhnicheas mi air Wallace,
    Air Rob Ruadh agus air Dùghlas,
A dhìon ar tìr o thràillealachd
    Fo bhreacan Màiri Uisdein.   32

Cuimhnichibh air Inkerman
    'S a' mhisneach bh' aig na fiùrain,
'S mar làimhsich iad an stàillinnean
    Fo bhreacan Màiri Uisdein.   36

Thug Cailean Caimbeul àithne dhaibh
    Nach fàgadh e air cùl iad,
Aig bruthach Bhalaclàbha,
    Suas fo bhreacan Màiri Uisdein.   40

'S e bàighneidean an t-òrdugh
    Thug an còirneal do na diùlnaich,
'S chaidh Ruiseanaich a smàladh
    Le luchd-bhreacan Màiri Uisdein.   44

Nuair dhìrich iad gun theàrnaich iad,
    Mar a b' àbhaist dan luchd-dùthcha;
Bha ceudan marbh san àraich
    Le luchd-bhreacan Màiri Uisdein.   48

Nis dearbhaibh gura Gàidheil sibh,
    Is smior is cnàimh ur dùthcha,
'S tha fhathast clòimh is càrdan innt'
    Nì breacan Màiri Uisdein.   52

Chan eagal thaobh luchd-ceàirde dhuinn —
    Tha tàillearan 's gach dùthaich,
'S tha bean ann an Gleann Bheàrnasdail
    Nì breacan Màiri Uisdein.   56

Gun snìomh i e 's gun càrd i e,
    Is sgàrlaid chur san dlùth aig',
'S tha beairt 's a h-uile càil aice
    Do bhreacan Màiri Uisdein.   60

Tha iomadh dhe ar càirdean
    A bheir tlàm dhuinn feadh na dùthcha;
Gum faigh sinn clòimh Astràilia
    Nì breacan Màiri Uisdein.   64

Chan eil an-diugh ri fhaicinn
    Anns na glacan no air dùthaich
Ach guilbnich lom de Shasannaich,
    Gun bhreacan Màiri Uisdein.   68

Tha neul is tuar an acrais orr';
    Gun chreach iad sinn san dùthaich,
'S gun itheadh fear de mhartfheoil dhiubh
    Na shacaicheadh MacCrùislig.   72

Ma tha neach an seo à Beàrnasdail,
   A Càrabost no Uige,
Dom b' aithne Maighstir Ruairidh riamh,
   No chual' e bhon a' chùbaid,   76

Bhur beatha, 's cuiream fàilt' oirbh,
   Mo làmh gun toir mi cliù dhuibh,
'S gun toir mi fhathast gàir oirbh
   Mu bhreacan Màiri Uisdein.   80

Nis oidhche mhath, a chàirdean, leibh,
   'S muc-shaillte na Bliadhn' Uire;
Biodh pailteas crathadh làmh againn
   Fo bhreacan Màiri Uisdein.   84

'S an uair a thèid ceann-fìnid air,
   Bidh mìltean a' toirt cliù dhuinn;
Chan fhaic iad air na sràidean
   Leithid breacan Màiri Uisdein.   88

NOTAICHEAN AIR ORAN 15

Bun-teacst: *DO*, 31.

Am is adhbhar an òrain: Chan eil cinnt cuin a rinn Màiri an t-òran seo. Bho na tha i ag ràdh (s. 13), faodaidh gu robh i ann an Glaschu aig an àm, 's mar sin gu bheil e nas tràithe na 1876. Tha e co-dhiù nas tràithe na 1882.

Tha e soilleir gu bheil an t-òran seo air a stèidheachadh air òran Tirisdeach den cheart ainm; tha Màiri fhèin mar gum biodh i ag aideachadh seo le bhith ag ràdh gu bheil e "air suidheachadh ùr". Rinneadh an t-òran Tirisdeach le Iain MacIlleathain, Bàrd Bhaile Mhàrtainn, agus e a' moladh breacan a dhealbh tè dom b' ainm Màiri Uisdein a bha a' fuireach anns an aon bhaile (Cameron, *Na Bàird Thirisdeach*, 155–8). Tha Màiri mar gum biodh i a' leudachadh air na rannan mu dheireadh ann an òran Bàrd Bhaile Mhàrtainn, 's a' cleachd-adh a' bhreacain mar shamhladh air treubhantas is dualchas nan Gàidheal. Chan eil e idir ceart a ràdh gu bheil breacan Màiri Uisdein a' riochdachadh breacan-teine, mar a tha mòran an dùil.

30 Rob Ruadh: 'S dòcha nach e seo *Rob Roy*, mar a shaoileadh duine an toiseach, ach Raibeart Brus.

Dùghlas: iomradh air aon de na h-Iarlan *Douglas* a bha ainmeil anns a' cheathramh agus anns a' chòigeamh linn deug.

33 Inkerman: aon de na batail ann an Cogadh a' Chrimea. Chuireadh e air 5.11.1854, nuair a thug na Ruiseanaich ionnsaigh air na Frangaich 's na Breatannaich aig Sebastopol.

37 Cailean Caimbeul: Bha Sir Cailean Caimbeul (1792–1863) na chomanndair air an Fheachd Ghàidhealach (*Highland Brigade*) ann an Cogadh a' Chrimea. Choisinn e cliù mòr dha fhèin aig Balaclàbha, a chuireadh air 25.10.1854, nuair a sheas "an t-sreath chaol dhearg" an aghaidh ionnsaigh nan Ruiseanach. (Airson tuilleadh fiosrachaidh mun Chaimbeulach 's mu na blàir sin, faic Brander, *Scottish Highlanders and Their Regiments*, 156–9; Watson, *The Story of the Highland Regiments*, 126–41; *Encyclopaedia Britannica*, fo na cuspairean freagarrach.)

72 MacCrùislig: fear-chleas ainmeil a thug buaidh air famhair ann an co-fharpais ithe! Faic MacKenzie, *Eachdraidh Mhic Cruslig*, 14–15.

75 Maighstir Ruairidh: Faic Oran 5, s. 45.

Màiri ann an cuideachd gillean na camanachd air Ghalldachd

16. CAMANACHD GHLASCHU

'S iad gillean mo rùin a thogadh mo shunnd;
'S i seo a' Bhliadhn' Ur thug sòlas duinn;
'S iad gillean mo rùin a thogadh mo shunnd.

'S iad gillean mo ghràidh   4
Tha 'n Glaschu nan sràid —
     Is fhada bho àit' an eòlais iad.

'S ann goirid ron Challainn
A chruinnich an comann,   8
     'S a chuireadh an iomain an òrdugh leo.

Nuair thàinig an t-àm,
Gun chruinnich na suinn,
     'S bha caman an làimh gach òigeir dhiubh.   12

Aig aon uair deug
A rinn iad an triall,
     Le pìob 's bu bhrèagh' an còmhlan iad.

Nuair ràinig na sàir   16
Gu ionad a' bhlàir,
     Gun chuireadh gun dàil an òrdugh iad.

Bha glainneachan làn
Dhen Tòiseachd a b' fheàrr,   20
     Is aran is càise còmhla ris.

Bha bonnaich gun taing
Is pailteas dhiubh ann,
     'S clann-nighean nan gleann gan còcaireachd.   24

Nuair roinneadh na laoich
'S a ghabh iad an taoibh,
     Bha mis' air an raon toirt còmhdhail dhaibh.

'S e 'n sealladh as brèagh'   28
A chunnaic mi riamh,
     Gach òigear gun ghiamh 's a chòta dheth.

Gach fleasgach gun mheang,
'S a chaman na làimh,   32
     'S a' chnapag le srann ga fògar leo.

Bha cuid dhiubh cho luath
Ri fèidh air an ruaig,
   'S cha chluinnt' ach "A-suas i, Dhòmhnaill" leo.   36

'S ann ann a bha 'n ealain
Le glagadaich chaman,
   'S gach curaidh cur fallais is ceòthain deth.

Bha duine gun chearb   40
Le siosacot dearg,
   'S cha bhiodh am boc-earba còmhla ris.

Fear eile gun ghiamh
'S a chiabhagan liath,   44
   Chuir "taigh" i bhàrr fiacail mòran diubh.

'S e duine gun tùr
Nach faiceadh le shùil
   Gu robh iad bho thùs an òige ris.   48

Nuair chuireadh am blàr
Gun choisich na sàir
   Le pìob gu Sràid an Dòchais leo.

Suidhibh, a chlann,   52
Is gabhaidh sinn rann,
   Gun cuirear an dram an òrdugh dhuibh.

Gun dhealaich na suinn,
Mar thàinig iad cruinn,   56
   Len cridheachan coibhneil, 's b' òrdail iad.

NOTAICHEAN AIR ORAN 16

Bun-teacst: *DO*, 183. Nochd an t-òran seo ann an *H*, 29.1.1876. Tha an lethbhreac ann an *H* a' fàgail às ss. 52–4 ann an *DO*, agus tha corra fhacal eadar-dhealaichte ann an *H*.

Am is adhbhar an òrain: Chumadh an iomain air Latha na Bliadhn' Uire, 1876, ann am Pàirc na Bànrigh le Comunn Camanachd Ghlaschu (*H*, 8.1.1876). Chuireadh an Comunn Camanachd air chois le Comunn Gàidhealach Ghlaschu, agus b' e seo a' chiad iomain a bh' aca. Tha *H* ag ràdh:

On Saturday morning (New Year's Day) the members of this energetic club, to the number of about 50, a large proportion of whom wore Highland costume, met at the Rooms of the Glasgow Highland Association, Hope Street, and walked in procession to the Queen's Park, headed by Mr MacArthur, piper, for the purpose of playing a friendly match, according to the time-honoured custom of their fore-fathers.

(Airson fiosrachaidh mu iomain na Bliadhn' Uire am measg nan Gàidheal, faic MacLennan, "Shinty: Some Fact and Fiction", *TGSI*, 59 (1994–96), 203–18.)

Bha Màiri a' deasachadh a' bhidhe do na cluicheadairean. Tha i fhèin a' toirt iomradh air na bha i a' dèanamh ann an litir gu Iain MacIlleathain, Beàrnasdail (*DO*, 183–4):

Iain, a charaid – Tha mi a' sgrìobhadh ad ionnsaigh a leigeil fhaicinn dut gu bheil mi slàn, an dòchas nach eil thu fhèin tinn. Nam bithinn cho beairteach 's a tha mi cho bochd, bheirinn punnd Sasannach gum biodh tu far a bheil mise nochd, ann an Talla Mòr nan Gàidheal ann an Glaschu; mo dhà mhuilichinn gum ghuaillean, 's am fallas gam dhalladh a' fuineadh agus a' bruich bhonnach dha na gillean-Callainn; ceann-suidhe na fàrdaich na shuidhe ann an teas-meadhan trì fichead caman, gan cur air dòigh airson an là màireach. Innsidh mi dhut mun chamanachd an uair a bhios i thairis. Bheir i ann ad chuimhne làithean ar n-òige, an uair a b' àbhaist do thuath Sgèabost is Chàrabost a bhith air a' bhuth-mhòr le buideal air gach ceann dhen raon, agus am pailteas bhonnach agus càise. Tha sinne a' falbh am màireach gu Pàirc na Bànrigh, trì fichead gille tapaidh Gàidhealach; deich air fhichead fon fhèileadh agus deich air fhichead le briogaisean-glùine len cuid chaman air an guaillean, pìobairean romhpa agus às an dèidh, agus mi fhèin le each agus càrn làn chliabh bhonnach is mulchag chàise uiread ris a' ghealaich, agus deur beag den Tòiseachd a chur spreigidh anns na gillean. Slàn leat air an àm. Is mi do bhanacharaid dhìleas – Màiri nighean Iain Bhàin.

1 mo shunnd: *oirnn sunnd*, H.

26 '*S a dh'eubh iad a h-aon*, H.

37 ealain: *fathrum*, H.

45 "taigh": Faic am Faclair.

51 Sràid an Dòchais: Bha cairtealan Comunn Gàidhealach Ghlaschu aig 30, Hope St (*OT*, 7.4.1877).

17. DEOCH-SLAINTE GAIDHEIL GHRIANAIG

'S e siud an t-slàinte dh'òlamaid,
Chan ann air sgàth na geòcaireachd,
Deoch-slàinte Comann Ossian,
 Sliochd nam mòr-bheann ann an Grianaig.   4

Gun òl sinn i 's gum pàigh sinn i
Air sgàth na tìr on tàinig sibh,
Ged b' ann aig bòrd na Bànrigh e,
 Air slàinte Gàidheil Ghrianaig.   8

Chan fhacas na bu bhòidhche leam
A chòmhlan ghillean òga,
Bhon a dh'fhàg mi m' àite-còmhnaidh
 Bho chionn còrr is fichead bliadhna.   12

Cho modhail is cho mòralach,
Cho coibhneil a rinn còmhradh rium,
'S gum faithnichinn air ur còmhdach
 Nach i phòit a bha gur riaghladh.   16

Ge h-iomadh àit' a chòmhlaich mi
An comann Ghàidheal mòralach,
Gur mò a rinn mi shòlas
 Ri luchd m' eòlais ann an Grianaig.   20

Bha laoch à Peighinn a' Phìleir ann,
Gach ceum o bhonn Beinn Tìonabhaig,
'S gur math leam sliochd do shinnsireachd
 Bhith togail ìre 'n Grianaig.   24

Gur ogha do Niall Peuton thu —
B' e ceann nam bochd 's nam feumach e,
'S gun d'fhàg e chliù na dhèidhe dhuinn
 Ged tha e fhèin air triall uainn.   28

Bha fear a Chlann 'Ic Leòid ann diubh,
'S gun d'rinn mo chridhe sòlas ris;
Is tric a bha sinn còmhla
 Siubhal mòintich ga ar pianadh.   32

Bhith 'g iarraidh chruidh is chaorach
'S a' tighinn dachaigh 'n dèidh an saodachadh,
'S ann òirnn a thàin' an caochladh
 Nuair nach faicear fraoch no feur leinn.   36

Bha Gàidheil às gach ceàrna ann,
A Uibhist is à Bàideanach,
Is laoich a chaidh air ànradh
  Airson caoraich bhàn' is mìolchoin.   40

Gu robh duine uasal rìoghail
Anns a' chathair chuir toil-inntinn orm,
Mar leugh e 'n cainnt ar sinnsireachd dhuinn
  Eachdraidh Fhinn is Dhiarmaid.   44

Gum b' òg a thogadh mùirneach thu
Bho Healabhal nan stùcannan,
'S gur h-onair dha ar dùthaich thu
  'S tha 'n cliù sin fad' is cian ort.   48

Tha ochd ceud bliadhn' air inntrigeadh
Bho thogadh caisteal rìoghail
An Dùn Bheagain le do shinnsireachd —
  'S tu 'n ochdamh linn an Grianaig.   52

Ma dh'èireas trioblaid chràiteach dhuinn
'S gum brisear ceann no cnàmhan duinn,
Gur lighiche ro-bhàidheil thu,
  'S chan eil nas fheàrr an Grianaig.   56

Mo bheannachd aig a' Chòmhlan,
'S biodh a' Ghàidhlig mun a' bhòrd agaibh,
Is ionnsaichibh dhan òigridh i,
  Tha chòmhnaidh ann an Grianaig.   60

NOTAICHEAN AIR ORAN 17

Bun-teacst: *DO*, 36.

Am an òrain: Chan eil cinnt cuin a rinn Màiri an t-òran seo ach a-mhàin gu robh i ann an Grianaig aig an àm, agus gura dòcha gun do rinn i e car mun aon àm 's a rinn i Oran 5.

3 Comann Ossian: an *Greenock Ossian Club*, mar a theirte ris anns a' Bheurla.

21–8 Tha Màiri an seo a' toirt iomradh air teaghlach nam Peutonach aig "Mossbank" ann am Peighinn a' Phìleir.

29–32 A-mach air a chinneadh, chan eil fhios cò bha seo.

41–56 B' e seo an Lighiche Dòmhnall MacRàilt, M.D., F.R.C.S.E., a bha na fhear-oifis ann an Comunn Gàidhealach Ghrianaig ann an 1878 (*CM*, iv, 36). Bhiodh e a' toirt òraidean do na Gàidheil ann an Grianaig air caochladh chuspairean (*OT*, 29.12.1877). A thaobh ss. 49–52, tha e air aithris gun do phòs Leòd (bhon a bheil Clann 'Ic Leòid a' gabhail an ainm) nighean is ban-oighre MhicArailt Armann, fear-riaghlaidh Lochlannach an Eilein Sgiathanaich. 'S ann le teaghlach MhicArailt (bhon tàinig Clann Mhic Ràilt) a bha an caisteal an toiseach, agus fhuair Leòd e ann an tochar na nighne. Chaochail Leòd, thatar ag ràdh, uaireig-in mu 1280, agus 's iongantach mura robh an caisteal aig teaghlach MhicArailt ùine roimhe sin (Grant, *The Clan MacLeod*, 8–9).

CAIRDEAN IS LUCHD-EOLAIS

(Orain 18–23)

'S e marbhrannan is òrain-mholaidh a bu mhotha a rinn Màiri da càirdean – agus feumar a thuigsinn gur h-e "càirdean" de sheòrsa sònraichte a tha a' dleasadh urram mar sin bhuaipe. 'S e uaislean, no daoine aig an robh tomhas de dh'inbhe, a tha fa-near dhi mar as trice; agus 's e an coibhneas rithe fhèin gu pearsanta a tha a' riaghladh a' ghnothaich. Chìthear sin ann an Orain 18, 19, is 22. Ma dh'fhiosraich Màiri coibhneas bho neach air choreigin, bha i buailteach lochdan an duine sin a chur an dàrna taobh, mar a dhearbhas Oran 19, am marbhrann a rinn i don Dr Neacal Màrtainn. 'S e ìomhaigh na craoibhe, seann dealbh nam bàrd air a' cheann-fheadhna, a tha i a' cleachdadh san òran sin. Air an làimh eile, bha deagh adhbhar aice cliù an Urramaich Alasdair MhicGriogair a chur am meud ann an Oran 18, agus fairichidh sinn gu bheil a bròn an dà chuid domhain agus fìor.

Nuair a tha Màiri a' cuimhneachadh no a' comharrachadh chàirdean a tha nas fhaisge air a h-inbhe fhèin, tha i mar as trice a' cleachdadh modhan-seinn nach eil cho foirmeil ris a' ghnè a gheibhear anns na marbhrannan. Ann an Oran 20, tha i a' deasbad dualchas nan òran le a deagh bhanacharaid, Bean Ois, is a' cur an cèill cliù luchd-trusaidh nan dàn. Bha Bean Ois gu math coltach ri Màiri fhèin – bha i deas-bhriathrach agus làidir na h-inntinn. Cha robh i shuas no shìos oirre, agus cha robh feum air a' mholadh mhòr. Ann an Oran 21, tha Màiri a' cleachdadh fonn òran cumanta ann a bhith a' cur teachdaireachd gu Bean Ois, agus i a-nise air tilleadh do dh'Astràilia.

Bha imrich is fuadach is togail an t-sluaigh a' sgaradh theaghlaichean is choimhearsnachdan anns an Eilean Sgiathanach, agus ann an Oran 23 tha Màiri a' cumail cuimhne air buaidh nan imrichean oirre fhèin, 's mar a chaill i caidreabh nan càirdean a sheòl thar chuan. Tha an fhaireachdainn nas drùidhtiche anns an òran seo, agus ann an Oran 21, na gheibhear mar as trice anns na h-òrain fhoirmeil.

18. MARBHRANN DON URRAMACH ALASDAIR MACGRIOGAIR

Nam faighinn ciall leis an taghainn briathran,
   Gun cuirinn sìos dhuibh iad ann an dàn,
Mun teachdair' fhiachail tha nis air triall uainn
   Gu tìr na dìochuimhn' le àithn' a' bhàis;   4
'S ann oidhche Chiadain a bhàrc an t-sian oirnn
   Nach tiormaich grian duinn rè iomadh là,
'S gu bheil na ceudan san Eilean Sgiathach
   Tha 'n-diugh gad iargain — 's ann daibh nach nàir.   8

'S ann daibh nach nàireach am basan fhàsgadh,
   'S na deòir a theàrnadh fo rasg an sùil,
'S a liuthad ceàrnaidh 's na sheas thu 'n àite
   Bhon là a dh'fhàg thu iad air do chùl;   12
Led ghnìomh 's led chànain, le ciall is gràdh dhaibh,
   Nach gabhadh àireamh gu bràth dhan taobh,
'S fhad' 's bhios tuinn a' bualadh ri chreagan uamhraidh,
   Bidh d' ainm ga luaidh ann le uaill is mùirn.   16

Chan ann le tuairmse tha sinne luaidh ort,
   Ged tha sinn gruamach airson do bhàis;
Tha thus' aig suaimhneas, taobh thall gach truaighe,
   'S gach saighead fhuar bho luchd-fuath do ghràidh;   20
Gur tric a chuala mi, le mo chluasan,
   Bho bheul nan uaibhreach nach d'fhuair an gràs,
An teanga ghuamach, toirt beum san uaigneas,
   Airson do thruais ris gach truaghan bàth.   24

Ach bu tusa an Crìosdaidh bha suilbhear, èasgaidh,
   Cha b' ann le diadhachd gun dad dhe bhlàth,
Do chridhe tìorail, 's do làmh cho fialaidh,
   'S chan fhacas riamh ort ach fiamh a' ghàir';   28
Gur iomadh dùil bhios an cridhe brùite
   Nuair thèid an ùir air an t-sùil bu bhlàth,
'S cha chùm a' Chùdainn na thèid a shrùladh
   De dheòir gad ionndrainn — 's ann daibh nach nàir.   32

Chan ioghnadh nàire bhith air cuid dhed bhràithrean,
   Is tric thug sàth dhut le teanga lom,
Nach seasadh d' àite le neach fo àmhghar,
   Ged dh'fhàgadh àithn' aca leis a' Cheann;   36
Nuair chaidh mise chàradh air sgeir gum bhàthadh,
   Le truaghan Bàillidh, gun ghràdh na chom,
Chuir thusa bàta, le sgioba 's ràimh dhomh,
   Nuair dh'fhàg a' phàirt ud mi bhàn sa pholl.   40

NOTAICHEAN AIR ORAN 18

Bun-teacst: *DO*, 156.

Am is adhbhar an òrain: Rinn Màiri am marbhrann seo nuair a chuala i mu bhàs an Urr. Alasdair MhicGriogair, a thug cuideachadh dhi (mar a tha i fhèin ag ràdh ann an ss. 37–40) nuair a thàinig an tàmailt oirre ann an Inbhir Nis ann an 1872 (faic Eachdraidh a Beatha aig toiseach an leabhair). Chaochail MacGriogair ann an Inbhir Nis air Diciadain, an 19mh den Dàmhair 1881.

Rugadh Alasdair MacGriogair ann am Bràigh Mhàr ann an 1808. Bha athair, a bhuineadh do Shiorramachd Pheairt, na mhisionaraidh ann am Bràigh Mhàr aig an àm, ach an dèidh sin ghluais e mar mhinistear gu Cille Mhoire san Eilean Sgiathanach. Mar sin, chuir Alasdair seachad làithean òige anns an eilean, agus an dèidh dha ceumnachadh bho Cholaisde an Rìgh, ann an Obar Dheathain, thill e a chuideachadh athar anns an sgìreachd, far an robh e air a chur air leth airson na ministrealachd ann an 1844. Nuair a chaochail athair, chaidh a phòsadh ri sgìreachd Chille Mhoire. Chaidh a ghairm do dh'Eaglais Ghàidhlig Dhùn Eideann, far an do shaothraich e airson ùine ghoirid, gus an deachaidh a ghairm don Eaglais an Iar ann an Inbhir Nis ann an 1852. Dh'fhuirich e ann an sin gus an do chaochail e. Bha e ainmeil mar sgrìobhadair Gàidhlig aig an robh fiosrachadh farsaing air eachdraidh is dualchas an Eilein Sgiathanaich agus na Gàidhealtachd gu lèir. Bhiodh a chuid sgrìobhaidhean a' nochdadh ann an deifir irisean, ach thug e cuideachadh sònraichte do 'Charaid nan Gàidheal'.

Anns a' mharbhrann, tha Màiri a' cur cudthrom air a choibhneas rithe fhèin, ach bha gu leòr eile ann a dh'fhiosraich an coibhneas sin ann an dòighean eadar-dhealaichte. Seo mar a chaidh bàidhealachd a' Ghriogaraich a chur an cèill ann an *IC* aig àm a bhàis (*Biographies of Highland Clergymen*, 73–4):

> A more genial, homely, or unassuming man could hardly be imagined; nor was there any man more ready to do a turn for a neighbour or a parishioner. In the lowly homes of the town his presence was always welcome…It mattered nothing to him whether the persons who solicited his services belonged to his own congregation or not; whether they were Protestants or Roman Catholics. He was incapable of refusing to do a kindly office, and he never dreamt of sparing himself trouble. In wet weather or dry, in winter and summer, Mr MacGregor was constantly to be seen, trudging on some friendly errand…In many a humble home in Inverness the news of his death called forth tears of genuine sorrow.

19. MARBHRANN DON DR NEACAL MARTAINN, HUSABOST

Chan iongantach dhomh bhith ri bròn
'S lèigh mo ghaoil an-diugh fon fhòid,
As tric a leighis creuchd is leòn,
    Thug iomadh bòid nach b' aithne dhaibh.   4

Is anns a' choill' a chinn na sàir,
Dh'fhàs gun ghiamh o bhonn gu bàrr,
Thuit a' chraobh bha cian fo bhlàth,
    Le àithn' an Tì thug beatha dhi.   8

Nuair a chuimhnich mi gach sean is òg,
Sgaradh uam à tìr nam beò,
Am measg airson na shil mo dheòir,
    Bu mhath mo chòir an latha sin.   12

Nuair a chunnaic mi do dhuslach fuar,
Seachad air mo dhoras shuas,
Is iomadh smaointe shean is nuadh
    A ghluais e suas an latha sin.   16

Bu tu caraide mo ghràidh;
Is tu nach glaiseadh orm do làmh;
Is iomadh neach a fhuair a làn,
    Is b' e d' àithne dhaibh gun labhairt air.   20

Cha b' ann mar chuid a' dèanamh uaill,
Seinn an trompaid deas is tuath;
B' e mhèinn bha riamh ri freumh do shluaigh
    Nach cluinnte fuaim len carantas.   24

Bu tu lighiche nam buadh;
Ged fhuair thu sgil cha d'rinn thu uaill,
Is dh'fhàg thu d' eachdraidh thall air chuan,
    Am measg an t-sluaigh, bhios maireannach.   28

B' òg a dh'fhàg thu tìr do ghaoil,
Nan creag, nan loch, nam beann 's an fhraoich,
'S an uair a chruinnich thu do mhaoin,
    Gud dhaoine thill thu thairis leis.   32

Bu tu 'n diùlnach duineil, cruaidh,
Mar an leòghann anns an ruaig,
'S am measg do chàirdean mar an t-uan,
 'S gun dhearbh thu bhuaidh mun dhealaich sibh. 36

Dh'fhàg thu d' oighreachd aig an t-sàr;
Càit am faight' a sheis air blàr?
Mac na màthar san robh bhàidh,
 'S a dh'fhàg dha h-àl gun cheannach e. 40

Fhad' 's a bhuaileas tonn air tràigh,
Siaban air na beanntan àrd',
Cumar cuimhn' air cliù nan sàr
 Chaidh àrach ann an Sgoirebreac. 44

Soirbheachadh le clann mo ghaoil,
Meadhan latha, òige 's aois,
Is fàsadh meanglan air gach craoibh,
 A lìonas raon an athraichean. 48

NOTAICHEAN AIR ORAN 19

Bun-teacst: *DO*, 286.

Am an òrain: Chaochail an Lighiche Neacal Màrtainn air 22.9.1885, aig aois 84 bliadhna. Mar a tha Màiri ag ràdh (ss. 26–7), chuir e seachad ùine thall thairis, ann an Demaràra. An dèidh dha tilleadh cheannaich e oighreachdan Ghleann Dail mu thuath agus Hùsabost (*IC*, 26.9.1885; MacDonald is MacDonald, *Clan Donald*, iii, 568–9).

37 an sàr: Neacal Màrtainn, mac an Urramaich Aonghais Mhàrtainn a bha na mhinistear ann an Snìosart, agus a bu bhràthair don Dr Neacal Màrtainn (*ibid.*, iii, 569).

39 Bha màthair Neacail Mhàrtainn na nighean don Urramach Alasdair MacNeacail, ministear Bharraigh, a bha pòsda aig nighean do MhacNeacail Sgoirebreac (*ibid.*).

43–4 Faic an nota mu dheireadh. Bha Clann Mhàrtainn Mhairisiadar glè chàirdeach do Chloinn MhicNeacail Sgoirebreac. Bha Lachlann, an dàrna mac aig Màrtainn (o bheil an cinneadh a' gabhail an ainm), pòsda aig nighean eile do MhacNeacail Sgoirebreac (*ibid.*, iii, 567–8).

20. COGADH SIOBHALTA EADAR BEAN OIS AGUS MAIRI

"Mura tig thu nall, a Mhàiri,
Treis a thàmh ann an Gleann Ois,
Thoirt eachdraidh air do chuairt duinn
Agus tuairisgeal do bhròin,   4
Ma tha de neart ann am Mairearad,
Gu dearbhta thug mi bòid
Gum faigh thu na trì dèiseagan
Cho cinnteach 's tha mi beò."   8

"Cha ghabh mi idir tàmailt
Airson àbhachdas Bean Ois,
Ged thug thu cuireadh tàireil dhomh
Gu tighinn a thàmh a dh'Os;   12
Cha do thogadh ann an Geàrrloch,
No 'n Ceann t-Sàile mhòr nam bò,
Na dhèanadh siud air Màiri,
Nighean Iain Bhàin 'Ic Aonghais Oig."   16

"Air d' athais ort, a Mhàiri,
Agus cùm an stràic fod bhròig,
'S leig seachad do chuid bharrasglaich
Is dànachd cainnt do bheòil;   20
Thogadh ann an Geàrrloch
'S an Ceann t-Sàile mhòr nam bò,
Na cheannsaicheadh gach Màiri
A bha 'n Eilean àrd a' Cheò."   24

"Cha do mheas mi gum bu bharrasglaich
No dànachd cainnt mo bheòil,
Nuair thòisich sinn air àbhachdas
Do chàch gu dèanamh spòrs;   28
Bhon chaill an sluagh an tàlantan,
'S gach gnàths a bh' againn òg,
Gun neartaich sinn a' Ghàidhlig
Leis na dàin ga cumail beò."   32

"Beannachd dhut, a Mhàiri,
'S do gach bàrd a sheinneas ceòl,
Sa chainnt a bh' aig ar n-athraichean
A rinn ar n-àrach òg;   36
Nuair bhios an linn tha làthair
'S mise 's tusa cnàmh fon fhòid,
Gun seinnear an Ceann t-Sàil' iad
'S an Eilean àrd a' Cheò."   40

"Seinnear ann an Geàrrloch iad —
'S e 'n t-àite 's àirde còir —
Oir 's ann ann tha rìgh na Gàidhealtachd
An-diugh a' cnàmh fon fhòid;   44
Chùm e beò a' bhàrdachd
Nuair bha 'm bàs am port a beòil,
Ga tional anns na fàrdaichean
Air ànradh 's gainne lòin."   48

"Gur onair mhòr do Gheàrrloch
Anns an là sa bheil sinn beò
Na thogadh innte dh'àrmainn
Chùm a' chànain air a dòigh;   52
Tha am baile-cinn na siorrachd
Saighdear duineil dhiubh, le chròic,
Toirt làn an cinn de Ghàidhlig dhaibh
'S gach ceàrna dhen Roinn Eòrp'."   56

"Mas e sin 'Clach na Cùdainn',
Gum b' e fhèin an diùlnach còir,
'S ged tha cuid an diùmbadh air,
Cha drùidh iad air a bhròig;   60
Bheir e smior na fìrinn daibh
Ged bheirt' a bhinn 's e beò,
A' cur an locair mhìn oirre
Cho cinnteach ris an òr."   64

"Nuair bha mise 'n Astràilia
Nam phàisdeachan glè òg,
'S tric a sheinn mo mhàthair
Agus m' athair gràidh le pròis   68
Na h-òranan 's na dàin
A rinn na bàird a dh'fhàgadh beò,
Bha chòmhnaidh an Ceann t-Sàile,
'S ann an Eilean àrd a' Cheò."   72

"Siud far an robh na h-àrmainn
Dhèanadh dàn 's a sheinneadh ceòl,
Nuair bhiodh iad air na h-àirighean
'S air sàilibh fear na cròic;   76
Chan fhaic thu 'n-diugh nan àite siud
Ach caoraich bhàna 's eòin,
'S am beagan a chaidh fhàgail
Air an càrnadh ann am fròig."   80

"Tog misneach ort, a Mhàiri;
Ma bhios tu làthair beò,
Chì thu Crò Chinn t-Sàile
Làn de dh'àrmainn mar bu chòir;   84
Na gruagaichean air àirigh,
'S càch air sàilibh damh nan cròc,
'S fuadaichidh iad Winans
Bhàrr an grunnda le chuid òir."   88

"Fuadaichidh iad Winans
Agus iomadh fear dhe sheòrs',
'S cha bhi na Gàidheil muladach
Nuair chuirear orra 'n tòir;   92
Thèid iad suas a Lunnainn
Chosg an ulaidh ann an ròic,
'S bidh ar sliochd a' falbh nan aonaichean
'S a' saodachadh nam bò."   96

"Bheir mi comhairl' ort, a Mhàiri —
'N ainm an Aigh thoir suas do cheòl,
Mas bi sinn air ar nàireachadh
Le gràisg nach tuig ar dòigh;   100
Tha 'n sluagh air fàs cho iongantach
'S gur cruithneachd leotha bròn,
'S mur tèid thu ann am faochaig dhaibh,
Chan fhaodadh tu bhith beò."   104

"Cha tèid sinn ann am faochaig dhaibh
Is faodaidh sinn bhith beò,
Ged nach cuir sinn aodainn oirnn
No caochladh air ar neòil;   108
Le osnaich chneadaich chiùranaich
'S gun sùgh annt' ach an sgleò,
A dh'fheuch an creid an saoghal
Gu bheil caochladh air tighinn oirnn.   112

"Nach iomadh comhairl' fhiachail
Thug sibh riamh orm ler deòin,
'S cha leig mi cuid air dìochuimhn' diubh
An cian a bhios mi beò;   116
Ach bhon as luibh an dìomhanas
A riaraicheas an fheòil,
Tha i leantainn rium cho daingeann
'S a tha 'm barriall ris a' bhròig."   120

NOTAICHEAN AIR ORAN 20

Bun-teacst: *DO*, 1O. Nochd an t-òran seo ann an *SH*, 29.7.1886. Tha an lethbhreac ann an *SH* a' tàgail às ss. 105–12.

Am an òrain: Chan eil dad anns an òran a tha a' toirt àm dhuinn a tha nas freagarraiche na a' bhliadhna a chaidh fhoillseachadh ann an *SH*. Faic ss. 87–90 n.

5 Mairearad: 'S e sin Bean Ois. Chuir i seachad bliadhnachan da h-òige ann an Astràilia (ss. 65–6), agus thill i do dh'Astràilia uaireigin ro 1890; faic an ath òran.

43 rìgh na Gàidhealtachd: 'S dòcha gur e seo Iain MacCoinnich, fear-deasachaidh *Sàr Obair nam Bard Gaelach* (1841). Rugadh e ann an 1806 ann am Meallan Theàrlaich, 's chaochail e ann am Poll Iùbha ann an 1848. Chaidh a thiodhlacadh ann an Geàrrloch. Ann an 1876 rinn Alasdair MacCoinnich (faic ss. 53–64 n.) oidhirp air airgead a thrusadh airson càrn-cuimhne a thogail dha.

53–64 Iomradh air Alasdair MacCoinnich, "Clach na Cùdainn"; faic Oran 31, s. 15 n. Tha "cròic" co-ionnan ri "cabar-fèidh", suaicheantas Chloinn MhicCoinnich. Bidh e coltach gu robh Alasdair a' cleachdadh a' chabair mar shuaicheantas os cionn doras a bhùtha.

87–90 Winans: Walter Winans, Ameireaganach a fhuair sealbh (mar *shooting tenant*) air fearann ann an Gleann Aifrig, Gleann Canaich, agus Srath Farar. Fhuair e sealbh anns a' Mhormhaich ann an Ceann t-Sàile ann an 1882. Choisinn e droch ainm dha fhèin eadar 1884 is 1885 nuair a thug e gu cùirt fear dom b' ainm Murchadh MacRath, 's e a' cur às a leth gun do chuir e piatan uain air feurach air an fhearann aige air an t-samhradh roimhe sin. B' e seo am "Pet Lamb Case." Chaidh a' chùis an aghaidh Winans. (*IC*, 22.1.1885; Mackay, "The Pet Lamb Case", *TGSI*, 48 (1972–74), 180–200.)

101–4 Tha Màiri a' bruidhinn an seo air buaidh a' chreidimh shoisgeul-aich air inntinnean an t-sluaigh. Bha an seòrsa creidimh a bha cumanta air a' Ghàidhealtachd glè thric a' toirt air daoine an aignidhean nàdarra a mhùchadh, 's bròn is mulad air sgàth peacaidh a chur nan àite; 's e "call a' phearsa" air an adhbhar sin a tha fa-near do Mhàiri nuair a tha i a' bruidhinn air a bhith a' dol *ann am faochaig* (ss. 103, 105); 's e sin, neach a bhith ga dhèanamh fhèin cho beag is cho dìblidh 's nach eil e ach mar chreutair crìon am broinn slige.

21. CUIMHNEACHAN AIR BEAN OIS
an dèidh dhi Gleann Ois fhàgail, agus tilleadh a
dh'Astràilia.

Bidh mise ri smaointinn
Tric air Bean Ois,
'S nam bithinn ri taobh,
Cha bhithinn fo bhròn.   4

Shàr *Albannaich* shuairce,
Cùl-taice na tuath-cheathairn,
Thoir beannachdan uainne
 Thar chuan gu Bean Ois.   8

Nach i nì 'n toil-inntinn,
Ri naidheachd an aoibhneis,
Gu bheil Eachann na oighre
 Fo shoighne na cròic.   12

Nuair leughas i 'n ealain
Mu Dhòmhnall Bhail' Ailein,
Gur h-ise bhios sona
 Gun bhuinnig a' chòir.   16

Bean d' uirghill is d' àbhachd,
Nuair chruinnicheadh na càirdean,
Cha shuidh i nad àite
 Gu bràth an Taigh Ois.   20

Ceann-uidhe gach creutair,
Gach bochd agus feumnach;
'S cha chluinnt' o do bheul e
 Ga èigheach le bòsd.   24

Cha b' e sgàile de dhiadhachd,
Gun sùgh anns an fhreumhaich;
Chuireadh tusa led ghnìomharan
 Fiamh air a pòr.   28

Tha m' aigne riut fuaighte,
'S e 'm bàs a nì fhuasgladh;
'S gun seòlainn an cuan
 Airson uair bhith nad chòir.   32

Thoir ar beannachdan uile
Gu Flòraidh is Ailidh,
'S am fear beag th' air a shloinneadh
    Air an duine bha còir.   36

Ar beannachd gu Crìsdean,
An t-òganach sìobhalta;
'S math leinn a chluinntinn
    E chinntinn an stòr.   40

Gun bhòsda, gun sgaiream,
Gun tàir air neach eile;
Cha d'fhàg iad an co-math
    An Eilean a' Cheò.   44

Tha Sìne cho cianail,
Is Iain 's Catrìona,
'S gach duine gad iargain
    Dhen iarmad tha 'n Os.   48

Thàinig cuid às an àite
Bha 'g innse le cràdh dhomh,
Nach fhac' iad an làrach
    Bhon dh'fhàg thu Gleann Ois.   52

'S Ailidh mòr MacIllinnein,
An t-òganach loinneil,
Cha d'fhàg thu, dhed chinne,
    Cho duineil gad chòir;   56

Chunnaic mis' e aon oidhche
Agus dreòdag sa cheann aig',
'S nan labhradh neach foill ort,
    Bu chinnteach dha 'n dòrn.   60

Mur b' e Fullarton loinneil,
Bha cuid anns a' chomann
Nuair labhair iad umad,
    Bhiodh duilich mum bòsd.   64

'S ann labhair an diùlnach,
'S an dòrn aige dùinte,
"Cha dèanadh an triùir aca
    Fùidse Bhean Ois."   68

"'S ged bhiodh iad le chèil' ann,
Is bean Aonghais Pheutoin,
Cha seasadh an treud ac'
An èideadh Bean Ois."   72

NOTAICHEAN AIR ORAN 21

Bun-teacst: *DO*, 91. Nochd an t-òran seo an toiseach ann an *SH*,
22.5.1890.

Am is adhbhar an òrain: Rinn Màiri an t-òran an dèidh do Bhean Ois
tilleadh do dh'Astràilia. Chan eil fios againn cuin a rinn i an imrich, no
eadhon càit an do thuinich i. Mar sin, chan eil dòigh againn air àm a chur
mu choinneamh an òrain, ach a-mhàin a' bhliadhna anns an deachaidh
fhoillseachadh.

5 *Albannaich*: 'S e seo an *Scottish Highlander*, am pàipear a stèidhich
Alasdair MacCoinnich. Faic Oran 31, s. 15 n.

11 Eachann: Eachann MacCoinnich, mac Alasdair MhicCoinnich,
"Clach na Cùdainn", 's dòcha. Faic Orain 20, ss. 53–64 n., agus 31, s. 15
n.

14 Dòmhnall Bhail' Ailein: Dòmhnall MacRath, "Bail' Ailein": faic
Oran 38, s. 13 n. Bha *SH* a' toirt cunntas aig an àm seo air a chuairt air
feadh na Gàidhealtachd às leth a' *Highland Land League*; faic *SH*,
16.1.1890, 23.1.1890.

61 Fullarton loinneil: Bidh e coltach gu bheil Màiri a' toirt tarraing an
seo air cuideigin a bha beò aig an àm anns an do rinn i an t-òran. Chan
aithne dhomhsa ach aon nighean àlainn den ainm, ach cha robh i beò ri
linn Màiri. Bha ise air a moladh ann an òran le Anndra mac an Easbaig:
's e sin Barbra Nighean Easbaig Fullerton, ach bha i beò fada mus do rin-
neadh an t-òran aig Màiri. Rugadh i ('s dòcha) timcheall air a' bhliadhna
1680. Airson an òrain agus iomradh air an lèig bhrèagha seo, faic Ó
Baoill, *Bàrdachd Chloinn Ghill-eathain*, 78–81, 247–52. Faodaidh gu
bheil Màiri a' ciallachadh gun gabhadh am moladh a bha daoine a'
dèanamh air Bean Ois a chreidsinn a chionn 's gu robh tè ann a bha a
cheart cho brèagha rithe anns na linntean a dh'fhalbh, agus a fhuair an
aon seòrsa molaidh, i.e. Barbra Fullarton. Ach chan eil an seo ach
tuairmse; tha amharas agam (mar a thubhairt mi) gu bheil "Fullarton",
ge bith cò i, nas fhaisge air latha Màiri fhèin.

22. FEAR SGEABOST

Olaidh sinn deoch-slàint' an uasail
Chum an Iubilì le suaimhneas,
A thug saorsa da chuid tuath,
    'S a thog an t-uallach bhàrr an cinn.   4

Chuir thu onair air a' Bhànrigh
Riamh nach cuala neach a shamhladh
Air a dhèanamh fo comannda
    Bhon là fhuair i snaidhm a crùin.   8

Chuir thu onair air na Gàidheil,
Air do chinneadh, 's air do chàirdean;
'S fhad 's bhios anail aig na bàird,
    Gum bi do chliù le gràdh ga sheinn.   12

Olar i sna h-uile ceàrna
Far an cruinnich Clann nan Gàidheal,
Guidhe beannachd o na h-àrdaibh
    Bhith air d' àl o linn gu linn.   16

Olar leis gach sean is òg i
Anns gach ceàrna dhen Roinn Eòrpa,
Dh'fhalbh à Eilean uain' a' Cheò,
    A' guidhe sòlas air do cheann.   20

'S iomadh ceàrn san tèid a gleusadh,
Ann an Gàidhlig 's ann am Beurla,
Crathadh làmhan aon a chèile —
    Slàint' an diùlnaich thrèin a-chaoidh!   24

Tha gach banntrach agus truaghan
Tha air d' oighreachd is mun cuairt di
Guidhe slàinte 's saoghal buan dut,
    Agus suaimhneas aig a cheann.   28

'S iomadh bliadhna bha thu monmhar,
'S na do chridhe làn de dhoilgheas,
Do chuid tuath a' falbh a dhorghach
    Is am morgha ac' nan làimh.   32

Ach thug thu saorsainn daibh is fuasgladh
Nach eil cainnt aca nì luaidh air,
Nuair a thug thu 'n t-srian on truaghan
    Chuir trì duail oirr' agus snaidhm.   36

151

Olar i le stuth na Tòiseachd,
An t-Ileach, Talasgair is cròic air;
Lìon an t-slige, 'n gliog 's an crònan —
    Slàinte Lachlainn Oig an Uird!   40

Olaidh sinn deoch-slàint' an uasail
Chùm an Iubilì le suaimhneas,
A thug saorsa da chuid tuath —
    Gun òl sinn suas i gus a' ghrunnd!   44

NOTAICHEAN AIR ORAN 22

Bun-teacst: *DO*, 1.

Am is adhbhar an òrain: Tha s. 2 a' leigeil fhaicinn gun do rinn Màiri an t-òran seo aig àm Iubilì Bhictoria ann an 1887.

B' e "an t-uasal" (s. 1) don do rinn i an t-òran Lachlann Dòmhnallach, Fear Sgèabost. Rugadh e anns an Ord ann an Slèibhte ann an 1833. B' e nighean do Chaiptin MacLeòid Ghèasto a bu mhàthair dha. Bha e ann an India o 1851 gu 1868. Cheannaich e oighreachd Sgèabost is Bheàrnasdail bho bhràthair a mhàthar, Coinneach MacLeòid, "Coinneach Mòr Ghèasto" (a chaochail ann an 1869), agus chaidh e fhèin a dh'fhuireach air an oighreachd ann an 1870.

Bha math is dona ann an Lachlann, ged as e a dheagh chliù a bhuannaich aig a' cheann thall. Cha robh e an-còmhnaidh fialaidh ris na croitearan air an oighreachd (faic ss. 31–2 n.). Ann an 1882 thàinig "atharrachadh nan gràs" air. Bhon àm sin (a rèir an Dr Alasdair MhicIlleathain), thàinig atharrachadh cuideachd air an dòigh anns an robh e a' riaghladh na h-oighreachd, agus bha meas mòr aig an tuath air airson a choibhneis riutha aig àm aimhreit an fhearainn. 'S e Lachlann a thug "Bothan Ceann na Coille" do Mhàiri agus a phàigh airson a' chiad chlò-bhualaidh de na h-òrain aice ann an 1891 (*Celt. Mon.*, ii, 161–2). Faic Oran 37, s. 101.

31–2: Tha an Dr Alasdair MacIlleathain ag innse dhomh gun deachaidh Fear Sgèabost gu lagh (ann an Cùirt an t-Seisein) ann an 1872, 's e a' feuchainn ri bacadh a chur air seachd croitearan a bha a' toirt maorach à Loch Snìosart. Mas ann air an t-suidheachadh sin a tha Màiri a' bruidhinn, tha toinneamh ga chur san sgeul, an leithid de dhòigh 's gu bheil cliù Lachlainn airson tròcair is fialaidheachd ga chur am meud.

35 on truaghan: Tha an Dr Alasdair MacIlleathain den bheachd gum faod e a bhith gu bheil Màiri a' toirt tarraing air Aonghas Peuton, a bha na mhaor-fearainn ann an Sgèabost. Bha ainm aige a bhith trom air an tuath nuair nach robh Fear Sgèabost fhèin an làthair. Mus d'fhuair Lachlann Dòmhnallach sealbh air an oighreachd, bha i aig Dòmhnallach Hcisgeir, agus dh'fhuadaich esan cuid den tuath. Mar sin, fhreagradh briathran Màiri air fear seach fear dhiubh. A thaobh Choinnich Mhòir Ghèasto, bha esan ann am fiachan leis an oighreachd, agus choisinn e mì-chliù mar uachdaran, ach (a rèir an Dr MhicIlleathain) cha robh gearan mòr sam bith mu dheidhinn mar fhear-fuadaich. Faic Meek, *Tuath is Tighearna*, 64–5.

23. NA THRIALL UAINN

Bha mi cuimhneachadh riamh
Air na thriall uainn air sàil,
Air gach fleasgach 's maighdeann donn
Dh'fhalbh air long nan crann àrd'. 4

Nuair a thàinig MacNìomhain
Dhan tìr, bha e searbh,
Le long chrannagan trì
Thoirt ar dìlsean air falbh. 8

Measg airson na shil mo dheòir,
A bha dòrtadh gu làr,
B' ann diubh teaghlach Chaluim Mhòir
Thug air mòran diubh bàrr. 12

Bha mi cuimhneachadh air Iain,
Air Catrìon' agus càch,
Is air Aonghas, mo rùn,
Dh'fhàg a chliù 'n dèidh a bhàis. 16

Bha mi cuimhneachadh Iain Chaimbeil,
'S na suinn san robh bhàidh;
Nuair a chuidhtich iad am fonn,
Dh' fhàg e m' inntinn fo phràmh. 20

'S iomadh eachdraidh tha nam chuimhn'
Air na linntean a bha,
Bha mi cluinntinn mu theintean
Iain Chaimbeil 's Iain Bhàin. 24

Cha b' e 'n còmhradh gun tuaiream
Thèid tro m' chluasan an-dràsd',
Chluinninn anns na taighean-luaidh,
Seinn nan duanagan àigh. 28

Thàinig caochladh air ar tìr,
'S air an linn a tha làthair;
Bhon a shìn iad air an tì,
Mhill i 'n inntinn 's an càil. 32

Bha mi suidhe le mnaoi chòir,
Mar bu nòs gabhail tràth,
Nuair a chuala mi gu fòill
Fuaim na còmhla led làimh. 36

"'S cinnteach gura coigreach thu,
Thàinig ùin' air mo sgàth,
'S a tha luaidh air m' ainm cho coibhneil
Le grèim air mo làimh."   40

"'S coigreach mis' 'n dèidh mo linn
Bha sa ghleann seo a' tàmh,
Mac Catrìona Chaluim Mhòir —
'S tu bha eòlach mu gnàths."   44

"Bheil do mhàthair 's d' athair beò? —
Innis dhòmhsa gun dàil —
Bheil iad uile air an dòigh,
Faotainn cò-roinn dhen t-slàint'?"   48

"Tha mo mhàthair fhathast beò,
Tha mi 'n dòchas is slàn,
Ach tha m' athair anns an ùir,
Cian bho dhùthaich a ghràidh.   52

"Nuair a bha sinn nar cloinn,
Cruinn mun teintean a' tàmh,
'S tric a dh'ùraicheadh e chainnt,
Cumail cuimhn' air Iain Bàn."   56

"Thig a-staigh, fhir mo ghaoil,
Suidh rim thaobh 's thoir dhomh pòg,
Gus an deasaich mi dhut biadh,
'S cha tèid sgian air a' bhòrd.   60

"Suidhidh sinn mun bhòrd a-bhàn,
Mar a b' àbhaist duinn òg,
Nuair a bhithinn fhèin 's do mhàthair
Air àirigh nam bò.   64

"Nì mi bonnaich bheaga chruinn
Mar bha cuimhn' agam òg,
Air an cuibhrigeadh le ìm,
'S air an lìomhadh le meòir.   68

"Mar as tric a rinn do sheanmhair,
'S gum b' ainmeil a dòigh,
Riarachadh nam bonnach-luirg,
'S cha b' e falbh a bhiodh oirnn.   72

155

"Shìneamaid a-mach don bheinn,
'S cha bhiodh troidht oirnn de bhròig,
Ach na mogain 's an crios-fèilidh,
Cur snaidhm air a' chòt."   76

Gu robh lorg do chasan sgiamhach
San t-sliabh leis an àithn',
Riaghladh teachdaireachd na sìochaint
Air iarmad mo ghràidh.   80

Beannachd leat a-nis, a rùin,
'S faigh mo dhùrachd gu bràth,
'S gu robh d' obair air a crùnadh
Le ungadh nan gràs.   84

NOTAICHEAN AIR ORAN 23

Bun-teacst: *DO*, 196.

Am is adhbhar an òrain: Chuir Màiri an t-òran seo gu 'n Urramach Cailean Caimbeul a bha na mhinistear ann an Eilean a' Phrionnsa (*DO*, 191). Chan eil e idir soilleir cuin a rinn Màiri an t-òran, ach gu bheil e coltach gu robh i air tilleadh don Eilean Sgiathanach nuair a rinn i e.

5 MacNìomhain: Gilleasbaig MacNìomhain à Ile, aon den fheadhainn a bu mhì-chliùitiche a bha an sàs ann an aiseag nam fògarrach. Tha e air aithris gun tug e 'n t-aiseag do dhusan mìle Gaidheal eadar 1821 is 1832 (Dunn, *Highland Settler*, 18). 'S dòcha gun d'fhàg muinntir a' Chaimbeulaich mu 1832, no beagan na b' anmoiche. Tha iomradh air bàtaichean MhicNìomhain a bhith ann an Loch Snìosart mu thoiseach an fhoghair 1840, a dh'aiseag dhaoine do Cheap Breatainn 's do dh'Eilean a' Phrionnsa; faic an *Cape Breton Advocate* 16.9.1840. (Tha mi an comain na Peathar Urramaich Mairead NicDhòmhnaill airson an iomraidh seo.)

31–2 Bidh na bàird a bha beò anns an dàrna leth de naoidheamh linn deug glè thric a' càineadh na tì (agus a' mheas a tha aig daoine oirre!) airson an atharrachaidh a tha iad a' faicinn ann an gnè an t-sluaigh. Faodaidh sinne gàire a dhèanamh nuair a leughas sinn sreathan mar seo, agus 's dòcha gu robh dùil aig na bàird gun dèanamaid sin. Ach tha iad eadar fealla-dhà is da-rìribh; tha an tì a' riochdachadh nam buadhan 's nam fasanan ùra a bha a' nochdadh air a' Ghàidhealtachd aig an àm.

77–80 Tha a' cheathramh seo air a stèidheachadh air earrainn ann an Leabhar an Fhàidh Isaiah, lii, 7: "Cia maiseach air na slèibhtean casan an teachdaire aobhinn a tha ag èigheach sìthe; teachdaire an deagh sgeòil, a tha ag èigheach slàinte, a tha ag ràdh ri Sion, Is e do Dhia as rìgh ann."

BATAICHEAN

(Orain 24–25)

Bha bàtaichean nam pàirt luachmhor de bheatha muinntir nan eilean. 'S iad na bàtaichean-smùide a bu mhotha a dhaingnich an ceangal eadar na h-eileanan is tìr-mòr anns an naoidheamh linn deug. Bha math is dona, fàsachadh is leasachadh, an lùib nan seirbhisean ùra, agus bha na h-eileanaich fhèin mothachail air tomhas de spàirn eadar na goireasan sin agus beatha an t-sluaigh (faic Orain 13 is 14).

Bha cuid de na h-eileanaich a' cosnadh am beòshlaint mar mharaichean air bàtaichean Mhic a' Bhriuthainn, agus thàinig na bàtaichean-smùide fhèin gu bhith nan comainn bheaga Ghàidhealach, 's nam pàirt de choluadar nan eilean. Chì sinn sin ann an Oran 24, far a bheil Màiri a' fàgail beannachd aig a' "Chlydesdale", 's a' toirt taing dhi airson a saothair às leth an t-sluaigh.

Ann an Oran 25, tha Màiri a' toirt dealbh dhuinn air a' "Chlaidheamh Mhòr", bàta-smùide brèagha, seang air an robh meas aig a h-uile duine; tha cuimhne aig cuid oirre gus an latha an-diugh. Tha Màiri a' moladh neart an sgioba 's neart na luinge, 's i a' strì an aghaidh a' chuain. 'S e seòrsa de ghaisgeach a bh' anns a' bhàta, agus tha moladh gaisgeil ga dhèanamh oirre.

24. ORAN DO "DHAIL-NA-CLUAIDH"

Beannachd leat, a "Dhail-na-Cluaidh",
Gur iomadh bliadhn' a threabh thu 'n cuan,
Fàgail Ghlaschu mòr nan stuagh
    Mu thuath gu tìr mo dhùthchais.   4

Gur iomadh oidhche fhliuch is fhuar
Ri frasan sneachda 's gaoth a tuath
Chuir thu Mhaol le saothair chruaidh,
    'S gun bhiadh ach gual is bùrn dhut.   8

Nuair a dh'èireadh i na glinn,
Gun snàmhadh tusa bhos an cinn,
'S do chuibhlichean a' bleith nan tonn
    Mar mholltair ann an òpar.   12

Nuair rachadh an t-sian na luaisg,
Is cathadh mara mu do chluais,
Chan fhaict' thu ach mar eun sa chuan,
    'S tu cumail suas do chùrsa.   16

Gur iomadh frachd thug thusa leat,
Rinn fuasgladh oirnn an àm na h-airc,
Nuair chaidh an tuath a chur fo smachd
    Le achd nan daoine mòra.   20

Nuair lìbhrigeadh tu a' mhin 's an tea,
Gum faigheadh tusa càise 's ìm,
'S bhiodh toradh mara agus tìr
    A' falbh air prìs don Ghalldachd.   24

Gur iomadh diùlnach agus òigh
Thug thusa leat à Tìr a' Cheò,
A' falbh a chothachadh an lòin,
    'S gu leòr dhiubh nach do thill ann.   28

'S a' chuid a thilleadh dhiubh air ais,
An dèidh an duais a chur ma seach,
'S ann air do ghnùis a bhiodh an tlachd
    Nuair thachradh iad bhith cruinn ort.   32

Nuair a ghabhadh cuid an smùid
Dhen stuth a bh' agad anns a' chùil,
Cha tigeadh fàilinn air do ghlùin,
    Ged bheirte sùrd air danns' ort.   36

'S gum bi 'n "Ceann-cinnidh" còir fo sprochd
Mur coinnich thu rithe anns gach port;
Nach cluinn do cheòl 's nach faic do thoit,
    'S gur goirt bhios iad gad ionndrainn. 40

Nuair choinnicheas sibh air druim a' chuain,
An dàrna tè a-mach à Cluaidh,
'S an tè eile ruith a-staigh gu luath,
    Le cual à tìr nam beanntan; 44

Gun èigheadh an "Ceann-cinnidh" còir,
"A bheil sibh uile air ur dòigh?
Bheil naidheachd mhath agaibh air bòrd
    Bheir sòlas dhomh ri chluinntinn?" 48

Gum freagradh "Dail-na-Cluaidh" gu fòill,
"Tha naidheachd mhath agam air bòrd —
Tha iasgach math an Tìr a' Cheò,
    Is mòran na mo bhroinn dheth." 52

Ma chuir thu nise rinn do chùl,
'S nach faicear tuilleadh leinn do smùid,
Ar mìle beannachd na do shiubhal,
    A h-uile taobh gan triall thu. 56

NOTAICHEAN AIR ORAN 24

Bun-teacst: *DO*, 59.

Am is adhbhar an òrain: B' e an "Dail-na-Cluaidh" an t-ainm Gàidhlig a thug Màiri air a' bhàta-smùide *Clydesdale*. Thogadh an *Clydesdale* ann an 1862 airson Dhàibhidh MhicUisdein 's a Chuideachd, buidheann a ghabhadh os làimh le Dàibhidh Mac-a'-Bhriuthainn ann an 1879. Bhiodh i a' seòladh eadar Glaschu 's Steòrnabhagh gach dàrna seachdain gu 1886, nuair a thòisich i air seòladh eadar Port Rìgh 's an t-Sròm. A rèir choltais bha i air ais air aiseig Steòrnabhaigh ann an 1887, ach ann an 1888 chan eil iomradh oirre air a' chùrsa sin. 'S dòcha gur h-e seo a' bhliadhna anns an do thòisich i air seòladh às an Oban gu na h-eileanan mu dheas, far a bheil i a' nochdadh an dèidh sin. Tha e coltach gun do rinn Màiri an t-òran seo nuair a chaidh an *Clydesdale* don Oban, bhon a tha i a' fàgail beannachd aice ann an ss. 55–6. Cha deachaidh an *Clydesdale* a chur as a chèile gu 1904. Faic Duckworth is Langmuir, *West Highland Steamers*, 31–2; *SH*, 22.7.1886, 3.3.1887, 15.12.1887, 17.5.1888.

159

7 Mhaol: Maol Chinn-tìre.

37 an "Ceann-cinnidh": Chan urrainn nach e seo an *Clansman* (1870–1909) a bhiodh a' seòladh eadar Glaschu 's Steòrnabhagh còmh-la ris a' *Chlydesdale*. Ged a tha an t-ainm Gàidhlig a thug Màiri oirre a' ciallachadh "Chieftain", cha robh long den ainm sin aig Mac-a'-Bhriuthainn gu 1907 (Duckworth is Langmuir, 39–40, 80–1).

25. ORAN A' "CHLAIDHIMH MHOIR"

Seo deoch-slàint' a' *chrew*
Air nach drùidh a' ghailleann;
Sgiob' a' "Chlaidhimh Mhòir"
    Toirt an lòin thar mara.   4

Ged bhios cuimhne bhuan
Air euchdan 's claidheamh Uallais,
Cha b' ann air a' chuan
    A rinn e bhuaidh a cheannach.   8

Seo [an] claidheamh as ainmeil'
Air an cualas iomradh,
A threabhas druim na fairge,
    Sgoltadh gharbh-thonn greannach.   12

'S nuair a gheobh i gual
Gu riaghladh air a cuairt,
Cha seòl a-mach à Cluaidh
    Aon tè as suairce, banail.   16

Nuair ruigeas i Grianaig,
Thèid i staigh cho sgiamhach,
'S ris na Gàidheil fhiachail
    Chì sibh fiamh air *Sammy*.   20

'S iomadh thèid an taobh ud
Bhios a-chaoidh ag ionndrainn
Nach eil sgeul air Uisdean —
    'S e nach caomhnadh drama.   24

'S ann b' e fhèin an saighdear
Sheasadh cùis a mhuinntir;
Dh'fhàg e chliù dha linn
    Ged thug luchd-foill an car às.   28

Nuair thogas i smùdan
'S a shèideas i 'n dùdach,
Cha chuir tuinn len ùinich
    Air an iùbhraich maille.   32

Nuair dhùisgeas cuan a mheanmna
Fon aigeal le a gairbhinn,
An aghaidh sruth' is soirbheis
    Dearbhaidh i bhith fearail.   36

161

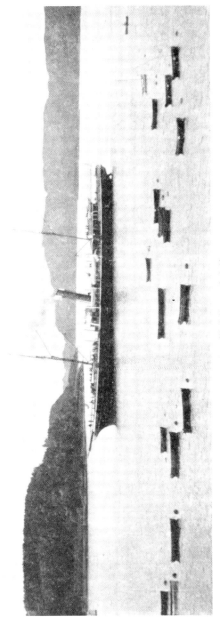

An Claidheamh Mòr

Nuair thig àm a' ghàbhaidh,
'S a' mhuir uaine bàrcadh,
Bidh gach laoch na àite,
  'S cha bhi làmh gun tarraing.   40

Nuair nochdas i a' Mhaol,
'S a tuinn a' ruith nan caoirean,
Saoilidh cuid le sraon
  Gun cuir an saoghal car dheth.   44

Thèid i tro na gleannta
Mar mhìolchu na dheann-ruith,
'S i sadraich nan tonn
  A chuireas fonn fo h-anail.   48

Nuair ruigeas i an t-Oban,
Nì na Gàidheil sòlas
Ris a' "Chlaidheamh Mhòr"
  'S an diùlnach còir, MacCaluim.   52

Coinnichidh sinn am Brùnach
Chuireadh riochd air dùthaich,
'S ged a bhios e riumsa,
  Dhùraiginn e fallain.   56

Chì sinn Mac-na-Ceàrda,
Caraide nan Gàidheal,
Balla-dìon nam bàrd,
  Nach sàraicheadh an t-ainnis.   60

'S e rinn gnìomh a' choibhneis
Chàraich air na tuinn i —
An t-uasal MacBrayne,
  'S gur ro-mhath thoill e onair.   64

NOTAICHEAN AIR ORAN 25

Bun-teacst: *DO*, 107

Am is adhbhar an òrain: 'S e an "Claymore", am bàta-smùide ainmeil aig Dàibhidh Mac-a'-Bhriuthainn, as cuspair don òran seo. Chaidh a cur air bhog air a' 14mh den Iuchar 1881, agus chùm i oirre a' seòladh eadar Glaschu, an t-Eilean Sgiathanach is Steòrnabhagh gu 1931. Tha cuid den bheachd gur h-i am bàta-smùide a bu bhòidhche a sheòl riamh do na h-eileanan: mar a tha Duckworth agus Langmuir ag ràdh (*West Highland Steamers*, 49), "she was a real beauty and lovely to look upon, with her admirably proportioned clipper bow, bowsprit, and hull surmounted with a pair of tall stately masts", ach tha iad a' cur nar cuimhne cuideachd gur h-e bàta obrach a bh' innte: "she worked all the year round, in fair weather and foul, facing every conceivable kind of weather the west coast could produce, carrying passengers, cargo and livestock, and negotiating open sea, sound, loch and bay all as part of the routine, with numerous calls, both by day and night."

Chan eil cinnt againn cuin a rinn Màiri an t-òran seo, ged a tha a h-uile coltas gur h-ann uaireigin an dèidh 1886. Faodaidh sinn a thuigsinn bho ss. 23–8 gu robh "Uisdean", 's e sin Uisdean MacAidh, marbh nuair a rinn i an t-òran; tha fhios againn gu robh e beò ann an 1886 (faic Oran 33). Tha an t-òran a' leantail cùrsa a' "Chlaidhimh Mhòir" bho Ghlaschu chun an Obain, agus bidh e coltach gu robh buidheann de Ghàidheil air bòrd oirre. A rèir mar a tha i a' cleachdadh "sinn" ann an s. 51, bha Màiri fhèin am measg na cuideachd; tha e cho dòcha gun tug i sgrìob do Ghlaschu air sgàth coinneimh air choreigin, agus gu robh i an uair sin a' tilleadh rathad an Obain air a' "Chlaidheamh Mhòr". Chan eil fhios againn dè a b' adhbhar dhi a bhith anns an Oban; 's dòcha gu robh i a' frithealadh coinneamh den *Land League* no de luchd-brosnachaidh na Gàidhlig.

20 *Sammy*: Chan eil fhios cò tha seo, ach 's dòcha gu robh e na fhear-obrach air ceidhe Ghrianaig.

23 Uisdean: B' e seo Uisdean MacAidh, a bha na Iar Cheann-suidhe air Comunn Gàidhealach Ghrianaig ann an 1881; faic an t-iomradh gu h-àrd, agus cuideachd Oran 29, s. 60 n.

41 a' Mhaol: Faic Oran 24, s. 7 n.

52 MacCaluim: Faodaidh gur h-e seo an t-Urr. Dòmhnall MacCaluim (faic Oran 29, s. 26 n.), ach chan urrainn dhuinn a bhith cinnteach.

53 am Brùnach: 'S dòcha gur h-e seo Alasdair Brùn, a bha na bhancair agus na riochdaire (*agent*) aig na bàtaichean-smùide anns an Oban. Bha ùidh aige ann an dealbhachadh bhailtean (*town planning*) cuideachd, agus b' esan a thog an aitreabh a tha an-diugh air a h-ainmeachadh mar Thaigh-òsda Chaluim Chille (*Columba Hotel*); 's e sin a tha air chùl nam briathran aig Màiri ann an s. 54 (Hunter, *Oban – Past and Present*, 43).

57 Mac-na-Ceàrda: Feumaidh gur h-e seo Gilleasbaig Mac-na-Ceàrda, am foillsichear ainmeil aig an robh an *Celtic Press* ann an Glaschu, agus am fear a dheasaich agus a dh'fhoillsich an cruinneachadh àlainn, *An* *t-Oranaiche*, ann an 1879. Ann an 1887 chuir e an clò mar leabhran an dàn fada aig Màiri Mhòr, "Còmhradh nan Cnoc" (*DO*, 200), agus faodaidh gur h-e sin pàirt den adhbhar airson a' mholaidh ann an s. 59. B' esan an dàrna Gilleasbaig a bha ris an obair seo; ghabh e àite athar ann an 1874. Bhuineadh a chuideachd do dh'Ile, agus chuir an dà Ghilleasbaig an clò mòran litreachais a bhuineadh do na h-eileanan mu dheas. Bha Gilleasbaig òg a' toirt taic mhòr do spàirn nan croitearan cuideachd. Faic an aiste aig Teàrlach Coventry, "An Clò-bheairt Ceilteach", *G*, àir. 122 (Earrach 1983), 137–50.

63 MacBrayne: B' e seo a' chiad David MacBrayne (1814–1907); bha e ag obair airson companaidh Dhàibhidh MhicUisdein (*David Hutcheson*), agus ghabh e os làimh i nuair a leig MacUisdein agus a bhràthair dhiubh an dreuchd ann an 1879. B' i an "Claidheamh Mòr" a' chiad bhàta-smùide a thog e airson aiseag nan Eilean, agus bha meas sònraichte aige oirre (Duckworth is Langmuir, *West Highland Steamers*, 22–49).

AIMHREIT AN FHEARAINN

(Orain 26–36)

Rinn Màiri iomadh òran mu aimhreit an fhearainn eadar 1877 is 1887. Bha i a' cur nan òran gu feum ann an deifir dhòighean, 's i a' toirt rabhadh is achmhasan do na h-uachdarain, is brosnachadh, moladh, misneach, is comhairle do na Gàidheil.

Ann an Oran 26, tha i a' toirt rabhadh do dhroch uachdaran, Frisealach Chille Mhoire, gu bheil na Gàidheil deiseil a dhol na bhad. Tha guin anns na facail aice (gu h-àraid ann an ss. 24–7, a tha air an geurachadh le ìoranas (*irony*)), agus tha i cuideachd a' cur sìos air na ministearan nach d'fhosgail am beul na aghaidh (ss. 36–9). Bha Màiri air thoiseach air an sgeul; thàinig breitheanas air an Fhrisealach mus robh a' bhliadhna 1877 aig ceann. Ann an Oran 27 tha i a' comharrachadh, le toileachas nach gabh cleith, tubaist eagalach a thachair air fearann an dearbh uachdarain sin, nuair a sguab tuil mhòr an "aitreabh luachmhor" aige a-mach air a' mhuir. Tha an dà òran a' neartachadh spiorad nan Gàidheal, agus a' cur an cèill gum faigh iad ceartas.

Tha Màiri a' moladh nan gaisgeach a sheas gu daingeann airson an còirichean, aig Loch Carann (Oran 28) agus aig Beul-àtha-nan-trì-allt (Oran 29). Chìthear anns na h-òrain seo uile, agus gu h-àraid anns an dà òran sin, gu bheil creideamh mar phàirt den t-sealladh aig Màiri air cor nan Gàidheal; tha i a' cur sìos air cuid a mhinistearan, aig an aon àm 's a tha i a' moladh cuid eile (mar Dhòmhnall MacCaluim). Tha Oran 29 gu h-àraid neartmhor ann a bhith a' ceangal dùsgadh spioradail ri dùsgadh nan croitearan; tha na coinneamhan air an aon làraich, agus air an aon bhunait, mar gum biodh. Tha "teachdaireachd na slàinte" (s. 18) ga craobh-sgaoileadh a-rithist.

Ann an Orain 30, 31 is 32, tha Màiri a' sealltainn an dà chuid air na bacaidhean a tha air na Gàidheil a thaobh còirichean an fhearainn, agus air an dòigh anns am faigh iad fuasgladh le bhith a' cleachdadh a' bhòta anns an Taghadh Phàrlamaid; faic gu h-àraid an teachdaireachd a tha aice ann an Oran 32. Bha Màiri sònraichte math air na h-òrain bhrosnachaidh; agus bha i fìor ealanta anns an aoir, mar a chìthear ann an Orain 33 is 34, far a bheil i a' cur sìos gu dubh air an t-Siorram Ivory. Tha i comasach air cronachadh a thoirt do na bàillidhean cuideachd, ann an dòigh a tha nas socraiche, mar a tha follaiseach ann an Oran 36. Ann an Oran 35 tha i air mullach a sòlais agus i a' cur an cèill "an euchd

rinn Beinn Lì" – òran a tha loma-làn gàirdeachais, mar chomharr-
adh air buaidh mhòir.

Anns na h-òrain seo, gheibhear a' mhòr-chuid de na gleusan a
bhiodh aig bàird aimhreit an fhearainn, gu lì-àraid moladh is bros-
nachadh do na gaisgich, is aoir is achmhasan do na nàimhdean.
Faic Meek, *Tuath is Tighearna*, 24–34.

26. FIOS GU CLACH ARD UIGE

'S muladach mi 'n-diugh 's mi 'g èirigh,
Chaoidh mo dhùthcha o luchd-reubainn;
'S muladach mi 'n-diugh 's mi 'g èirigh.

Fhir a shiùbhlas gu mo dhùthaich,   4
'S a thèid seachad Clach Ard Uige,
Innis dhi gu bheil de dhiùlnaich
    Air a cùl nach dèan a trèigsinn.

Tha *'n t-Ard-Albannach* le cùram   8
Daonnan duineil air ar cùlaibh
Seinn a-rithist dhuinn na trùmpaid,
    Chum ar dlùthachadh ri chèile.

Bhon a dh'fhàg sinn tìr nan àrd-bheann,   12
Fhuair sinn naidheachd a chuir cràdh oirnn,
Leughadh Ogh' an Dotair Bhàin
    'S ainm a-bhàn far nach robh feum air.

'S iomadh Gàidheal duineil, cliùiteach   16
A tha fad' bho thìr a dhùthcha,
Dha bheil ainm na fhàileadh cùbhraidh,
    'S dhaibh nas dlùithe na tha lèine.

Ach cuimhnich thusa nis, a dhiùlnaich,   20
Tìr do sheanar is do dhùthchais,
'S feuch gun cùm thu suas an cliù,
    'S nach caog thu 'n t-sùil air taobh na h-eucoir.

Chuala sinne, ged nach fhaca,   24
Cliù an laoich don ainm an Caiptin,
Cur fo chuing nan daoine sgairteil
    Anns na batail nach d'rinn gèilleadh.

Ged a lìon thu suas do shaibhlean   28
Le fòirneadh nan daoine coibhneil,
Gheibh thu fhathast duais na thoill thu,
    'S cha dèan saoibhreas sian de dh'fheum dhut.

Cùm nad aire gnìomh nam fiùran,   32
Muinntir Bheàrnaraigh, na diùlnaich,
Chuir an Rothach air a ghlùinean
    Anns a' chùil 's nach dèan e èirigh.

Tha luchd-teagaisg cho beag cùraim   36
Faicinn càramh mo luchd-dùthcha,
'S iad cho balbh air anns a' chùbaid
    'S ged bu bhrùidean bhiodh gan cisdeachd.

Beannachd leibh a-nis, a chàirdean;   40
Seasaibh duineil air ur làraich,
Ma thèid caiptin, maor no bàillidh
    A chur sàradh air an sprèidh dhiubh.

Tha mòran de Ghàidheil thapaidh   44
Eadar Grianaig agus Glaschu
A thèid suas a chumail taic ribh
    Anns a' chasgairt, ma thig feum orr'.

'S e na dh'fhuiling mi de thàire,   48
Spògan easbaigean is Bàillidh,
Chuir am faobhar air mo nàdar
    'S ola chràidh ga dhèanamh geur dhomh.

Bha mi fada bho mo chàirdean   52
Nuair a thuit mi anns an àraich,
'S ged nach cualas riamh mo bhàrdachd,
    Chuir an tàmailte ri chèil' i.

NOTAICHEAN AIR ORAN 26

Bun-teacst: *DO*, 214.

Am is adhbhar an òrain: A rèir na fianais a tha ann an ss. 8–9 is 24–5, 's dòcha gun do rinn Màiri an t-òran seo mar fhreagairt do dh'iomradh air "The Raising of Rents on the Kilmuir Estate" ann an *H*, 7.4.1877. Bha an sgrìobhaiche gu math fada an aghaidh an uachdarain, an Caiptin Friseal (no MacUisdein mar a theirte ris; faic Oran 27, s. 14 n.), a cheannaich an oighreachd bhon Mhorair Dhòmhnallach ann an 1855. Choisinn e fìor dhroch cliù airson a bhith a' daoradh an fhearainn (faic Hunter, *Crofting Community*, 133). 'S esan an Caiptin air a bheil Màiri a' bruidhinn ann an s. 25. Anns an sgrìobhadh ann an *H* thugadh tarraing air "ogha an Dotair Bhàin" (s. 14), 's e sin Alasdair Ruadh an Dòmhnallaich, a bha na bhàillidh airson oighreachd Chille Mhoire.

Tha a' chlach ris an abrar "Clach Ard Uige" na seasamh taobh shuas a' bhaile dlùth air an taigh-sgoile. Anns an òran seo, tha Màiri a' toirt misneach do mhuinntir Chille Mhoire, 's i ag ràdh gu bheil Gàidheil Ghrianaig agus Ghlaschu glè dheònach taic a thoirt dhaibh cuideachd.

169

14 an Dotair Bàn: Alasdair MacLeòid, a rugadh ann an Cille Pheadair, Uibhist a Deas, ann an 1788. Bha e ainmeil, chan ann a-mhàin mar lighiche, ach mar bhàillidh ann an Uibhist 's air oighreachdan a' Mhorair Dhòmhnallaich anns an Eilean Sgiathanach (*G*, àir. 3, 21–4; MacDhòmhnaill, *Crìochan Ura*, 40–4; MacKenzie, *Old Skye Tales*, 112–5). Faic Oran 12, ss. 95–6 n.

32–5 Faic Oran 7.

36–9 Faic Oran 27, s. 29–32 n.

48–9 Faic Oran 1, s. 45 n.

27. DUILLEAG BHO BHEALACH NAN CABAR
(gu Comunn Camanachd nan Sgiathanach an Glaschu)

Mo ghaol na Gàidheil fhiachail,
A dh'fhàg an t-Eilean Sgiathach,
'S a h-uile taobh gan triall iad
  Len gnìomh gun tèid am faithneachadh.   4

Gun soirbhich leis na fiùrain
Tha fad' o thìr an dùthcha,
An Glaschu mòr nam bùithean
  Ag ùrachadh na camanachd.   8

'S ged thugadh uaibh ur n-àitean
'S na glinn san deach ur n-àrach
Cha tugadh uaibh ur càirdeas,
  Ur bàidhealachd 's ur carantas.   12

'S nuair chuireadh an t-slat-sgiùrsaidh
Fo chruthannan MhicUisdein,
'S ann shìn e air cur cùl ribh,
  Is dh'fhàg e Uige falamh dhibh.   16

B' e chiad nì air na chrom e,
Bhith plùcadh sìos nam banntrach,
'S Fear-togalach an cinn,
  Gun do sheall e cuid da amaideachd.   20

Cò 'n neach riamh a theann ris
Nach d'fhairich fuachd na h-oidhche,
'S nach deachaidh sìos gun choinnlean,
  Nam bloighdean leis na bearrannan?   24

'S chaidh innse dhomh le càirdean
Nach cuireadh breug air nàbaidh
Gur ann air an t-Sàbaid
  A rinn e 'n àird a phlanachan.   28

Nach b' iad aoghairean gun chùram
A chùm am beòil cho dùinte,
A' faicinn sliochd nan diùlnach
  Gan sgiùrsadh às am paraistean.   32

171

'S ged thog thu aitreabh luachmhor
Air làrach na mnà-uaisle,
Na mairbh a bha san uaigh,
  Gun do sguab iad sìos don ghainneimh i. 36

Gun dh'aithnicheadh a chuid rìomhachd
Air cladaichean Chinn-tìre,
'S cuid eile dhiubh nam mìrean,
  A' dol air tìr an Talasgair. 40

'S a' chuid a bha e pianadh,
'S nach fàgadh e leth-bhliadhna,
Gun tug an cuirp an fhianais
  Gun do dhìoladh an cuid fala air. 44

'S gun smaoinich e a-pluim
Gun robh nis an lach air cheann aig',
Nuair a dh'èigh e mìle bonn
  Air an dream a bha cur sgannail air. 48

'S an àite nan deich ceud
A dhèanadh pàirt den chall a lìonadh,
Cha robh ach leth-cheud spìocach,
  'S gun d'rinneadh fhiach de dh'fhanaid air. 52

'S gur e mo chrìdh' tha cràiteach
A' faicinn dìol mo chàirdean,
Gam pianadh ris an àiteach,
  'S nach dèan am bàrr an fhallaid dhaibh. 56

An uair a thig an samhradh,
Gan riasladh air a' Ghalldachd,
'S na gheibh iad a chur cruinn
  Ga thoirt dha an geall nam feannagan. 60

'S nan robh muir is mòinteach
Air fhàgail mar bu chòir dhaibh,
Bhiodh èideadh agus lòn aca
  'S dòigh ann air am fanadh iad. 64

Beannachd leibh, a chàirdean,
'S gun soirbhich anns a' bhlàr leibh,
'S ma thig sibh mu Fhèill Màrtainn,
  'S e Uig' ur n-àite camanachd. 68

'S ma chumas mi mo shlàinte,
'S gun ruig mi Glaschu sàbhailt',
Gun tèid mi staigh gur fàrdaich,
Chur fàilt' oirbh 's gur beannachadh.   72

NOTAICHEAN AIR ORAN 27

Bun-teacst: *DO*, 121.

Am is adhbhar an òrain: Tha a' mhòr-chuid den òran seo a' toirt iom-
radh air tubaist a thachair don Chaiptin Fhriseal, uachdaran Chille
Mhoire, anns an Dàmhair 1877, nuair a chaidh an taigh mòr aige fhèin
agus cladh Uige a sguabadh a-mach gu muir le tuil eagalach. Chaidh man-
aidsear na h-oighreachd, Dàibhidh Feargasdan, a bhàthadh, agus rinn-
eadh droch dhìol air an oighreachd gu lèir.

Rinneadh iomradh air an tubaist ann an *H*, 3.11.1877, agus thug an
sgrìobhaiche seachad na beachdan a leanas:

> The belief throughout the parish is that the disaster is a judgement
> upon Captain Fraser's property. It is very remarkable, it is said, that
> all the destruction of property in Skye is confined to his estate...At
> Uig, there are two rivers about half a mile apart. These came down
> with dreadful rapidity...What looks so singular is that the two rivers
> should break through every barrier and aim at Captain Fraser's
> house. Again it is strange that nearly all the dead buried in Uig dur-
> ing the last 500 years should be brought up as it were against the
> house, as if the dead in their graves arose to perform the work of
> vengeance which the living had not the spirit to execute. But
> although the living would not put forth a hand themselves against
> the laird, they do not hesitate to express their regret that the pro-
> prietor was not in the place of the manager when he was swept
> away.

B' e deireadh a' ghnothaich gun deachaidh Iain MacMhuirich, fear-
deasachaidh a' *Highlander*, a thoirt gu cùirt leis a' Chaiptin Friseal air-
son na tàire a rinn am pàipear air. Dh'iarr an Caiptin mìle not mar èirig,
ach cha do cheadaich a' chùirt dha ach lethcheud not. Cha robh a'
Highlander ann an staid ro mhath a thaobh airgid roimhe seo, ach rinn
Iain MacMhuirich oidhirp air tuilleadh airgid a thrusadh, 's chùm am
pàipear a' dol gu deireadh 1881 (*H*, 24.11.1877, 30.3.1878, 6.4.1878).
  Tha ss. 49–2 a' nochdadh gun do rinn Mairi an t-òran an dèidh na binne
a thugadh air a' *Highlander* – 's dòcha ùine ghoirid an dèidh sin.
  'S e "Bealach nan Cabar" am bealach àrd eadar Idrigil agus

Sgudaborg, agus tha an dòigh anns a bheil Màiri a' bruidhinn a' toirt oirnn
a chreidsinn gu robh i anns an Eilean Sgiathanach nuair a rinn i an t-òran.
'S e an rud as cinntiche nach robh i ann an Glaschu aig an àm (ss. 69–70).

14 MacUisdein: B' e seo an t-ainm-sloinnidh (*patronymic*) aig
Frisealaich Ghiùsachain agus Chuil-bhàicidh (*Frasers of Guisachan and
Culbokie*) anns an Eilean Dubh. 'S ann don fhine sin a bhuineadh an
Caiptin Uilleam Friseal (1828–1908), ged as ann à Siorramchd Narainn
a bha e. 'S e Caiptin anns an Arm a bha ann; faic *HN*, 23.5.1908 airson
iomradh a bhàis.

21–4 Tha Màiri a' toirt iomradh an seo air cho suarach 's a bha am
Frisealach, gu h-àraid nuair a bhiodh dùil gun toireadh e cuid oidhche do
neach sam bith a bha ga h-iarraidh. An àite aoidheachd, chan fhaigheadh
daoine ach cead na coise, gun eadhon solas a shoilleiricheadh an slighe
dhaibh air oidhche dhorcha. Rachadh iad a dhìth ("Nam bloighdean leis
na bearrannan", s. 24; 's e sin, "nan criomagan le bhith a' tuiteam air na
bruachan creagach") a chionn 's gu robh an taigh mòr cho faisg air a'
chladach. Bha beusan an Fhrisealaich mar sin a' dol calg dhìreach an
aghaidh seann chleachdadh na fèille, mar a bu dual do na cinn-fheadhna.
'S e uachdaran ùr, coimheach a bha ann.

29–32 Tha e coltach gur h-iad ministearan na h-Eaglais Shaoir ann an
Snìosart is Cille Mhoire a tha fa-near do Mhàiri an seo. Bha daoine a'
fàgail orra nach robh iad idir deònach an guth a thogail an aghaidh dol
a-mach an Fhrisealaich, a chionn 's gu robh iad na chomain airson
làraichean nan eaglaisean; faic MacPhail, *Crofters' War*, 104, agus
Meek, *Tuath is Tighearna*, 178–9.

33 aitreabh luachmhor: Bha an "aitreabh" (*Lodge*) aig a' Chaiptin
Friseal air a suidheachadh air iomall Bàgh Uige, mu lethcheud slat os
cionn a' chladaich. Ged a dh'fhalbh an "aitreabh" leis an tuil, chìthear
fhathast an tùr a thog e ann an Uige. Faic McKean, *Hebridean Song-
maker*, 11–14.

34 làrach na mnà-uaisle: Chan eil mi cinnteach cò a' bhean-uasal air a
bheil Màiri a-mach. Bha ceangal aig Fionnghal NicDhòmhnaill ris an
sgìre seo (agus gu h-àraid ri Cille Mhoire), agus faodaidh gu bheil i a'
toirt iomradh oirre an seo.

28. GAISGICH LOCH CARANN
(a chothaich cho duineil às leth sìth agus sàmhchair na
Sàbaid)

Fàilte dhuibh is slàinte leibh;
'S i 'n t-slàint' a chuirinn às ur dèidh;
Fàilte dhuibh is slàinte leibh.

Beannachd uam gu Sròm Loch Carann,   4
'S do gach caraid anns a' chlèir,
Nochd an eud air taobh na Sàbaid,
    'S an àithne na h-àite fhèin.

Leugh sinn le aoibhneas 's aiteas,   8
Sibhs' a dhol dhachaigh gun bheud,
'S nach d'fhàgadh aon spuaic de mhì-chliu
    Air an linn a thig nur dèidh.

Chì gach neach dhan aithne facail   12
'S acarachd an lagh gu lèir,
Gura dream a rinn an ceartas
    Ghiùlaineas am masladh fhèin.

Ged a bha mo bhinn-sa tàireil,   16
'S tàmailteach greis dem rè,
Cha tug i ach truaghan Bàillidh,
    'S cha b' aithne dha àite fhèin.

Ach bha e sgainnealach ri chluinntinn   20
'S mìcheadach ri chur an cèill,
Gu robh Breitheamh anns an rìoghachd
    Bheireadh binn oirbh cho geur.

Nuair gheibh mortairean is meàirlich   24
Cead an tàlant fad an rè,
Ma thèid neach a dhìon na Sàbaid
    Thèid an ceathramh àithn' fo sgèith.

Dream a chreach 's a spùill an rìoghachd,   28
'S a chuir mìltean às am feum —
Gheibheadh meàirleach othaisg bhracsaidh
    Fhichead fhad' 's a fhuair iad fhèin.

175

'S e 'm beachd a bh' aig daoine dìleas 32
Anns gach linn gu nise fhèin,
Gur e 'n cùram riamh don t-Sàbaid
    Choisinn do na Gàidheil euchd.

Ged a tha ur rìoghachd peacach, 36
Air a meudachadh le fèin,
Tha fhathast beò de na seann diùlnaich
    Chumas an cùrsa rèidh.

Tha MacColla is MacAidhe, 40
'S Maighstir Ard, an diùlnach treun,
Is MacCuinn am frìth Srath Narann —
    Chumadh e 'm balla leis fhèin.

Measg na cuid a rinn ur còmhnadh, 44
Bha 'n Gòrdanach, an curaidh treun,
Na sheanailear air Gàidheil Ghlaschu
    'S na chùl-taice dhaibh nam feum.

Dhearbh an t-Ollamh Begg don t-saoghal 48
A' chaonnag air ceann a threud;
Chuir e batail leibh gu dìleas,
    'S dh'fhàg e dhìleab às a dhèidh.

An t-Ollamh Ceanadach, an saighdear, 52
'S tric chuir aoibhneas air a threud,
Dhèanadh air an t-Sàbaid fialachd —
    Sàbaid shìorraidh aige fhèin!

'S fhad' on dh'innis Maighstir Lachlann 56
Anns an eachdraidh aige fhèin,
Gun èisdeadh creagan Locha Carann
    Ris an sgannal seo na dhèidh.

Dh'innseadh seo le Seumas Stiùbhart, 60
Bha 'n Slumba, 's nach dèanadh breug,
Gun d'èisd e fhèin ris na facail
    Bho bheul Mhaighstir Lachlainn fhèin.

Thubhairt e 's na deòir na shùilean, 64
'S a chridhe brùchdadh le eud,
Gum fàsadh craobh anns a' chùbaid
    Mar cho-dhùnadh air a sgeul.

Fada 'n deaghaidh bàs an diùlnaich 68
Dh'fhàs a' chraobh gu h-ùrail rèidh,
Tha i nise 'n deaghaidh lùbadh
'S a glùinean am beul a clèibh.

Soirbheachadh le fir Loch Carann 72
Sheas cho duineil anns an t-sreup,
'S aig a' bhaile, 's on a' bhaile,
Seasaibh daingeann ri ur creud.

NOTAICHEAN AIR ORAN 28

Bun-teacst: *DO*, 300.

Am is adhbhar an òrain: Thachair an aimhreit air a bheil Màiri a' bruidhinn an seo anns an t-Sròm air Latha na Sàbaid, 3.6.1883. A chionn 's gu robh e duilich iasg a thoirt bhon t-Sròm ann an àm airson nam margaidhean madainn Diluain, rinn muinntir an èisg oidhirp air na bàtaichean fhalmhachadh Latha na Sàbaid. Cha do chòrd seo ri mòran, agus rinneadh ar-a-mach le mu cheud gu leth duine, 's mòran chroitearan nam measg. Beagan làithean an dèidh sin, chaidh buidheann mòr de shaighdearan 's de phoileasmain à Dùn Eideann 's Fort George a chur don t-Sròm air eagal 's gun tachradh a leithid a-rithist. Chaidh deichnear a chur an grèim airson na h-aimhreit, 's thugadh dhaibh ceithir mìosan prìosain an t-aon, ged a thuirt am breitheamh gu robh an fheadhainn a chruinnich glè rianail, ach a-mhàin nuair a dh'fheuch am poileas agus muinntir an rathaid-iarainn rin cur dhachaigh (*OT*, 28.7.1883). Rinn Màiri an t-òran seo nuair a fhuair na fir a-mach às a' phrìosan. Faic MacConnell, *The Strome Ferry Railway Riot of 1883*.

18 truaghan Bàillidh: Faic Oran 1, s. 45 n.

40 MacColla: Alasdair MacColla, a bha na mhinistear san Eaglais Shaoir. Bha e an toiseach mun Chomraich. Chaidh a ghairm do Dhiùirinis san Eilean Sgiathanach ann an 1852; do Chille Chuimein 's Gleann Moireasdan ann an 1870; 's do Loch Aillse ann an 1877 (*AFC*, i, 217).

MacAidhe: Faic Oran 1, s. 86 n.

41 Maighstir Ard: Gustavus Aird, a bha san Eaglais Shaoir ann an Craoich (*Creich*) ann an Cataibh o 1843 gu 1898 (*AFC*, i, 78).

42 MacCuinn: Iain MacCuinn, Sgiathanach a bha na mhinistear anns an Eaglais Shaoir ann an Deimhidh (*Daviot*) o 1867 gu 1891 (*ibid.*, 257).

43 'm balla: iomradh air balla Ierusaleim; faic Nehemiah, iv.

45–6 an Gòrdanach: Evan Gordon, ministear na h-Eaglais Shaoir ann an Duke Street ann an Glaschu o 1869 gu 1894 (*ibid.*, 172). Tha Màiri ri fealla-dhà nuair a tha i ag ràdh gu bheil e na "sheanailear", oir tha i ga choimeas ris an t-Seanailear Teàrlach Gordon ("Gordon of Khartoum") (1833–85), an saighdear ainmeil Breatannach a bha a' sabaid anns an Eiphit aig an àm seo.

48–51 Chuir an t-Urr. Seumas Begg air chois coithional na h-Eaglais Shaoir ann an Newington ann an Dùn Eideann ùine ghoirid an dèidh 1843. Bha e air cheann buidheann a' *Chonstitution* anns an trioblaid a bhuail an Eaglais Shaor eadar 1863 is 1873. Bha e ainmeil cuideachd airson a bhith a' seasamh an aghaidh misg is bochdainn am measg dhaoine (*ibid.*, 93–4).

52 an t-Ollamh Ceanadach: Iain Ceanadach, ministear na h-Eaglais Shaoir ann an Inbhir Pheotharain o 1844 gu 1884 (*ibid.*, 198).

56 Maighstir Lachlann: Lachlann MacCoinnich, Loch Carann (1754–1819), ministear glè ainmeil. Bha e an toiseach na mhaighstir-sgoile san sgìreachd, 's na mhinistear an dèidh 1772 (*FES*, vi, 161).

64–71 Ged nach eil Màiri a' toirt iomradh ach air aon chraoibh, tha e air aithris gun tuirt Maighstir Lachlann gum fàsadh dà chraoibh mar dhearbhadh air an dòigh anns an do theagaisg e an sluagh le seòladh an Spioraid Naoimh. Dh'fhàsadh na craobhan air gach taobh den làrach far an robh a' chùbaid aige, 's nuair a thuiteadh iad, bhiodh sin na chomharradh gu robh truaillidheachd nan làithean deireannach air tòiseachadh (Campbell, *The Rev. Mr Lachlann of Lochcarron: Additional Lectures, Sermons and Writings*, 23).

29. COINNEAMH NAN CROITEARAN

Fàilte dhuibh, 's deagh shlàinte dhuibh;
'S i 'n fhàilte chuirinn 's ur dèidh;
Fàilte dhuibh, 's deagh shlàinte dhuibh.

Tha nise dà fhichead bliadhn'   4
Ach ceithir mìosan aig an àm,
Bhon ghabh mi beannachd dhe mo chàirdean
 Aig Beul-àtha-nan-trì-allt.

'S iomadh tonn a chaidh thar m' aodainn, 8
Smaointinn a chaidh tro mo cheann,
Bhon shuidh mi 'n toiseach air an làraich
Aig Beul-àtha-nan-trì-allt.

'S iomadh ceann a chaidh an currac   12
'S osna mhuladach gu cheann,
Bhon chaidh na mìltean againn àireamh
Aig Beul-àtha-nan-trì-allt.

Bha sluagh a' tional às gach ceàrna   16
Mar a bhàrcas tuil nam beann,
Dh'èisdeachd teachdaireachd na slàinte,
Gu Beul-àtha-nan-trì-allt.

Tha iad a-nise ann am Pàrras   20
Rinn an fhàistneachd aig an àm,
Gun rachte gu Cùirt na Bànrigh
Bho Bheul-àtha-nan-trì-allt.

Chunnaic sinn bristeadh na fàire,   24
'S neòil na tràillealachd air chall,
An là a sheas MacCaluim làimh rinn
Aig Beul-àtha-nan-trì-allt.

Bha cheann-teagaisg anns a' Ghàidhlig, 28
'S èisdeadh "Arasaig" ra chainnt,
Bhon leudaich e air eachdraidh Ahaib
Aig Beul-àtha-nan-trì-allt.

'S beag bha smaointinn aig "Hàman"   32
Gun cluinnte gu bràth a chainnt,
Ach leughadh i le deagh MhacPhàrlain
Aig Beul-àtha-nan-trì-allt.

179

"Martar Ghleann Dail" air ceann coinneimh de na croitearan Sgiathanach

Thuirt cuid de na bha san làthair,   36
'G èisdeachd ri màbadh an clann,
Gum b' airidh e air bogadh bàthaidh
Aig Beul-àtha-nan-trì-allt.

Chuimhnich mi mnathan a' Bhràighe,   40
'S dìol mo chàirdean aig an àm,
'S nuair nochd poileasman no dhà ruinn
Aig Beul-àtha-nan-trì-allt,

'S e coltas slachdan buntàta   44
Bh' aig na h-àrmainn mar an lann,
'S cumadh poit-ghuirmein mo mhàthar
Air a chàradh air an ceann.

Dha na fir cha toir sinn tàire,   48
'S taing dhan Agh gu bheil iad ann,
Ach gheibh sinn fhathast gnìomh as fheàrr dhaibh
Aig Beul-àtha-nan-trì-allt.

'S e uachdarain, maoir, is bàillidhean   52
Chuir ar fàrdach bun-os-ceann,
Gum biodh feum air gin gu bràth dhiubh
Aig Beul-àtha-nan-trì-allt.

Beannachd uainn gu muinntir Lunnainn,   56
Sheas cho duineil air ar ceann,
'S gum faod sinn labhairt le dànachd
Aig Beul-àtha-nan-trì-allt.

Beannachd gu Uisdean MacAidhe   60
Bhris a' bheàrna dha ar clann,
'S cha d'fhàg iad clach na làraich
Aig Beul-àtha-nan-trì-allt.

NOTAICHEAN AIR ORAN 29

Bun-teacst: *DO*, 153.

Am is adhbhar an òrain: Chumadh a' choinneamh seo air 13.5.1884.
Bha mu ochd ceud croitear Sgiathanach aice, à Snìosart, Diùirinis,
Bhatairnis is Bràcadail. Bha iad a' deasbad co-dhùnaidhean a'
Choimisein Rìoghail a bha a' rannsachadh cor nan croitearan ann an
1883. An dèidh an deasbaid chuir iad tagradh a dh'ionnsaigh a'

Phrìomhaire Gladstone gum bu chòir an cumhachd fuadachaidh a thoirt air falbh bho na h-uachdarain.

Bha Iain MacMhuirich, "Martar Ghleann Dail", air cheann gnothaich; faic Oran 35, s. 71 n. (*OT*, 17.5.1884; 31.5.1884.)

4–5 Ma ghabhas earbsa cur às a' chunntasachd aig Màiri, tha na sreathan seo a' nochdadh gun do dh'fhàg i an t-Eilean Sgiathanach timcheall air an t-Sultain 1844.

12–19 Tha Màiri a' bruidhinn an seo mu na coinneamhan mòra soisgeul-ach a bhiodh an t-Urramach Ruairidh MacLeòid, Snìosart, a' cumail aig Beul-àtha-nan-trì-allt ann an 1843. Bha dùsgadh anns an Eilean eadar 1841 is 1843, agus thatar ag ràdh gum biodh eadar còig is naoi mìle duine aig cuid de na coinneamhan (Brown, *Annals of the Disruption*, 203–4).

20 Maighstir Ruairidh fhèin, 's dòcha.

26 MacCaluim: Dòmhnall MacCaluim, a bha na mhinistear anns an Eaglais Stèidhichte ann an Hàlainn ann a' Bhatairnis o 1883 gu 1887. Bha e an dèidh seo ann an Tiriodh (1887–9), is ann an sgìreachd nan Loch ann an Leòdhas (1887–1920). Bha e ainmeil anns a h-uile àite airson na rinn e air taobh nan croitearan, oir bha e na fhear-labhairt barraichte ann a bhith a' tagradh an còirichean. Ann an 1886 chaidh a chur don phrìosan ann am Port Rìgh airson, mar a tha e fhèin ag ràdh, "inciting the lieges to violence and class hatred". (*FES*, vii, 204–5; Meek, "The Prophet of Waternish"; MacCallum, "My Arrest", *The Old and the New Highlands*, 109-12; MacLean, *Set Free*, 52–67, 133. 'S fhiach a ràdh nach eil iom-radh MhicIlleathain agus iomradh MhicCaluim fhèin air mar a chaidh a chur an sàs idir a' tighinn a rèir a chèile.)

29 "Arasaig": Bhiodh "Arasaig" a' sgrìobhadh litrichean gu na pàip-earan-naidheachd a' cur an aghaidh MhicCaluim, 's gu h-àraid a' cur an aghaidh a' mheasgachaidh de dhiadhachd 's de phoileataics a bhiodh na òraidean (e.g. *OT*, 31.5.1884).

30 Tha eadar-theangachadh gu Beurla air an òraid aig MacCaluim ann an *OT*, 24.5.1884. Seo am pìos mu Ahab:

> The lairds did worse than Ahab did. They took the inheritance of their fathers from the crofters and offered not other land or payment for it. The factors have rendered the same service to the lairds which Jezebel rendered her husband, King Ahab. She was a first class fac-tor. She got Naboth out of the way.

32 "Hàman": Tha e air aithris ann an *OT*, 31.5.1884, gun deachaidh litrichean o MhacLeòid Dhùn Bheagain agus o bhàillidh Hiort a leughadh aig a' choinneimh 's gun do chuir seo fearg air an t-sluagh. 'S dòcha gum b' e "Hàman" MacLeòid Dhùn Bheagain.

34 MacPhàrlain: Cha b' e seo Dòmhnall Horne MacPhàrlain, ach fear dom b' ainm A. MacPhàrlain, a bha a rèir choltais na rùnaire air aon de bhuidhnean nan croitearan.

40–1 Faic Oran 35, ss. 13–28.

48–9 'S iad na mnathan a bha air thoiseach aig Blàr a' Chumhaing. Faic Oran 35, ss. 25–8.

56 muinntir Lunnainn: B' ann an Lunnainn a chuireadh air chois a' *Highland Land Law Reform Association* anns a' Mhàrt 1883. Ged a bha am buidheann seo air a stèidheachadh air mhodh a' *Land League* Eireannaich, cha do ghabh iad ris an ainm *Highland Land League* gu 1886, ged as e a' *Land League* a tha aig a h-uile duine orra an-diugh (Hunter, "The Politics of Highland Land Reform", *Scottish Historical Review*, 53 (1), 50–1).

60 Uisdean MacAidhe: Chan eil lorg ach air aon Uisdean MacAidhe, a bha na Iar-cheann-suidhe air Comunn Gàidhealach Ghrianaig ann an 1881 (*OT*, 2.4.1881).

30. TOBAR DHRUIM A' MHARGAIDH

Ho rò, gur aoibhneach an naidheachd,
'S na Gàidheil le aighear ga sheinn,
Gun d'nochd sibh an spiorad san Oban,
A chumail a' chòir ri ar cloinn. 4

Nam faigheadh luchd-càrnadh an fhortain
An cead gus an cosgadh am miann,
Chan fhaigheamaid òirleach den talamh
No sealladh der faileas fon ghrian. 8

Nan gabhadh an iarmailt a mhalairt,
Mar ghabhas am fearann a roinn,
Chan fhaiceamaid rionnag no gealach,
No tarraing ar n-anail dhen ghaoith. 12

Nuair sheulaicheadh laghan an fhearainn
Gu spùilleadh gach anam dhe roinn,
Gun d'dhùin iad na sruthannan glana
Rinn diùlnaich cho fallain dher linn. 16

Ma chuireas neach cas às an rathad,
Ged bhitheadh am pathadh ga chlaoidh,
Tha bhinn air a sgrìobhadh mu choinneamh,
Le òrdugh an t-Siorraim, 's nam maor. 20

Tha litrichean mòr' air an tarraing
Air bòrdaibh geal os a chionn
Anns a' chànain nach tuigeadh mo sheanair,
"Thoir aire gun d'cheannaich mi 'm fonn". 24

Tha an t-Oban làn chraobhan ro-fhiachail,
A' fàs gus an iarmailt gun mheang;
Chan fhacas riamh coille gun chrìonaich,
'S dh'fhàs droigheann à freumhaibh nan Gall. 28

Nam bithinn-s' a' tàmh anns an Oban,
'S mo chòir mar tha cuid dhe na th' ann,
Gun seallainn an doras don chòignear
A thionndaidh an còt' air an druim. 32

NOTAICHEAN AIR ORAN 30

Bun-teacst: *DO*, 280. Nochd an t-òran seo an toiseach ann an *OT*, 27.12.1884.

Am is adhbhar an òrain: Nuair a thàinig Rathad-iarainn Chalasraid agus an Obain don Oban ann an 1880, cheannaich companaidh an rathaid-iarainn pìos fearainn, anns an robh Tobar Dhruim a' Mhargaidh. Bha na daoine a bhiodh a' cleachdadh an tobair den bheachd gu robh buadhan sònraichte anns an uisge, agus bha eadhon fear-gnothaich air taigh-obrach a thogail faisg air làimh far am biodh e a' dèanamh dheochannan-milis a bha an eisimeil sruth an tobair airson am feabhais. 'S ann an 1884 a thòisich an aimhreit air a bheil Màiri a' bruidhinn anns an òran seo. Thog muinntir an rathaid-iarainn callaid fhiodha eadar an rathad mòr agus an tobar, agus cha tug iad rabhadh sam bith do shluagh a' bhaile. Chaidh a' chùis gu deasbad, anns na pàipearan-naidheachd (mar a chìth-ear ann an *OT*) agus air feadh an àite. Mu dheireadh, chaidh coinneamh mhòr de mhuinntir a' bhaile a chumail ann an Ceàrnag Earra-Ghàidheal, agus thog an sluagh orra, le ministear agus comhairliche air an ceann, a thoirt ionnsaigh air a' challaid. Bhris iad a' challaid na bloighean. Ràinig cùisean Cùirt an t-Seisein, ach cha tàinig iad gu ìre. Faic Thomas, *The Callander and Oban Railway*, 143–5.

Anns an òran seo, tha Màiri a' toirt taic do mhuinntir an Obain, ach tha i cuideachd a' comharrachadh mar a tha ceannach-fearainn prìobh-aideach a' cur bacadh air còirichean nàdarra an t-sluaigh.

4 cloinn: 'S e *clann* a tha ann an *DO*, ach tha *cloinn* a' cur comhardadh nas fheàrr (le *seinn*, s. 2) anns an t-sreath.

20 nam maor: na maoir, *DO*.

31. NUAIR CHAIDH NA CEITHIR UR OIRRE

Nuair chaidh na ceithir ùr oirre
Dhen darach làidir shùbailte;
Nuair chaidh na ceithir ùr oirre.

Siud far an robh an sgioba neònach   4
Ghabh an t-aiseag aig an t-Sròma,
A shealltainn air mnaoi-uasail chòir
    Bha còir aice thaobh dùthchais air.

Ged a shiùbhladh tu 'n Roinn Eòrpa   8
Taghadh sgioba dhan a' gheòlaidh,
Chan fhaigheadh tu a dhà cho neònach
    Ris a' chòrr bha thriùir innte.

Bha Teàrlach Friseal Mac-an-Tòisich,   12
'S Màiri Nighean Iain Bhàin nan òran,
Coinneach Beag is Eachann Og,
    'S an t-òigear "Clach na Cùdainn" innt'.

Thuirt a' "Chlach" rium fhèin cho stàirneil,   16
"Fuirich thusa muigh, a Mhàiri,
Gun tig Calum air do thàillibh —
    Bheir thu àite triùir a-mach.

"Ma thig thusa staigh don bhàta,   20
Bidh sinn uile 'n cunnart bàthaidh;
Feumaidh mise beagan dàil
    Gum faighear fàth air m' iompachadh."

Chaidh mi staigh innte le sùrdaig,   24
'S shìn a' "Chlach" air monmhar ùrnaigh,
"Fhreasdail, cùm sinn bhon a' ghrunnd,
    Bhon chaill i na bha thùr aice."

Thuirt Coinneach Dòmhnallach ri Teàrlach,   28
"'S glic a dhol a-mach 's a fàgail."
Labhair Eachann Og, an t-àrmann,
    "Cha bhi càil a chùram dhuinn.

"Ged tha m' athair-sa ri àbhachd,   32
Chan eil cùram air mu Mhàiri,
Bheir iad sinn gu caladh sàbhailt
    Thar nan tonnan dùbhghorm."

(*Thuirt Coinneach*)

"Tha seachd clacha deug am Màiri,   36
'S a' "Chùdainn" an còrr de dh'àireamh;
Is cunnartach a dhol gu sàil
   Le màraisgich gun iompachadh."

Shuidh sinn suas oirre gu socrach   40
Cur ar cas ri taice tobhta,
Le sgionan locrach 's ràimh à Lochlainn,
   'S choisinn sinn am biùthaiste.

Dh'iomair sinn le nuallain òrain,   44
'S chual' iad air gach taobh dhen t-Sròm sinn;
Thàinig an sluagh na ar còmhdhail,
   'S sòlas feadh na dùthcha rinn.

Thòisich a' "Chlach" le chuid spàraig   48
Air a cur mun cuairt air Màiri —
"Dh'fheuchadh siud ri mac do mhàthar,
   Ged bu Gheàrrloch dùbailt thu!"

Dh'iomair sinn gu caladh sàbhailt,   52
'S choinnich Bealag air an tràigh sinn;
Chuir i ceud is mìle fàilt' oirnn,
   'S Teàrlach air an tùs againn.

Sin chuir Teàrlach oirre fàilte   56
Gu cridheil le crathadh làimhe,
Gabhail ioghnaidh ris a' bhàidh
   'S an t-seirc a dh'fhàs sa ghnùis aice.

Chuimhnich sinn air an òran   60
Rinn an diùlnach Niall MacLeòid dhi,
'S nuair a fhuair sinn air ar dòigh,
   Gun thòisich sinn air ionnsachadh.

Nuair a ràinig sinn an fhàrdach,   64
Cha robh Fearchar còir an làthair;
Dh'fhàg e dìleab aig a chàirdean
   Bhios gu bràth na chliù aca.

NOTAICHEAN AIR ORAN 31

Bun-teacst: *DO*, 62. Ann an *DO*, 's e "'A' Chlach' agus Màiri" as ainm don òran seo, ach an-diugh 's aithne do dhaoine e air ciad shreath na sèis-de.

Am is adhbhar an òrain: Tha an cuspair air a mhìneachadh ann an *DO* mar a leanas:

> Connsachadh eadar "A' Chlach" agus Màiri a' dol a-staigh do bhàta beag aig Port an t-Stròim, agus i trom gu leòr mar bha i; "A' Chlach" a' cumail Màiri a-mach, agus ag ràdh, "Ma thig thusa staigh bidh sinn anns a' ghrunnd." "Ma bhios", arsa Màiri, "far am bi sinn, bidh sinn còmhla ann."

Tha e soilleir bho ss. 65–7 gun do rinn Màiri an t-òran seo uaireigin an dèidh bàs Fhearchair MhicRath ann an 1883. Ged a tha i ag ràdh gun deachaidh i fhèin 's an fheadhainn a bha còmhla rithe "a shealltainn air mnaoi-uasail chòir" (s. 6), tha e cho dòcha gu robh ceangal aig an turas ri gnothaichean poileataigeach bhon a bha Teàrlach Friseal Mac-an-Tòisich 's a luchd-cuideachaidh ann. Dh'fhaodadh an turas a bhith cho anmoch ri 1885, 's gu dearbh 's iongantach gum biodh am buidheann cho aoibhneach mura biodh ùine air a dhol seachad bhon a chaochail Fearchar MacRath.

1 na ceithir ùr: na ràimh a bha air a' gheòla, 's dòcha. Faic s. 42 n.

6–7 Bean Fhearchair MhicRath, aig an robh an North Strome Hotel. Bha i de Chloinn MhicCoinnich na Comraich. Chaochail i ann an 1897 (*SH*, 4.11.1897).

14 Coinneach Beag: Coinneach Dòmhnallach. Faic Oran 6, s. 40 n.

Eachann Og: Eachann Ròsach MacCoinnich, mac Alasdair MhicCoinnich, "Clach na Cùdainn", a rugadh ann an 1867. (Faic "Genealogy of the Author" aig cùl MacKenzie, *History of the Clan MacKenzie*.)

15 Bha Alasdair MacCoinnich, "Clach na Cùdainn", air duine cho ainm-eil 's a bh' anns a' Ghàidhealtachd aig an àm. Rugadh e ann an Geàrrloch ann an 1838. Ann an 1861 chaidh e do Cholchester, far an tug e a-mach a cheàird mar fhear-aodaich. Thill e do dh'Inbhir Nis ann an 1869, agus stèidhich e fhèin 's a bhràthair bùth aodaich ann an Taigh Clach na Cùdainn anns an t-Sràid Aird. B' ann mar sin a choisinn e am farainm. B' e obair litreachais a bu mhotha a fhuair cliù dha am measg nan Gàidheal. Chuir e air chois an iris, *The Celtic Magazine* (1876–88) agus am pàipear-naidheachd, *The Scottish Highlander* (1885–98). A bharrachd air sin, sgrìobh e mòran leabhraichean air eachdraidh agus cinnidhean nan Gàidheal. Dhiubh sin 's dòcha gur h-e *The Highland Clearances* (1883) as ainmeile an-diugh. Chaochail e ann an 1898 (*SH*, 27.1.1898).

18 Calum: am mac a bu shine aig Fearchar MacRath. Fhuair e an taigh-òsda an dèidh a mhàthar (*SH*, 4.11.1897).

42 sgionan locrach: pìosan fiodha ('s e sin, ràimh) a bha air an loc-rachadh (*planed*) gus an robh iad cho geur ri sgionan (àireamh iolra an ainmeir *sgian*).

ràimh à Lochlainn: Tha amharas agam gur h-e *Norway oars* a tha fa-near do Mhàiri an seo, 's e sin ràimh mhatha a bha air an cleachdadh anns an dùthaich sin air tùs.

43 Tha Màiri ri fealla-dhà anns a' cheathramh seo, 's i a' bruidhinn mar gum biodh a' gheòla (anns an robh i fhèin 's na daoine troma eile!) a' gabhail pàirt ann an rèis. Nam bheachd-sa, 's e am *biùthaiste* an duais aig ceann na rèise.

51 'S ann do Gheàrrloch a bhuineadh Alasdair MacCoinnich. Faic s. 15 n.

53 Bealag: nighean do dh'Fhearchar MacRath. Bha i pòsda aig Iain MacCoinnich aig an robh ceangal ri Pattillo & Co. a bha a' reic èisg ann an Inbhir Nis (*ibid*.).

60–1 Nochd an t-òran seo, "Duanag do Bhealag", anns a' chiad chlò-bhualadh de *Chlàrsach an Doire* (1883), 24–5.

65–7 Tha iomradh-bàis Bean MhicRath ag ràdh gun do chaochail Fearchar ceithir bliadhna deug roimhpe fhèin, 's e sin ann an 1883 (*SH*, 4.11.1897).

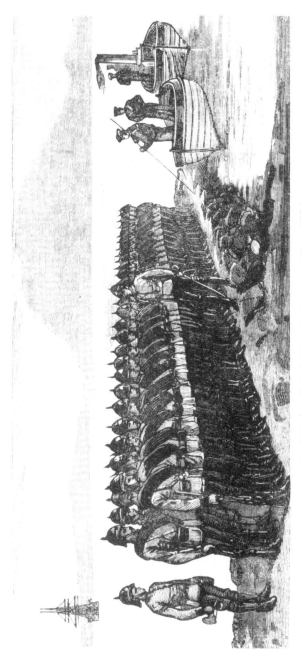

Na "Marines" a' tighinn air tìr ann an Uige, 1884

32. BROSNACHADH NAN GAIDHEAL

Cuiribh Teàrlach suas le aighear,
'S deagh MhacPhàrlain suas le caithreim;
Cuiribh Aonghas suas le buaidh
Air ceann an t-sluaigh far 'n d'fhuair e aran.   4

Chuidich siud le neart nan Gàidheal
Air taobh Theàrlaich Bhàin gun mhearachd,
Na sgeith an *Courier* de chlàbar,
'S ann am fàbhar ri Sir Coinneach.   8

Cuiribh Teàrlach suas le cliù,
Oir dhearbh e dhuibh a dhùrachd cheana,
Is gheibh sibh cead air fèidh nan stùc,
Is còir às ùr air bhur cuid fearainn.   12

Sa cheàrn sna dh'àithneadh dhuinn le Dia,
Chan fhaod sinn triall air sliabh no gainneimh;
A h-uile ni 'n robh smear no luach
Gun spùinn iad uainn le lagh an fhearainn.   16

Chan eil bileag ghorm no uaine
Far 'n robh dualachas mo sheanar,
Leis na bric tha snàmh fon chuan,
Nach tug iad uainn, a dheòin no dh'aindeoin.   20

Ma thog neach eisir ann an cliabh
No maorach ann am meadhan mara,
Thèid an cur fo ghlais 's fo dhìon
Le laghan diongmhalt' dìon an fhearainn.   24

Faodaidh gu bheil a' chainnt seo garbh,
Ach 's tric tha 'n fhìrinn searbh ri labhairt —
Chaidh luingeas-chogaidh 's sluagh fo airm
A dhìon 's a theàrmann lagh an fhearainn.   28

Nuair a bha na h-uachdarain cruinn
Ann am baile-cinn na siorrachd,
Cuimhnichear ri iomadh linn
An guim a rinn iad gus ar mealladh.   32

Sgrìobh iad àithne dhaingeann, dhian
Don ionad air nach dèan sinn labhairt,
Na h-aingle is am fear nach b' fhiach
A thighinn a riaghladh lagh an fhearainn.   36

191

Nuair leugh Ivory an àithne,
Chunnt e chuid a b' fheàrr da aingil,
Ach dh'fhàg e chuid thàinig [dh]an Bhràighe,
Oir bha 'n cnàmhan air am prannadh.   40

"Togaidh sinn oirnn do na glinn
Leis na tha de Ghoill fa-near dhuinn,
'S ma bhios sibhse fom chomannd,
Thèid an ceannsachadh dhan aindeoin."   44

Nuair a ràinig iad na glinn,
'S ann bha na suinn nach dèanadh mearachd
Air an crioslachadh le fìrinn
'S cha robh innleachd air am prannadh.   48

Ghlaoidh Ivory an sin le gruaim
Ris na truaghain, a chuid aingeal,
"Chan fhaigh sinn am feasd a' bhuaidh;
'S e seo an sluagh a fhuair a' bheannachd.   52

"Cha till mise gun mo dhiùmbadh;
Nì mi cùirt am measg nan aingeal;
Bheir mi bheathachadh bho Dhùghall,
'S cuiridh mi an crùn air Calum."   56

Dh'ainmichinn iad air an cinn
Bha seinn air ainneart luchd an fhearainn,
A thionndaidh 'n còta air an druim,
'S a dh'ith na rainn dhen d'rinn iad ealain;   60

Falbh le leabhraichean 's gan seinn
Dha na suinn a bh' aig a' bhaile,
"Gheibh sibh mil air bhàrr an fheòir
Am Manitòba, is na fanaibh."   64

Phàigh na h-uachdarain dhaibh duais
Mas do ghluais iad on a' bhaile,
Ach 's e 'n gad air an robh 'n t-iasg
A fhuair na sìochairean, 's iad falamh.   68

192

NOTAICHEAN AIR ORAN 32

Bun-teacst: *DO*, 150.

Am is adhbhar an òrain: Rinn Màiri an t-òran seo ron Taghadh Phàrlamaid a chumadh anns an Dùbhlachd 1885. Bha Teàrlach Friseal Mac-an-Tòisich a' seasamh airson Siorramachd Inbhir Nis às leth a' *Highland Land Law Reform Association*. Chuir an H.L.L.R.A. suas ceithir fir eile: Dòmhnall Horne MacPhàrlain (Earra-Ghàidheal); Ruairidh Dòmhnallach (Siorramachd Rois); Aonghas Sutharlain (Cataibh); agus Gavin Clark (Gallaibh). Dhiubh sin, b' e Aonghas Sutharlain a-mhàin nach do bhuannaich. Airson iomradh air gach duine, faic Meek, *Tuath is Tighearna*, 319–26.

2 deagh MhacPhàrlain: Dòmhnall MacPhàrlain a bha na Bhall Pàrlamaid airson Siorramachd Earra-Ghàidheal o 1885 gu 1886 's a-rithist o 1892 gu 1895. Thòisich e ann am poileataics mar am Ball Pàrlamaid airson Contae Cheatharlaich (*Co. Carlow*) ann an Eirinn. B' ann an sin a chuir e eòlas air beachdan an Eireannaich ainmeil, Teàrlach Stiùbhart Parnell, a rinn uiread a thaobh ceist an fhearainn anns an dùthaich sin. Aig an aon àm 's a bha e na Bhall Pàrlamaid airson Cheatharlaich, bhiodh e a' togail ceist an fhearainn sa Ghàidhealtachd, is choisinn e dha fhèin am farainm "the Member for Skye" nuair a thòisich an aimhreit an sin. Faic Meek, "Catholic Knight of Crofting", *TGSI*, 58 (1992–94), 70–122.

3–4 Rugadh is thogadh Aonghas Sutharlain ann am Bun Ilidh ann an Cataibh.

7–8 Tha e follaiseach gu robh an *Inverness Courier* glè fhada air taobh Shir Coinnich MhicCoinnich aig an àm seo, is a cheart cho fada an aghaidh Mhic-an-Tòisich.

21–2 Faic Oran 22, ss. 31–2 n.

27–8 Anns an t-Samhain 1884 chaidh feachd de shaighdearan a chur don Eilean Sgiathanach air a' bhàta-chogaidh "Assistance" 's bàta beag no dhà comhla rithe. Thàinig na saighdearan air tìr ann an Uige, 's an sin chaidh iad air chuairt do Stamhain 's do Bhaltos, 's sheòl iad mu dheireadh do Ghleann Dail. Bha aimhreit eadar na saighdearan 's na croitearan, is chaidh feadhainn de na croitearan a chur an sàs, nam measg Tormod Stiùbhart, i.e. "Parnell" (faic Oran 35, ss. 9–12 n.). Bha an Siorram Ivory air cheann nan saighdearan. A rèir choltais, 's ann mu na tachartasan seo a tha Màiri a' bruidhinn anns a' chòrr den òran.

29–32 'S iongantach mura bheil Màiri a' bruidhinn an seo mu na *Commissioners of Supply* ann an Inbhir Nis. Bha a' mhòr-chuid dhiubh nan uachdarain is bha e mar fhiachaibh orra poileasmain a chur do na h-oighreachdan aca a chumail smachd air an dùthaich. A rèir choltais, bha iad a' cur an taic ris na bha an Siorram Ivory a' feuchainn ri dhèanamh ann a bhith a' smachdachadh muinntir na h-aimhreit.

35–6 Tha e air a ràdh gun tug an Siorram Ivory an t-ainm "Satan and his angels" air fhèin 's air a chuideachd.

37–40 Faic Oran 35, ss. 21–8.

61 leabhraichean: Chaidh leabhar no dhà a chur a-mach an dèidh 1880 a' moladh Mhanitòba. Tha iomradh air aon leabhar Gàidhlig fon ainm Bheurla *Cheap Home in Manitoba*. Chaidh a chlò-bhualadh ann an Inbhir Nis ann an 1883.

33. FREAGRADH MAIRI GU GAIDHEIL GHRIANAIG

Beannachd dùbailte do dh'Uisdean,
'S fhad' tha chliù an clò,
'S do MhacNeacail fear mo rùin,
'S b' e ogha 'n diùlnaich chòir,   4
Bha feòraich air mo shon sa Ghàidhlig,
"Mhàiri, bheil thu beò,
No bheil thu 'm prìosan mar tha càch
An Eilean àrd a' Cheò?"   8

Taing dhuibh, tha mi fallain, slàn,
Gun chnead, gun chràdh, gun leòn,
'S mo bhothan làn gu seasgair, blàth,
'S gun fhàilinn air mo lòn;   12
Ach bha mi roimh' ac' ann am prìosan,
Le innleachd dhaoine mòr',
Ach tha mi nise air neò-'r-thaing
Nan aingidh, seinn mo cheòil.   16

Cha toir mi oilbheum le mo chainnt,
A' cur nan rann air dòigh;
Tha nise ceithir bliadhna deug
Bhon phian iad mi gun chòir;   20
'S am Bàillidh truagh a thug mo bhinn,
Is dìblidh bochd a chrò,
Ga fhalach fhèin an tìribh cèin,
'S cha chluinnt' a sgeul nas mò.   24

Saoil nach uamhasach an gnìomh
Th' air inns' an Tìr a' Cheò,
A' mhàthair chaomh 's an naoidhean gaoil,
Le h-àlach maoth gun treòir,   28
A bhith gan slaodadh aig an laoisg,
Gun truas rin gaoir no 'n deòir,
'S gan spùilleadh dhe na bh' aca 'n t-saoghal
De mhaoin gan cumail beò.   32

Is cinnt gu bheil ur cridhe làn
'S gach ceàrn tha fo na neòil,
A' cluinntinn càramh luchd ar gràidh
Far 'n deach ar n-àrach òg;   36
Nuair bhios an linn tha 'n-diugh an làthair
Cian a' cnàmh fon fhòid,
Gum fàgar eachdraidh leis na bàird
Air Eilean àrd a' Cheò.   40

Chaidh mi 'n-dè a-staigh [dh]an chùirt,
'S bha ùin' agam gu leòr
A ghabhail beachd air a' cheann-iùil
Fhuair ùghdarras cho mòr; 44
Gun smaoinich mi le dreach a ghnùis,
A shùil gun iochd, 's fo shròin,
Gun dh' èirich *Claverhouse* bhon uaigh,
Le shnuadh mar a bha e beò. 48

Ghabh mi beachd air bho mo shùil,
Bho chrùn a chinn gu bhròig;
Bha chlaigeann cruinn gun mheachainn ann,
Cur dìon air roinn de phròis; 52
Ach bha den bhrùid air cùl a chluas
Na shuaicheantas gu leòr,
Gum b' urr' e 'n t-olc a chur an gnìomh
'S gun fhiamh a chur air fheòil. 56

Tha d' eachdraidh air a sgrìobhadh sìos
Le peann nach crìon gu bràth,
Mar bha an *Cardinal* o chian
A' pianadh clann nan gràs; 60
Tha do theiste fìor am fìrinn Dhia,
Do chainnt is gnìomh do làmh,
'S gur mìorbhaileach gum fàsadh feur
Far na chuir a' bhiast a spàg. 64

Bha Achan truagh aige na champ,
Is fhad' on thoill e ròp —
MacRaibeart crainndidh shàr le pheann
An naoidhean fann gun ghò; 68
Cha b' fhuil neochiontach an gnìomh,
Ged dhòirt' i sìos gu bhròig;
Ach bha mi pròiseil às mo shluagh
A dh'fhàg an truaghan beò. 72

Is iomadh sùil on tug thu deur
Is cridhe shnìomh le bròn,
Bhon thriall thu 'n toiseach air an fheur
Nad bhliadhnaich luim gun treòir; 76
Tha mallachd dhaoine 's mallachd Dhia
A' lìonadh suas do stòir,
'S mur faigh thu tròcair ann ad ghnìomh,
Cha chrìochnaichear do bhròn. 80

Bha onair eil' aca nan cùrs'
Gu 'n cliù a chur an clò,
Nuair ghlacadh leò na cinn-iùil,
Gan dùnadh ann an crò,   84
Le facail uilebheiste nam beann,
Gan cur an làimh gun chòir,
Ach fhuair iad saorsa air neò-'r-thaing
Na bh' aca nàimhdean beò.   88

Taing do cheannaichean Phort Rìgh,
'S gach aon a ghabh ar pàirt,
A sheas cho dìleas anns an strì
Chur dìon air linn nan sàr —   92
Do Dhonnchadh Mòr, an diùlnach suairc,
Gan cumail suas le lòn,
'S nach fàgadh aon dhiubh fo shnaidhm chruaidh
Cho fad' 's a dh'fhuasgladh òr.   96

Tha 'n Fhìrinn fhèin a' cur an cèill
Mar dh'èireas dhan a' chòir,
'S gun teich an t-eucoireach leis fhèin
Gun chreutair air a thòir;   100
Nuair chaidh na h-Eiphitich air ghleus
Fon ceannard fhèin b' e 'm bròn
Gun sgoilt an cuan gach taobh mar stuaigh
'S gun d'fhuair an sluagh às beò.   104

Ach phàigh iad Eiphitich le duais
Gun truas ri sean no òg,
Nuair spùill iad uapa na bha shuas,
'S nach faight' a-nuas an còrr;   108
Cho fad 's a dh'iadhas tuinn a' chuain,
'S tha rionnag shuas sna neòil,
Bidh cuimhn air uachdarain is tuath-cheathairn
Eilein uain' a' Cheò.   112

Fhuair mi naidheachd oidhche Mhàirt,
Chuir nàdar bhàrr a dòigh,
Bean MhicMhaoilein a bhith 'n sàs —
B' i ogha 'n àrmainn chòir —   116
Aig triùir a luchd nam poitean-guirmein
Falbh len cuirm air dhòrn,
A' cosnadh *medal* mar an duais,
Gu cumail suas a ghlòir.   120

Taing don Agh nach robh mi shìos
A' faicinn dìol a' bhròin,
A' falbh gun stiall sìos às a ciall
'S na "h-ainglean" dìon an còir;   124
Gun tugainn racaid dhan fhear liath
Ga chur an neul le dòrn,
Ged a chùmte mi fo dhìon
An iarainn ri mo bheò.   128

Cumaibh taic ri druim na dream
A fhuair an t-sreang nan dòrn,
Ga cumail teann gum brist an t-snaidhm
Chuir nàimhdean air ar sròin;   132
Is beannachd dùbailt dha na suinn
Nach leinn am fuil no 'm feòil —
Gu Picton grinn 's na ghabh os làimh
Bhith cumail ceann an ròp.   136

Beannachd uainn gu Teàrlach Bàn
Tha ghnàth air taobh na còir,
Is do na sàir a ghlac a làmh
A' cumail chàich air dòigh;   140
'S dhan Ollamh chaomh tha fhuil cho blàth
A' bàrcadh suas na cròic,
A' cluinntinn càramh luchd a ghràidh
An Eilean àrd a' Cheò.   144

Slàn le doilgheas, slàn le daors';
Tha m' aois air tighinn le còir —
Trì fichead bliadhna, còig 's a h-aon —
Cha bhi mo shaoghal mòr;   148
Cuiream mar fhiachaibh air mo dhaoin'
Ma bhios [dh]e mhaoin fom chòir,
Gun càirich sibh mo dhusd ri taobh
Mo chèile gaoil fon fhòd.   152

NOTAICHEAN AIR ORAN 33

Bun-teacst: *DO*, 172.

Am is adhbhar an òrain: Rinn Màiri an t-òran seo mar fhreagairt do litir a fhuair i bho Ghàidheil Ghrianaig. Tha briathran na litreach aig toiseach an òrain ann an *DO*, mar a leanas:

Gu Màiri nighean Iain Bhàin, ann am Bothan Ceann na Coille, Port rìgh, anns an Eilean Sgiathanach. A bheil thu beò, a bhanacharaid, no bheil thu fo ghean mar tha cuid dhe na bha maille riut aig Drochaid a' Bhanna? Ged is tusa a bhrist an tobar agus a rinn rathad don uisge a bha air a ghlasadh suas los nach fhaigheadh do mhnathan-cinnidh deoch dheth, agus an taigh aca air a rùsgadh man ceann leis an duine a bha a' gabhail air a bhith na Chrìosdaidh, is iadsan nach robh uile gu lèir cho ciontach riutsa a fhuair am prìosan. Chan eil fhios againn a bheil thu fo ghean no nach eil, ach tha sinn a' gabhail fadachd mhòir nach cuala sinn umad bhon dhealaich thu ri Uisdean ann an Inbhir Nis. Tha fadachd mhòr air cuid againn, agus gu h-àraid air na lighichean, nach eil thu gad nochdadh fhèin ann an Grianaig. Tha fhios againn ma tha thu ann an Eilean bochd a' Cheò gu bheil do chridhe briste agus do spiorad brùite a' faicinn agus a' cluinntinn dìol do luchd-dùthcha bochd. Chan eil e eu-coltach nach do leig Dia na mhòr ghliocas cead le 'ainglean' a bhith gan geur-leanmhainn; ach gabhadh iadsan misneachd, agus mar a thuirt Màiri a' Ghlinne, chì iad gun "tig Dia ri airc agus nach airc nuair a thig". Tha dòchas againn gu bheil thu slàn mar tha sinne aig an àm seo, agus cluinneamaid uat gu h-aithghearr. Do chàirdean dìleas, MacAoidh agus MacNeacail.

Airson iomradh air Uisdean MacAoidh (no MacAidh, mar tha aig Màiri air), faic Oran 29, s. 60 n.

Tha fhios againn gun deachaidh an t-òran a dhèanamh mu thoiseach na Samhna 1886; tha a' bhliadhna air a dearbhadh leis an fhiosrachadh a tha Màiri fhèin a' toirt dhuinn ann an ss. 19–20. Tha cuspair an òrain cuideachd a' co-fhreagairt gu mionaideach air na thachair anns an Eilean Sgiathanach anmoch san fhoghar 1886, nuair a rinneadh oidhirp air ainfhiach nan croitearan a thaobh chìsean (*rates*) a thrusadh: faic Oran 34 airson tuilleadh mìneachaidh.

21 am Bàillidh truagh: Faic Oran 1, s. 45 n.

27–32 Tha iomradh an seo air na thachair do Bhean MhicRath agus don leanabh aice: faic Oran 34.

43 an ceann-iùil: an Siorram Uilleam Ivory, a bha air ceann gnothaich ann an cùirt Phort Rìgh.

47 *Claverhouse*: Iain Greumach (c. 1648–89), a bhiodh a' geur-leanmhainn luchd a' Choicheangail. Bha e na cheannard air feachd de Ghàidheil a dh'èirich an aghaidh an riaghaltais ùir ann an 1689; chrìochnaich an aiseirigh aig blàr Choille-chnagaidh, agus chaidh *Claverhouse* a mharbhadh. Faic *DSCHT*, 375.

199

59 an *Cardinal*: Is dòcha gur h-e seo *Cardinal Beaton* (?1494–1546) a bha ann an Cill Rìmhinn aig àm an Ath-leasachaidh. Faic *ibid.*, 65–6.

67 MacRaibeart: 'S e Oifigear an t-Siorraim dom b' ainm Alasdair MacDhòmhnaill a chuir an naoidhean aig Bean MhicRath air a' chlàr a dhìoladh nam fiach; chan aithne dhomh gu robh fear den ainm *Robertson* an sàs sa ghnothach.

83–4 Chaidh Iain MacMhuirich, "Martar Ghleann Dail", a chur an grèim agus thugadh dha seachdain sa phrìosan, am feadh 's a bha Ivory a' feuchainn ri fianais a lorg na aghaidh, rud nach deachaidh leis, agus b' fheudar dha am "Martar" a leigeil mu sgaoil. Chaidh an t-Urr. Dòmhnall MacCaluim a chur an sàs aig an aon àm (air an 13mh den t-Samhain 1886), agus bha esan ann am prìosan Phort Rìgh thar deireadh na seachd-ain; faic Meek, "Prophet of Waternish", *West Highland Free Press*, 8 Iuchar 1977, agus Oran 29, s. 26 n.

85 uilebheiste nam beann: Tha Màiri a' toirt tarraing an seo air a' chàineadh a thug Iain Gunna MacAoidh (*John Gunn MacKay*), marsan-ta ann am Port Rìgh, don t-Siorram Ivory, nuair a sgrìobh e gu Rùnaire na Dùthcha ag ràdh gur h-e "judicial monster" a bh' anns an t-Siorram. An lorg sin, chaidh MacAoidh a chur an sàs. Chaidh a leigeil mu sgaoil air airgead-urrais £100. Faic MacPhail, *Crofters' War*, 198–89, airson fiosrachadh mionaideach air na thachair do na ceannardan.

115 Bean MhicMhaoilein: Bean Alasdair MhicMhaoilein, à Hearbusta. Chaidh a cur an sàs nuair a chaidh buidheann shaighdearan do Chille Mhoire gus grèim a dhèanamh air an luchd-fiach aig deireadh an Dàmhair 1886, mar phàirt den ionnsaigh mhòr aig Ivory; faic Meek, *Tuath is Tighearna*, 172–4.

119 medal: Thug Ivory *medals* do na poileasmain a ghlac Tormod Stiùbhart, "Parnell", ann an 1885; faic MacPhail, *Crofters' War*, 196.

135 Picton: Chan eil fhios cò e.

137 Teàrlach Bàn: Teàrlach Friseal Mac-an-Tòisich; faic Oran 6.

141 an t-Ollamh: an t-Ollamh Blackie; faic Oran 11, ss. 167–8 n.

34. ORAN CUMHA AN IBHIRICH

Anns an linn a chaidh seachad, nuair bha tighearnas fearainn a'
saltairt air gach duine, rinn neach àraidh dom b' ainm Sìochaire
MacIbhiri e fhèin comharraichte air taobh an fhòirneirt, gu h-àraid
an aghaidh bhanntrach, dhìlleachdan agus naoidheanan. Thugadh
an t-ainm air do bhrìgh gum b' eòl do gach duine gu robh e suarach
on bhroinn agus ungte na thrusdair. Air dha a bhith air aithris gun
deach an sìochaire gealtach seo a chur fodha an luba dhubh,
beagan na bu doimhne na amhaich, le taod frìthir mu sprogan
agus ceap air a mhullach, sa Mhòintich Mhòir, astar a tuath air
Ceann Loch Chaluim Chille, sheinn Màiri nan Dàn, à Bràigh
Thròtairnis, am marbhrann a leanas:

> Chuala mi sgeul
> 'S ro-aighearach gleus;
> Mur fìrinn, b' e 'm beud cruadalach,
> Mun t-Sìochaire lom
> A bhith dinnt' ann an toll,
> 'S e gun chlàr no gun chlobhd fuaight' uime.   6

> Beannachd don làimh
> A theannaich an t-snaidhm,
> Toirt fùic air a' cheann chruaidh-ghreannach;
> Chuir i 'n Sìochaire maol
> Ann an gainntir gann caol,
> 'S cha toir earraid no maor fuasgladh dha.   12

> 'S uallach bhiodh ceum
> Gach caillich na leum,
> 'S clann bheaga nan rèis luathghaireach,
> Ga do shlaodadh à poll
> Agus sùgan mud chom,
> Dh'ionnsaigh tarraing nan lunn fuaidearnach.   18

> Sguabar gu rèidh
> Gach ùrlar fo chlèith,
> Bidh torrann luchd-teud buaidh-cheòlach;
> Chìtear danns air gach blàr,
> Cluinntear fonn air gach àird
> An robh an gealtair na ràp ruagarnach.   24

201

Saighdear, mas fhìor,
Chan fhacas a ghnìomh
Ach air sitig no liath òtraichean,
'S e na bhòcan air cloinn
'S air mnathan san oidhch',
Gus na sgreamhaich e 'n Roinn Eòrpachail. 30

Grunnas gach druaip
Is mallachd na tuath,
Chaidh ruith-lùb an dual còrcachail
Mun a' ghrèib amhaich chaoil,
Fon an smig a b' olc caoin,
An teannachadh fhaobhair sgòrnanaich. 36

Cuirear le cinnt
Clach ghlas os do chinn
A nochdas gach prìob dhòibheartach,
'S mar a reic thu gach cliù
Airson beagan de spùill,
Tur, mar Iùdas, gud ghrunnd fòtusach. 42

NOTAICHEAN AIR ORAN 34

Bun-teacst: *SH*, 6 January 1887. Gheibhear leagail eile den òran (leagail a tha, cha mhòr, co-ionnan ris an fhear seo) air duilleig-leathainn ann an Cruinneachadh MhicFhionghain (*MacKinnon Collection*), P. 44/53, ann an Leabharlann Oilthigh Dhùn Eideann.

Am is adhbhar an òrain: 'S e na thachair anns an Eilean Sgiathanach anmoch anns an fhoghar 1886 a bhrosnaich Màiri gus an dàn seo a dhèanamh. Chaidh feachd shaighdearan a chur don eilean aig an àm sin, airson taic a thoirt do na h-uachdarain ann a bhith a' trusadh nam fiachan a bha air na croitearan a thaobh chìsean (*rates*). Gheibhear cunntas air an t-suidheachadh ann an Hunter, *Crofting Community*, 165–69, agus MacPhail, *Crofters' War*, 192–99.

'S e cumha fhuadain (*mock elegy*) aoireil air an t-Siorram Uilleam Ivory, ceannard an fheachd, a tha anns an dàn seo. Ged a tha fianais againn gu robh Ivory a' buntainn ri daoine ann an dòigh a bha uaibhreach, àrdanach, agus gòrach air uairean, cha b' esan a-mhàin a bu choireach airson nan gnìomhan mì-thruacanta a rinneadh. Bha cuid de na h-oifigich a bha fo a smachd ciontach cuideachd.

B' e an gnìomh a bu mhiosa a thachair gun deachaidh leanabh a bha dà mhìos a dh'aois a mheas mar èirig airson fhiachan. 'S ann le Bean

MhicRath ann am Peighnis a bha an leanabh, agus chaidh luach a chur air le Oifigear Siorraim dom b' ainm Alasdair Dòmhnallach. Chuir an gnìomh seo fearg is tàmailt air a cho-luchd-obrach; thubhairt an Siorram Blàrach ann an Inbhir Nis gun tug seo mì-chliù is masladh air ofis an t-Siorraim agus air an lagh (SRO.GD.1/36/1/45 (42)). Bha an Dòmhnallach air droch ainm a chosnadh dha fhèin roimhe sin; fhuair e achmhasan on t-Siorram Ivory airson teine a chur ri taigh croiteir ann an Srath Ghlais, an dèidh dha fhuadach (*ibid.*, 1/46), agus chaidh a chur às a dhreuchd car tamaill. A dh'aindeoin sin, fhuair Ivory an tàire air an robh an Dòmhnallach airidh, agus chìthear sin anns an dàn seo, gu h-àraid ann an ss. 25–30.

Bha cuid, gun teagamh, anns an Eilean Sgiathanach a bha mòr às na rinn an Siorram Ivory ann a bhith a' cruinneachadh nam fiachan, agus gu h-àraid mar a shoirbhich leis anns an oidhirp. Chaidh a' chuid a bu mhotha de na fiachan a thogail, agus seo mar a thubhairt an t-Urramach Dòmhnall MacFhionghain, a bha na mhinistear anns an Ath Leathann, ann an litir a sgrìobh e gu Ivory air an 18mh den Dùbhlachd 1886: "We have all great cause of thankfulness who were not in sympathy with the land league at the marked change that your prompt action has had all over the country, in putting down the bad spirit which existed so long" (SRO.GD.1/36/1/47 (29)).

42 Iùdas: iomradh air Iùdas Iscariot, am fear a bu choireach gun deachaidh Crìosd a bhrathadh. Cheannaich e achadh leis an airgead a fhuair e mar phàigheadh airson Crìosd a bhrathadh; faic Gnìomharan nan Abstol, i, 18–20.

35. ORAN BEINN LI

Thugaibh taing dhan a' mhuinntir
Tha fo riaghladh na Bànrigh,
Rinn an lagh dhuinn cho diongmhalt'
    'S nach caill sinn Beinn Lì.   4

Cuiribh beannachd le aiteas
Gu tuathanaich Bhaltois,
Bha air tùs anns a' bhatail,
    'S nach do mheataich san strì.   8

Thugaibh beannachd gu "Pàrnell",
Thug a' bhuaidh air "An t-Sàtan",
Air chor 's nach faicear gu bràth e
    Tighinn air àrainn na tìr.   12

Nuair thàinig e chiad uair
'S lethcheud "aingeal" fo riaghladh,
Chuir e còignear an iarainn
    Ann an crìochan Beinn Lì.   16

'S na diùlnaich a b' uaisle,
'S nach robh riamh ann an tuasaid,
Chaidh na ruighich a shuaineadh
    Gu cruaidh air an dùirn.   20

Chaidh an giùlan leis "na h-aingle",
'S an glasadh an gainntir;
'S a dh'aindeoin cumhachd an nàimhdean,
    'S leò am fonn is Beinn Lì.   24

'S na mnathan bu shuairce
'S bu mhodhaile gluasad,
Chaidh an claiginn a spuaiceadh
    Ann am bruachan Beinn Lì.   28

'S ged bha 'n sealladh na uamhas,
'S an fhuil a' reothadh san luachair
Le slachdain nan truaghan,
    Cha d'fhuair iad Beinn Lì.   32

Siud a' bheinn a tha dealbhach,
'S dhan a' Bhànrigh bha sealbhach,
'S chan eil beinn ann an Albainn
    'N-diugh cho ainmeil 's Beinn Lì.   36

'S iomadh rosg a nì mùthadh
Tighinn air bàta na smùide,
'S iad a' sealltainn len dùrachd
Air bruthaichean Beinn Lì.   40

'S ged tha 'n Cuilithionn is Glàmaig
Measg nam beanntan as àille,
Cha bhi 'n eachdraidh air a fàgail
        Ach aig sàiltean Beinn Lì.   44

Nis *Albannaich* shuairce,
Cùl-taice na tuath-cheathairn,
Thoir an eachdraidh thar chuantan,
        Tha air luaidh ann ar tìr.   48

Cuiribh fios gu Dùn Eideann,
Gu fear tagraidh na h-eucoir,
Agus innsibh dha chlèirich
        Mun euchd rinn Beinn Lì.   52

Cuiribh litir le sòlas
Gu pàipear an Obain,
A bha riamh ga ar còmhnadh
        Bhon là thòisich an strì.   56

Ghabh e bratach na tuath-cheathairn
'S bha i paisgte mu ghuaillean,
'S nuair a thòisich an tuasaid,
        Chaidh i suas ris a' ghaoith.   60

Chaidh i suas ann ar fàbhar
Air na cnocan a b' àirde,
Chumail misnich sna Gàidheil,
        Mar nì gàirich nam pìob.   64

Cuiribh caismeachd a Ghlaschu
Gu *Posta na Seachdain*,
'S bheir an Camshronach sgairteil
        Dhuibh le aiteas a brìgh.   68

Cuiribh fios gu na Dailich
Dh'fhuiling eucoir sa charraid,
'S gu MacMhuirich, mo charaid,
        Nach do dh'fhannaich san strì.   72

'S math an colaisd' am prìosan —
'S fhad' o dh'aithnich mi fhìn sin —
Ach thig buaidh leis an fhìrinn
    Dh'aindeoin innleachd nan daoi. 76

'S math an colaisd' an *Calton* —
'S ceart a dh'fhoghlaim e 'm "Martar",
Ged bha cuid thug às acaid
    Leis an rachd bha nan crìdh. 80

'S nis, a chroitearan ionmhainn,
Cumaibh cuimhn' air MacAonghais,
'S dèanaibh sòlas ri iomradh
    An duine shuilbhearra, ghrinn. 84

'S ged a dh'fhàg e ar sràidean
Le bhanoglach bhàidheil,
Tha i son' ann a' Bhàlaidh
    Dol gu àirigh cruidh-laoigh. 88

'S i athchuing' is ùrnaigh
Gach bochd a bha dlùth dhi
Gum bi toradh an dùrachd
    Na cùrsan a-chaoidh. 92

NOTAICIIEAN AIR ORAN 35

Bun-teacst: *DO*, 110.

Am is adhbhar an òrain: Rinn Màiri an t-òran seo an dèidh do chroitear-
an a' Bhràighe fios fhaotainn bho Chùirt an Fhearainn anns a' Chèitein
1887 gu robh iad a' faighinn còir air feurach Beinn Lì 's gum biodh na
màil aca air an ìsleachadh. 'S e rud mòr a bha an seo, gu h-àraid a thaobh
Beinn Lì, oir b' e feurach na beinne seo a bh' air chùl na tuasaid ainmeil
ris an abair na Sgiathanaich fhèin "Blàr a' Chumhaing" ach ris an abair
luchd na Beurla "The Battle of the Braes".

    Thug am Morair Dòmhnallach còir na beinne bho mhuinntir a'
Bhràighe ann an 1865, 's chaidh a toirt air mhàl do thuathanach. Cha do
chòrd seo idir ri croitearan a' Bhraighe, agus thàinig cùisean gu ìre nuair
a dhiùlt iad am màil fhèin a phàigheadh ann an 1881. Anns a' Ghiblinn
1882 thàinig oifigeach a' Mhorair a thoirt bàirlinnean don fheadhainn
nach do phàigh na màil, agus thug an sluagh air a phàipearan a losgadh.
B' e seo an t-adhbhar gun do chuireadh mu lethcheud poileasman à
Glaschu, fo smachd an t-Siorraim Ivory, don Eilean Sgiathanach a ghlac-

adh nan daoine a bh' air cheann na h-aimhreit. Thachair am blàr fhèin nuair a thàinig Ivory 's a chòmhlan à Port Rìgh tràth sa mhadainn air an 19mh den Ghiblinn. Ghlac iad còignear sa Bhaile Mheadhanach, 's a dh'aon ruith thug mnathan is fir a' bhaile ionnsaigh orra le clachan. Thachair a' chuid a bu mhiosa den bhlàr nuair a bha na poileasmain a' tilleadh tron bhealach a-mach à Gead an t-Sailleir (ann am meadhan a' Bhràighe) – an Cumhang.

Chaidh seachdnar bhan agus mu dhusan poileasman a ghortachadh. Bha Blàr a' Chumhaing na mheadhan làidir air aire an t-saoghail a tharraing gu cor nan croitearan anns a' Ghàidhealtachd.

6 B' iad "tuathanaich" Bhaltois na ciad dhaoine a dhiùlt màil a b' àirde a phàigheadh. Thachair seo ann an 1881 (*CM*, x, 241).

9–12 B' e "Parnell" am farainm air Tormod Stiùbhart à Bhaltos. Fhuair e am farainm bho Theàrlach Stiùbhart Parnell, an t-Eireannach a bh' air chùl na *Land League* anns an dùthaich sin. Thug e "buaidh air an t-Sàtan", 's e sin an Siorram Ivory, ann an Cùirt an t-Seisein anns an Ogmhios 1887, 's thàinig air Ivory £25 a phàigheadh dha. 'S e a b' adhbhar dha seo gun deachaidh "Parnell" a chur don phrìosan ann am Port Rìgh aig deireadh 1884 's toiseach 1885 airson a phàirt anns an aimhreit ann a' Bhaltos nuair a thadhail Ivory 's a shaighdearan an sin (faic Oran 32, ss. 27–8 n.). Nuair a thugadh "Parnell" gu cùirt anns a' Mhàrt 1885, thugadh a' bhinn gu robh e neochiontach. Chuir Ivory an cèill gu follaiseach anns na pàipearan-naidheachd gum b' e "Parnell" aon den fheadhainn a bha a' brosnachadh na h-aimhreit aig an àm. Bha mar sin adhbhar aig "Parnell" air Ivory a thoirt gu cùirt airson tàire (*SH*, 19.5.1887, 7.7.1887).

14 lethcheud "aingeal": Faic Oran 32, ss. 35–6 n.

15 còignear: Alasdair MacFhionnlaigh, Dòmhnall MacNeacail, Seumas MacNeacail, Calum MacFhionnlaigh is Pàdraig Dòmhnallach. Chaidh an toirt do dh'Inbhir Nis far an deachaidh cìs a chur orra (Cameron, *The Old and the New Highlands*, 37).

45 Albannaich: am pàipear-naidheachd, an *Scottish Highlander*. Faic Oran 31, s. 15 n.

50 fear-tagraidh na h-eucoir: Faodaidh gur h-e seo Sir Uilleam Harcourt, an *Lord Advocate*. (Tha mi an comain a' Phroifeasair Uilleim MhicGill'Iosa airson na barail seo.)

54 pàipear an Obain: an t-*Oban Times*. Bha fear-deasachaidh a' phàipeir aig an àm sin, Donnchadh Camshron, glè fhada air taobh nan croitearan. Bha e an dùil seasamh airson Siorramachd Inbhir Nis ann an 1885, gus an do chuir Tèarlach Friseal Mac-an-Tòisich roimhe an aon rud a dhèanamh (*OT*, 7.8.1885).

66 *Posta na Seachdain*: an *Glasgow Weekly Mail*.

67 an Camshronach: an Dotair Tèarlach Camshron, a bha na Bhall Pàrlamaid Liberalach ann an Glaschu. B' ann leis-san a bha na pàipear-an-naidheachd, an *North British Daily Mail* agus an *Glasgow Weekly Mail*.

69 na Dailich: muinntir Ghleann Dail.

71 MacMhuirich, mo charaid: Iain MacMhuirich, "Martar Ghleann Dail", a bha air cheann nan croitearan. Fhuair e am farainm nuair a chaidh e fhèin 's feadhainn eile a chur an sàs airson am pàirt ann an aimhreit a thachair ann an Gleann Dail ann an 1883. Anns an aimhreit chuir na croitearan an sprèidh air feurach air fearann Bhatairsteinn, ged a bha Cùirt an t-Seisein air seo a thoirmeasg. Chaidh MacMhuirich 's a chompanaich do Ghlaschu anns a' Ghiblinn 1883 air bòrd na "Dunara Castle", ged a thàinig long-chogaidh gan iarraidh, oir cha robh iad idir a' smaointeachadh gun do rinn iad droch ghnìomh. Chaidh an cur an sàs an sin, 's bha iad air an glasadh ann am prìosan a' Chalton ann an Dùn Eideann. Fhuair iad uile dà mhìos prìosain anns a' chùirt. An dèidh dhaibh tilleadh dhachaigh, 's e Iain MacMhuirich a bu mhotha a choisinn ainm dha fhèin le bhith a' liubhairt òraidean às leth a' H.L.L.R.A. air feadh an Eilein Sgiathanaich.

82 MacAonghais: Chan urrainn nach e seo Maol-muire (*Myles*) MacAonghais aig an robh dlùth-cheangal ri meur Phort Rìgh den H.L.L.R.A. Bha e na rùnaire air meur an Eilein Sgiathanaich den *Land League* an dèidh 1886. Chan eil e soilleir cuin a dh'fhàg e "ar sràidean" (s. 85). Mas e 's gun deachaidh e fhèin 's a' "bhanoglach bhàidheil" do "Bhàlaidh" ann an 1887, cha d'fhan e fhèin fad' ann, oir tha iomradh air anns an Eilean Sgiathanach ann an *SH*, 20.9.1888, 21.10.1889, 30.1.1890, 15.1.1891, 2.5.1895.

Mar a tha an Dr Iain MacAonghuis (a tha càirdeach do Mhaol-muire) a' cur an cèill dhomh, tha fiosrachadh anns an teaghlach gun deachaidh Maol-muire agus a nighean Màiri ('s e sin a' "bhanoglach bhàidheil" ann an s. 86) don Transvaal ann an Africa a Deas. Faodaidh gur h-e oidhirp air cruth Gàidhealach a chur air *Transvaal* a th' anns an ainm "Bhàlaidh" ann an s. 87, agus nach eil gnothach sam bith aige ris an eilean air a bheil an t-ainm sin faisg air Uibhist a Tuath. An do thill Maol-muire bhon Transvaal ro dheireadh 1888, ged a dh'fhuirich Màiri ann?

36. ACHMHASAN BEAG DO ALASDAIR DOMHNALLACH

'S iongantach leam fhèin do nàdar
'S gur ogha don Dotair Bhàn thu,
Sabaid ri fir mhòr' a' Bhràighe,
Fàsgadh asda gamhlas.   4

Ged a bhruidhinn thu mun sgadan,
Cha tuirt thu dùrd mun a' bhradan,
No na h-eòin a tha san ealtainn,
Gan glacadh gun taing dhuinn.   8

Faighnich thusa Phàdraig Bàn,
'S innsidh e dhut ann an Gàidhlig
H-uile bolla de mhin bhàn
Tha 'n dàil orra bho Chaingis.   12

Chuir mise fios gu "Clach na Cùdainn",
'S faighnichidh e 'n Inbhir Uraidh,
'S nuair thilleas iad ga ionnsaigh,
An cunntas bidh meall ann.   16

Nuair thig fios o fhear nan lìon
Tha cumail riutha 'n uidheam iasgaich,
H-uile not a tha orra dh'fhiachan,
Feuch an dèan thu 'n cunntas.   20

Smaoineacheadh gach bolla mine
Rinneadh a bhleith anns a' mhuileann,
Bho chionn fichead bliadhna 's tuilleadh,
'S furasda ri chunntas.   24

Chan eil bàillidh anns an t-siorrachd
Chuireas sgleò air sùil an t-siorraim,
'S lagh na fìrinn air a bhilean,
'S sgil aige ga roinn da.   28

NOTAICHEAN AIR ORAN 36

Bun-teacst: *DO*, 278.

Am is adhbhar an òrain: Chan eil e soilleir cuin a rinn Màiri an t-òran
seo, ach faodaidh gu bheil s. 26 a' leigeil fhaicinn gun deachaidh a chur

209

ri chèile nuair a bha Cùirt an Fhearainn a' rannsachadh feurach Beinn Lì anns a' Chèitein 1887. Tha an t-òran a' leigeil fhaicinn gu robh Alasdair Ruadh an Dòmhnallaich, am bàillidh, a' cur às leth croitearan a' Bhràighe nach e a-mhàin nach robh iad a' pàigheadh a' mhàil, ach nach robh iad a' pàigheadh ghnothaichean eile cuideachd. Cf. Oran 12, ss. 95–6 n.

9 Pàdraig Bàn: Pàdraig MacNeacail, a bha na mharsanta ann an Ratharsair. Bhiodh e a' reic bathair ri muinntir a' Bhràighe.

13 "Clach na Cùdainn": Faic Oran 31, s. 15 n.

26 an siorram: Faodaidh gum b' e seo an Siorram Brand a bha air cheann rannsachadh Cùirt an Fhearainn nuair a bha iad a' deasbad feurach is màl a' Bhràighe anns a' Chèitein 1887.

CAOCHLADH NA TIRE

(Orain 37–40)

Bha Màiri an-còmhnaidh mothachail air mar a bha an t-Eilean Sgiathanach, agus a' Ghàidhealtachd gu lèir cuideachd, ag atharrachadh rè nam bliadhnachan, ri linn fuadaich is imrich. Tha i a' toirt iomradh air a' chaochladh seo ann an iomadh òran; gheibhear tarraing air ann an Oran 1, agus gu sònraichte ann an Orain 11–14.

Bha an t-atharrachadh seo ri fhaicinn aig an aon àm 's a bha cùisean eile, mar strì nan croitearan airson ceartais, a' soirbheachadh. A dh'aindeoin gach adhartais, bha mùthadh mòr a' tighinn air na coimhearsnachdan, agus bha Màiri gu h-àraid a' caoidh mar a dh'fhalbh a cuideachd fhèin 's mar a shearg an co-chomann a bha aca o shean. Cha robh am blàths anns na coimhearsnachdan a b' àbhaist a bhith annta; ann an Oran 37, tha i ag ràdh gur h-iad na coin a tha ga coinneachadh nuair a thilleas i, "cur na fàilt' orm cho fuar" (s. 24), 's nach e a muinntir fhèin. Fairichidh sinn an dòrainn a tha na cridhe, oir tha sinn ann an siud còmhla rithe, a' cluinntinn nan con, a' faicinn nan làraichean, 's a' faireachdainn an fhuachd. Tha na seann chleachdaidhean a' sìoladh às cuideachd, mar a tha i a' cur an cèill dhuinn. Bha òrain air a' chuspair seo cumanta anns an naoidheamh linn deug (faic Meek, *Tuath is Tighearna*, 20-1).

Ach tha Màiri a' tuigsinn gu bheil "cunnart anns a' bhròn air uair" (Oran 37, s. 68). Am meadhan gach mùthaidh, tha lasag an dòchais, agus chì sinn sin ann an Oran 38. Ged a tha Màiri brònach mu na thachair do Theàrlach Friseal Mac-an-Tòisich anns an Taghadh Phàrlamaid, tha naidheachd mhath ann mu na frìthean. 'S e na thachair do "Theàrlach Bàn" as cuspair do Oran 39, far a bheil i a' fàgail beannachd aige. Tha an dòchas a bha na cridhe an-còmhnaidh a' strì an aghaidh an dubhachais, 's bha i a' faicinn math is dona an lùib a chèile. Bha a bhuil air na rinn Teàrlach, agus bhiodh sin air bhilean an t-sluaigh gu bràth.

Ann an Oran 40, tha Màiri ri fàidheadaireachd, 's i ag ràdh gun till "gineal na tuatha / Rinneadh fhuadach thar sàile" (ss. 13–14). Bidh na "glinn air an àiteach", bidh na seann chleachdaidhean ann am meadhan na coimhearsnachd, 's bidh an caochladh air a chur ceart. Bu treun agus bu mhòr an sealladh a bh' aice. Cha do mhùch an saoghal caochlaideach, cruaidh anns an robh i beò an "èibhleag uasal" (Oran 5, s. 15) a bha na cridhe.

37. SORAIDH LEIS AN NOLLAIG UIR

Soraidh leis an Nollaig ùir,
Thogadh gean air comann ciùin,
'S air nach cuireadh reodhadh giùig,
    Ged a bhiodh an Dùbhlachd fuar.   4

Dh'fhàg mi Eilean gaoil nan Sgiath
Bho chionn còrr 's dà fhichead bliadhn',
'S mar a chaochail iad an rian,
    'S cianail leam a dhol ga luaidh.   8

'S iomadh Gàidheal tha fo bhròn
A thogadh ann an Tìr a' Cheò,
Ga thachdadh anns a' bhaile mhòr
    Le stùr agus le ceò a' ghuail.   12

Agus mìltean air dol fàs
Dh'fhearann torach bheireadh bàrr,
Far na dh'àraicheadh na sàir
    Anns na blàir a chuireadh ruaig.   16

Ach thàinig caochladh air na neòil,
Air na cnuic is air na lòin;
Far an robh na daoine còir',
    'S e th' ann caoraich mhòr' is uain.   20

Nuair a nochd mi ris an àit'
Far an robh mo shluagh a' tàmh,
Coin a' comhartaich rim shàil,
    Cur na fàilt' orm cho fuar.   24

Nuair a ràinig mi na dùin,
Taigh mo sheanmhar sìos na smùir;
Toman rainich fàs sa chùil
    Far an robh mi mùirneach uair.   28

'S ràinig mi Tobar a' Mhàil
Far an tric a dh'òl mi sàth —
Sligean eisirean na mhàs,
    'S tha e 'n-diugh cho làn de dhruaip.   32

Ràinig mi tobar Iain Bhàin;
Dh'ainmichinn athair mo ghràidh,
'S na clachan mar a chuir a làmh
    Air am fàgail dhomh mar dhuais.   36

Nuair a sheas mi os an cionn,
Shil na frasan bho mo shùil,
Cuimhneachadh air luchd mo rùin
    A tha 'n-diugh san ùir nan suain.   40

Chaill mo bhuadhan uile 'n lùth,
'S thàinig neul a' bhàis am ghnùis;
Dh'òl mi làn mo bhois den bhùrn,
    'S rinn e m' ùrachadh san uair.   44

Ràinig mi 'n tobhta bha làn
Uair le cuid, is sluagh, is gràn,
Far an tric an d'rinneadh bàidh
    Ris na h-ànraich a bh' air chuairt.   48

Dh'fheuch mi 'm faithnichinn an t-àit'
Far an robh mo mhàthair ghràidh
Suidhe maille rium mun chlàr,
    'S i gar sàsachadh le uaill.   52

Ach cha robh ùrnaigh ga cur suas
Anns an fhàrdaich nach robh fuar,
'G iarraidh bheannachdan a-nuas
    Air an t-sluagh a bhiodh na broinn.   56

Cha robh mi fada san àit'
Nuair a chaidh an sgeul os àird —
"Thàinig Màiri nighean Iain Bhàin,
    'S tha i tàmh sa ghleann ud shuas."   60

Chruinnich an sin luchd mo ghràidh
A' cur furan orm le fàilt',
'S thuirt gach aon thug dhomh a làmh,
    "Bidh cuimhne air Iain Bàn gun fhuath."   64

Thiormaich mi 'n sin suas mo dheòir,
'S thòisich mi air seinn mo cheòil,
Chumail m' aigne air a dòigh —
    Tha cunnart anns a' bhròn air uair.   68

'S chaidh mi sìos ri taobh an lòin,
Far an tric an robh mi òg,
Dh'iasgach chaimheineach le snòd,
    'S iad nan greòdan ris a' bhruaich.   72

Chaidh mi sìos thun a' bheul-àth
Far am bithinn tric a' snàmh,
'S thug mi cuigealach nam màg
    Leam mar chuimhn' air gràdh an t-sluaigh.   76

Ach cha robh maighdeann no bean òg
A' snìomh an t-snàth gu dèanamh clò,
'N duine 's maid' aige na dhòrn
    Falbh air tòir na mnatha-luaidh.   80

Nuair a chruinnicheadh gach òigh,
'S ann an siud a bhiodh an ròic,
Measair chabhraich air a' bhòrd,
    'S na fleasgaich anns an t-seòmar shuas.   84

Cha robh seiche ga cur suas
Air an spàrr gu 'm biodh i cruaidh —
Oidhche Challainn tighinn a-nuas,
    'S chluinnte fuaim oirre len cloinn.   88

Nuair a chruinnicheadh an greòd,
'S ann an siud a bhiodh an ròl,
'G èigheach "Challainn, Challainn Ò!"
    'S fear a' tòiseachadh ri dhuan.   92

H-uile fear 's a chasan rùisgt',
'S caman aig' air chaol da dhùirn,
Sracadh dhroineagan le sùrd,
    Cur bhannagan nan smùr 's nam bruan.   96

Nuair thàinig crìoch air an duain
Bhiodh an caisean Callainn suas,
Bean-an-taighe 's i gun ghruaim,
    Tighinn a-nuas dhaibh leis an dram.   100

Cha b' e glainne bheag gun tuar
Gheibheadh gille glas an duain,
Ach slige-chreachainn cur ma bruaich,
    Chuireadh tuainealaich na cheann.   104

Ach chuala mi guth air mo chùl,
Mar gun èireadh neach on ùir —
"Nach eil Lachlann Og an Uird
    Na cheann-iùil air ceann an t-sluaigh?"   108

Gum faithnich sinn air na cluain,
Air na daisean 's iodhlann chruach,
Gu robh cridheachan an t-sluaigh
Gan cur suas cho math rin làimh.   112

NOTAICHEAN AIR ORAN 37

Bun-teacst: *DO*, 14.

Am is adhbhar an òrain: Ma ghabhas earbsa cur às na tha Màiri ag ràdh
(ss. 5–6), 's dòcha gun deachaidh an t-òran seo a chur ri chèile uaireigin
mu 1884. Air an làimh eile, shaoileadh duine bho na tha i ag ràdh gu robh
i air ùr thilleadh à Glaschu (1882). Faodaidh gu robh i a' dol thairis às ùr
air na faireachdainnean a bh' aice an uair sin.

85–104 Tha na sreathan seo a' toirt iomradh air cleachdaidhean na seann
Nollaige, 's e sin na cleachdaidhean a b' àbhaist a bhith aig daoine aig a'
Challainn: an t-seiche (craiceann ainmhidh) a bhiodhte a' cur air na gill-
ean air oidhche Challainn, 's càch anns an taigh ga bhualadh; an duan a
bhiodh aig na gillean Callainn; na camain a bhiodh aca fa chomhair na
h-iomain air latha na Bliadhn' Uire; agus na bannagan a bhiodh bean-an-
taighe a' toirt do na gillean Callainn. Ann an ss. 95–6, tha Màiri ag ràdh
gum biodh na droineagan (faic am Faclair) agus na bannagan sin gan
cleachdadh mar chnapagan, 's gam briseadh leis na camain. An uair sin
bhiodh bean-an-taighe a' riarachadh na cuideachd le biadh is deoch. Faic
MacLennan, "Shinty: Some Fact and Fiction", *TGSI*, 59 (1994–96),
203–8.

98 caisean Callainn: coinnlean air an dèanamh bho earbaill no craicinn-
uchd chaorach air an suaineadh ann an aodach 's air am bogadh ann an
geir (MacLennan, *ibid.*; agus MacDonald, *Gaelic Words and
Expressions*, 58, s.v. *caisean cullaig*).

107 Lachlann Og an Uird: Faic Oran 22.

38. MAR A THA

Ach dh'fhalbh na seann nithean uainn,
'S tha nithean nuadha nan àit';
Tha cuid nach deach a-null air chuan
Dhinn air cruadalach ri tràigh.   4

Ach fhuair sinn naidheachd gu ar miann
A tha riaraicht' lem chàil,
Gu bheil frìthean nam fiadh
Gan cur sìos gus an làr.   8

Dùisgibh, a luchd mo ghaoil,
'S bithibh a-mach an tràths',
'S cuiribh teine ris an fhraoch
'S èiridh laoich na ur pàirt.   12

Bidh "Bail' Ailein" air ur ceann
Gabhail suim dhe ur càs,
'S cha bhi leud a shròin air chall
Aig an t-sonn nach bi a-bhàn.   16

Cuiridh "A' Chlach" air a dhòigh
H-uile feòirling tha fàs,
Eadar seo is Taigh Iain Ghròit
A bheir òr airson màil.   20

Gu bheil diùlnach ro threun
An Dùn Eideann a' tàmh,
Agus Dùghall cho gleusd',
Is cho eudmhor mur càs.   24

Tha soideanach de dhuine còir
Rinn ar còmhnadh mu thràth,
Mac 'Ic Dhòmhnaill sa Mhòrthir,
'S bithidh 'n còrr air a shàil.   28

Thàinig fios a-null thar chuain
Nuair a chual' iad ar càs –
"Seasaidh sinne mar bu dual
Ri ur gualainn sa bhlàr."   32

Chunnaic mi rud le mo shùil
Nach robh dùil a'm gu bràth,
Gu robh aon na mo dhùthaich
A dh'ùmhalaich dhà;   36

A' giùlan duine 's e leth-mharbh
Eadar gharbhlach is chàrn,
A' toirt uainn ar cuid seilg
Is ar leanaban dol bàs.　　　　　　　　40

A Ceann t-Sàile nam bò
Far an robh còmhnaidh nan sàr,
Cuiribh Winans le chuid òir
Mhanitòba a thàmh.　　　　　　　　44

Mura toir sibh buille chruaidh
Fhad 's a tha 'n tuagh na ur làimh,
Cumaidh iad sibh dol mun cuairt
Na ur truaghain gu bràth.　　　　　　　　48

Nach e cuid a bh' às an ciall
Leig an t-srian às an làimh,
Ghabh an gad air an robh an t-iasg
'S dubhan 's biathadh aig càch.　　　　　　　　52

Chuir sibh cùl ris an t-seud
Sheas cho treun às ur pàirt,
Bhrist an t-slighe dhuibh nur feum,
'S a rinn rèidh i do chàch.　　　　　　　　56

Chuir sibh cùl ris an t-sonn
A ghabh suim dhe ur càs,
Sheas cho duineil air a bhuinn
Anns gach puing na ur pàirt.　　　　　　　　60

NOTAICHEAN AIR ORAN 38

Bun-teacst: *SH*, 2.8.1893.

Am is adhbhar an òrain: Tha ss. 7–8 a' nochdadh gun do rinn Màiri an t-òran seo nuair a chaidh Coimisean a' Mhorair Trevelyan a chur air chois a rannsachadh ceist nam frìthean aig deireadh 1892. Cha tàinig rannsachadh a' Choimisein am follais gu 1895, agus tha e soilleir nach do rinn e idir uiread feum 's a bha Màiri an dùil (Hunter, "The Politics of Highland Land Reform", *Scottish Historical Review*, 53 (1), 63–4).

13 "Bail' Ailein": Dòmhnall MacRath, aon de na fir a b' ainmeile ann an aimhreit an fhearainn. Bha e na fhear-teagaisg ann an Inbhir Nis, is an sin na mhaighstir-sgoile ann an Alanais (*Alness*) far an do chaill e àite

217

airson a phàirt ann an cùisean an fhearainn. Chaidh e do sgoil Bhail'
Ailein ann an Leòdhas, bhon d'fhuair e am far-ainm. Bha mòran aige ri
dhèanamh ri "Creach Mhòr nam Fiadh" ann an 1887. Bha e mu dheireadh
na Rùnaire Rianachaidh aig a' *Highland Land League.* Chuir e seachad
làithean aoise anns a' Phloc (far an do rugadh e) is ann an Glaschu.
Chaochail e ann an 1924.

21 diùlnach: an t-Ollamh Blackie?

23 Dùghall: Dùghall Cowan, a bha na rùnaire ann am Meur Dhùn
Eideann den H.L.L.R.A., a bha mu dheireadh na mheur den *Land League.*

27–8 Faodaidh gur h-e seo an Dotair Ruairidh Dòmhnallach (faic Oran
32), ach chan eil cinnt ann.

29–32 Thàinig am fios bho Ghàidheil Chanada, 's dòcha (*Celt. Mon.*, i,
109).

43 Winans: Faic Oran 20, ss. 87–90 n.

53 an seud: Teàrlach Friseal Mac-an-Tòisich. Faic Oran 6.

39. MAR A BHITHEAS

Nuair bhios an Griogalach sa chill
Is a chuimhne fon fhàd,
Bidh cliù Theàrlaich ga seinn
Anns na glinn leis na bàird.   4

Nuair a thig iad Oidhche Shamhn'
As gach gleann am bi 'n tàmh,
A dhèanamh stapagan is cabhraich
Mar chuimhn' air na bha,   8

Eiridh seann duine liath,
Còrr is ceud, air an làr,
'S innsidh esan dhaibh gu fòill
H-uile dòigh mar a bha: 12

"Tha cuimhn' agam nuair bha mi òg
Mas robh bròg mu mo shàil,
Teàrlach Friseal Mac-an-Tòisich
Cur dòigh dhuinn air màl."   16

Eiridh diùlnach gun chearb,
'S nì e dhearbhadh do chàch,
Gun cual' esan aig a sheanmhair
An dearbh nì mar bha: 20

E tighinn ri cur is cathadh dian
Bha cur sian às an làr,
Gu bhith seasamh air an ceann
'N aghaidh ainneart na gràisg.   24

Caman aig' air chaol da dhùirn,
Leis an dùrachd a b' fheàrr,
'S chuir e tadhal air an sròin,
'S Iain Ord maill' ri càch.   28

Eiridh maighdeann le pròis
Dh'innse stòraidh do chàch,
Gu robh seanair aig a' bhòrd
Leis an òganach bhàn.   32

Their an tè bhios air a' chuibhle,
"Bidh cuimhn' air gu bràth,
Fhad' 's a bhios ceothach air na beanntaibh
Is tuinn air an tràigh."   36

NOTAICHEAN AIR ORAN 39

Bun-teacst: *SH*, 3.8.1893.

Am is adhbhar an òrain: 'S dòcha nach deachaidh an t-òran seo a chur ri chèile ro fhada an dèidh do Mhac-an-Tòisich àite a chall mar Bhall Pàrlamaid Siorramachd Inbhir Nis ann an 1892.

1 an Griogalach: an Dotair Dòmhnall MacGriogair, a bhuannaich mar Bhall Pàrlamaid Siorramachd Inbhir Nis ann an 1892. Thug e suas àite ann an 1895 mar dhearbhadh air cho mì-riaraichte 's a bha e le molaidhean Coimisean nam Frìthean (*Celt. Mon.*, i, 97; J. Hunter "The Politics of Highland Land Reform", *Scottish Historical Review*, 53 (1), 64–65).

28 Iain Ord: Sir John Orde, uachdaran Uibhist a Tuath. Bha aimhreit mhòr a' dol eadar e fhèin is croitearan air an oighreachd aige eadar 1890 is 1895, 's e a' feuchainn ri cuid dhiubh a chur a-mach às na croitean. Rinn Teàrlach Friseal Mac-an-Tòisich agus Alasdair MacCoinnich oidhirp air na beachdan aige atharrachadh; faic *SH*, 30.1.90, 4.7.1895.

40. FAISTNEACHD AGUS BEANNACHD DO NA GAIDHEIL

Hug ò, lathaill ò,
Hug o-ho-rò 'n àill leibh;
Hug ò, lathaill ò,
Seinn o-ho-rò 'n àill leibh.   4

Giùlain beannachd Bliadhn' Uire
Gu gach taobh sa bheil Gàidheil,
Do Ghleann Eilge nam fiùran,
'S gu diùlnaich Chinn t-Sàile.   8

      Do Ghleann Eilge, &c.

'S gu Eilean a' Cheòtha,
'S cha b' e monar dhomh fhàgail.

'S nuair bhios mise sna bòrdaibh,
Bidh mo chòmhradh mar fhàistneachd;   12

'S pillidh gineal na tuatha
Rinneadh fhuadach thar sàile.

'S bidh na baigearan uasal
Air an ruaig mar bha 'àdsan;   16

Fèidh is caoraich gan cuibhleadh,
'S bidh na glinn air an àiteach.

Am cur is àm buana,
'S àm duais dha na meàirlich;   20

'S thèid na tobhtachan fuara
Thogail suas le ar càirdean.

'S nuair a thilleas a' Challainn,
Chìthear sonas 's gach àite;   24

Seiche chruaidh far na faraidh,
'S suinn le camain ga stràcadh;

'S cluinnear faram nan duan,
Dol mun cuairt mar a b' àbhaist;   28

221

Gille glas aig an doras
'S caisean Callainn na làmhan;

Bean a' riarachadh bhannag,
'S i cho geanail mun fhàrdaich;   32

Criathar mòr a' cur thairis,
Làn a dh'aran 's a chàise;

Fear-an-taighe le searraig,
'S gillean Callainn ga tràghadh;   36

'G òl slàinte nan diùlnach
Sheas a' chùlag gar teàrnadh.

'S mura cuir sinne "taigh" i,
Chan e coire nan àrmann —   40

Teàrlach Bàn is an t-Ollamh,
Stuart-Glennie 's MacPhàrlain;

'S mum bi bhliadhna air dùnadh,
Cha bhi chùis mar a tha i.   44

NOTAICHEAN AIR ORAN 40

Bun-teacst: *DO*, 317.

Am is adhbhar an òrain: Chan eil cinnt againn cuin a rinn Màiri an t-òran seo. Gidheadh, tha an t-iomradh a tha i a' dèanamh air an fheadhainn a thàinig gu ìre mar cheannardan an t-sluaigh (ss. 42–3) a' nochdadh nach urrainn dha a bhith mòran nas tràithe na 1882. Aig an aon àm, chan eil i a' bruidhinn mu Bhlàr a' Chumhaing (faic Oran 35), 's mar sin tha e coltach gu bheil e pìos nas anmoiche na 'n Giblinn 1882. Bhiodh àm sam bith eadar 1882 is 1886 iomchaidh gu leòr; bhiodh àm an Taghaidh Phàrlamaid aig deireadh 1885 air leth freagarrach. Faic Oran 32.

30 Faic Oran 37, s. 98.

39 "taigh": Faic am Faclair.

41 Teàrlach Bàn: Teàrlach Friseal Mac-an-Tòisich. Faic Oran 6.

an t-Ollamh: Iain Stiùbhart Blackie. Faic Oran 11, ss. 167–8 n.

42 Stuart-Glennie: fear-lagha ann an Lunnainn a bha glè eudmhor air taobh nan croitearan. Bha e na bhall den *Highland Land Law Reform Association*.

MacPhàrlain: Faic Oran 32, s. 2 n.

FUINN NAN ORAN

Bha na h-òrain aig Màiri air an stèidheachadh air fuinn a bha cumanta anns an naoidheamh linn deug, agus tha cuid mhath de na fuinn cumanta anns an latha an-diugh. Tha feadhainn air an clàradh aig a' Bh.B.C. Chan eil iad uile sgrìobhte, ged tha. Anns an liosta a leanas, gheibhear iomradh air na fuinn a tha air an sgrìobhadh, agus cuideachd tarraing air na fuinn sin a tha air an clàradh aig a' Bh.B.C. Nuair nach eil lorg agam air an fhonn, tha mi a' toirt ciad-shreath no ainm an òrain bhunaitich, agus iomradh air an leabhar anns am faighear e, mar as trice O (*An t-Oranaiche*) agus SO (*Sàr Obair*).

1. Tha a' mheadaireachd seo cumanta, 's chan eil cinnt dè am fonn a bh' air chùl an òrain.
2. Faic 1.
3. "Och-òin, a Rìgh, 's gura mi tha muladach": *O*, 410. Tha an t-òran bunaiteach air a chlàradh aig a' Bh.B.C.
4. Faic 1. Ach tha seo glè dhluth air meadaireachd an òrain, "An gille dubh cha trèig mi". Cf. Oran 27.
5. "Och! och! mar tha mi 's mi seo nam ònar": *O*, 101. Airson an fhuinn, faic *A' Chòisir Chiùil*, 10.
6. "Mur bhith an crodh cha ghabhainn thu". An aon ruith ri "Mo nìghneag bhòidheach Uibhisteach": faic *Orain a' Mhòid*, 17: 11.
7. An aon mheadaireachd ri "O shaorainn, shaorainn, shaorainn i": *SO*, 436. Chan eil am fonn sgrìobhte.
8. An aon mheadaireachd ri Oran 9.
9. "Alasdair à Gleanna Garadh": faic Ó Baoill, *Bàrdachd Shìlis na Ceapaich*, 240.
10. An aon fhonn ris an òran Ghallda, "Wooed and married an' a'". Chaidh am fonn seo a chur an clò ann an cruinneachaidhean fa leth ann am meadhan na h-ochdamh linn deug, agus cuideachd anns a' chruinneachadh aig Dàibhidh Herd, *Ancient and Modern Scots Songs and Heroic Ballads*, a chaidh a chlòbhualadh ann an 1776: faic Herd, 115–17. Bha e cumanta ann an cruinneachaidhean a rinneadh anns an naoidheamh linn deug: faic Gleadhill, *Kyle's Scottish Lyric Gems*, 330.
11. Airson càradh cumanta an fhuinn seo, faic *A' Chòisir Chiùil*, 35. Tha an t-òran seo agus 12 is 13 air an clàradh aig a' Bh.B.C.
12. Airson càradh cumanta an fhuinn seo, faic *Orain Aon-neach*, 24 (Mòd 1971): 12.
13. Faic *Songs for Choral Competition* (1953), 22; MacLaren's

Hebrides Collection of Gaelic Songs, 12 (1932). Tha an t-òran seo air a stèidheachadh air "Oran Fear Ghrìminis": faic Matheson, *The Songs of John MacCodrum*, 340. Bha an t-òran sin fhèin air a stèidheachadh air "Coire Cheathaich" Dhonnchaidh Bhàin.

14. An aon mheadaireachd ri Oran 26.
15. Faic *Orain na Cloinne* (1972), 3.
16. Faic Ó Lochlainn, *Deoch-slàinte nan Gillean*, 44.
17. "Hi hù, o hò, nam b' àill leibh e": *O*, 83.
18. An aon mheadaireachd ri Oran 13.
19. "Och nan och is och mo leòn". An aon ruith ri "Duanag an t-Seòladair" ann am MacLeòid, *Clàrsach an Doire*, 28: faic *Còisirean Oigridh* (Luchd-labhairt fileanta, 1976), 6.
20. "A Soldier of the Legion".
21. "'S i nighean mo ghaoil mo nighean donn, òg": faic Shaw, *Folksongs and Folklore*, 280.
22. "Olaidh sinn deoch-slàint' an oighre": *O*, 62, air fonn "Slàn gun till na Gàidheil ghasda".
23. "Thug mi gaol don fhear bhàn": *Còisir a' Mhòid*, 1: 26.
24. An aon mheadaireachd ri "Lìon a-mach gu bàrr a' chuach", ann am MacLeòid, *Clàrsach an Doire*, 99, air fonn "Gur tu mo rùn nam faighinn thu".
25. "Seo deoch-slàint' a' chùbair".
26. "Chunna mi 'n damh donn 's na h-èildean": faic *Orain nam Beann*, 50, agus *Orain a' Mhòid*, 2: 32.
27. An aon mheadaireachd ri "An Gille Dubh cha trèig mi": *O*, 168: faic *Orain Aon-Neach*, 14 (1961): 1.
28. "Fàilte dhut is slàinte leat": *O*, 201: faic *A' Chòisir Chiùil*, 61.
29. An aon fhonn ri Oran 28.
30. "Ho-rò, gur laghach na mnathan".
31. An aon mheadaireachd ri Oran 26.
32. An aon ruith ri "Tha duin' òg is seann duin' agam": faic *An Laoidheadair*, 118.
33. Tha a' mheadaireachd seo cumanta; gheibhear i ann am "Màiri Bhaile-Chrò": faic MacLeòid, *Clàrsach an Doire*, 16. Chan eil cinnt dè am fonn a tha ris an òran aig Màiri.
34. An aon mheadaireachd ri "Brathainn nan steud": *O*, 105. Chaidh an dàn seo fhoillseachadh ann an *Orain a' Mhòid*, 2: 32, ach 's ann airson aithris a bha e.
35. "Bruthaichean Ghlinn' Braoin": faic *Orain nam Beann*, 46. Tha an t-òran aig Màiri air a chlàradh aig a' Bh.B.C., 's e air a ghabhail le Art MacCarmaig agus Ceana Chaimbeul.
36. "'S e mo laochan an t-each odhar": *O*, 158: faic Shaw, *Folksongs and Folklore*, 122.
37. "Soraidh leis a' bhreacan ùr". Tha an t-òran aig Màiri, air a

ghabhail le Ceana Chaimbeul, air a chlàradh aig a' Bh.B.C.
38, 39. An aon fhonn ri Oran 23.

40. "Moch sa mhadainn 's mi dùsgadh": *O*, 102: faic *Còisirean Oigridh* (1964), 10.

ORAIN AGUS RANNAN EILE

A bharrachd air na h-òrain anns an leabhar seo tha na h-òrain agus na rannan a leanas rin lorg ann an àiteannan eile. Gheibhear ainm an leabhair no ainm na h-iris far am faighear iad os cionn gach colbh agus tha a' bhliadhna san do rinn Màiri na dàin – ma ghabhas sin lorg – agus fiosrachadh freagarrach eile a' leantainn ainm gach dàin. Tha ainmean nan dàn ann an òrdugh na h-aibideil.

Orain a tha ann an DO

"A Dhòmhnallaich urramaich", 274. Ann an *H*, 29.8.1874. Do Iain Dòmhnallach, aon de oifigich Caisteal Steòrnabhaigh nuair a bha daoine a' cur às a leth gur h-esan a rinn "Ceatharnaich Bheàrnaraigh" (Oran 7 anns an leabhar seo).

"Am Buideal", 52. 'S dòcha gu bheil seo nas tràithe na 1882. Mu dhròbhair, fear MacMhathain, a bha math air òl!

"Am measg nan Gall", 293. Ro 1882, nuair a bha Màiri ann an Grianaig. Oran cianalais.

"An Gleann san robh mi òg", 88. Freagairt don òran aig Niall MacLeòid, a nochd an toiseach mu 1877.

"An nighean dubh ghuanach", 307. 'S dòcha gun deachaidh a dhèanamh uaireigin mu 1890. Don "tè a b' òige de theaghlach 'Viewfield'".

"Bealach na Bèiste", 255. 1878. Cuairt a ghabh Màiri 's an teaghlach don Chuilthionn.

"Buain na feamainn", 291. Ro 1882, nuair a bha Màiri ann an Grianaig. Oran luaidh.

"Camanachd Ghrianaig", 187. 1877. Mu ghèam camanachd eadar buidheann à Glaschu 's buidheann à Grianaig a chumadh ann an Grianaig air latha na seann Bhliadhn' Uire. Air an aon mheadaireachd ri Oran 16.

"Caoidh nam Ban Gàidhealach", 77. 1881, nuair a bha fathann ann "gun rachadh an deise bhreacain a thoirt bho na saighdearan

Gàidhealach".

"Coinne nan Gàidheal", 289. 1875. A' cumail cuimhne air coinneamh ann an Glaschu aig toiseach na bliadhna sin, aig an robh Blackie a' bruidhinn 's a' brosnachadh Màiri.

"Còmhradh nan Cnoc", 200. Mu 1874. Oran anns a bheil Mairi a' deasbad na h-aimhreit 's nam beachdan ùra anns an Eaglais Shaoir. Air a chlò-bhualadh na leabhran ann an 1887.

"Comunn Chlann Dòmhnaill", 168. Ann an *SH*, 5.2.1891. Oran molaidh a chaidh a dhèanamh airson coinneamh de Chloinn Dòmhnaill ann an Glaschu aig toiseach na bliadhna sin.

"Conaltradh eadar dithis no triùir a ghillean Chille Mhoire", 160. Rinneadh an t-òran mun àm san do dhealaich Caiptin Friseal ri oighreachd Chille-mhoire.

"Cumha Nèill MhicDhomhnaill, Fear Dhùn-athach", 270. 1881. B' e seo bràthair Lachlainn MhicDhòmhnaill, Fear Sgèabost, aig an robh fearann Dhùn-athach, taobh a-muigh an Obain. Chaochail e aig muir 's e air turas do Chalcutta air 23.11.1881 (*OT*, 2.12.1881, 10.12.1881).

"Cungaidh-leighis Bean Nèill", 115. Chan eil cinnt cuin a rinn Màiri seo. Oran aighearach mu fhear a bha ri òl.

"Deoch-slàinte Càirdean na Gàidhlig", 165. 1877. Oran molaidh don fheadhainn a bha a' tagradh àite don Ghàidhlig anns na sgoiltean.

"Deoch-slàinte Chluainidh", 257. Mu 1874.

"Deoch-slàinte na Càraid Oig", 311. 1880, "nuair a phòs Mr Bhaltair MacCoinnich aon de nightanan teaghlach 'Viewfield'".

"Deoch-slàinte Sheumais Ruaidh", 162. Chan eil cinnt cuin a rinn Màiri seo. Mu aon da càirdean a fhuair seachad air droch thinneas. Oran aighearach.

"Deoch-slàinte Theàrlaich", 145. 1885, nuair a bha Teàrlach Friseal Mac-an-Tòisich a' deasachadh airson Taghadh Pàrlamaid na bliadhna sin.

"Duilleag gu Dòmhnall Stiùbhart, am marsanta ann am Port Rìgh",

304. An dèidh 1882, 's dòcha.

"Faighe na Clòimhe", 70. Mu 1878, 's dòcha nuair a thòisich Màiri air clòimh a thrusadh a dhèanamh deise do Theàrlach Friseal Mac-an-Tòisich.

"Facal Cronachaidh do dhuine a rinn tàir air Mr Alasdair Dòmhnallach", 276. Chan eil cinnt cuin a rinn Màiri seo.

"Fear Dhùn Tuilm agus a chuideachd", 179. Chan eil cinnt cuin a rinn Màiri seo, ach 's dòcha gu bheil e nas anmoiche na 1882.

"Fleadhachas na Bliadhn' Uire ann an Sgèabost", 103. 1890.

"Fraoch, Neòinean agus Sòbhrach", 35. Air a dhèanamh ro 1882; faodaidh gun deachaidh a dhèanamh ro 1876.

"Gàidheil Bharraigh", 85. Ann an *SH*, 12.6.1890, ged a dh'fhaodas e a bhith nas tràithe na sin. A' cumail cuimhne air cuairt a ghabh Màiri do Bharraigh.

"Ged tha mi leam fhèin", 243. Bhon a tha an t-òran seo mun tàmailt a dh'fhuiling Mairi, faodaidh gu bheil e gu math tràth, abair mu 1873, ach chan eil cinnt againn.

"Gur muladach tha mi", 68. Ro 1882, 's faodaidh gu bheil e nas tràithe na 1876, nuair a bha Màiri ann an Glaschu. Oran cianalais.

"Iargain na bha", 295. Mu 1877. Oran cianalais a tha cuideachd a' toirt iomradh air cuairt a ghabh Màiri do Mhògastad.

"Làithean m' òige", 264. Mu 1875. Oran cianalais an riochd còmhraidh eadar Màiri is banacharaid dhi.

"Litir bho Dhòmhnall Dòmhnallach, cìobair ann an Scalpaigh bho mhnaoi agus i ann am Port Rìgh a' freasdal da nighinn..." 118. Chan eil cinnt cuin a rinn Màiri seo, ach 's dòcha gu bheil e nas anmoiche na 1882.

"Marbhrann do Mhàiri NicEalair", 313. Ann an *SH*, 30.10.1890.

"Marbhrann do Mrs MacDonald, 'Viewfield'" 65. 'S dòcha mu 1890. B' i Mrs MacDonald seanmhair a' Chòirneil Seoc Dòmhnallach (nach maireann).

"Mòrag Anndra", 99. Mu 1875. Dh'fhuiling Mòrag Anndra tàmailt a bha, a rèir na tha i ag ràdh, gu math coltach ris an tàmailt a dh'fhuiling Màiri fhèin.

"Oighre Chluainidh, nuair a chaidh a leònadh ann an Ashantee", 262. Mu 1874.

"Oran Aonghais Dhuibh an Dròbhair", 95. Chan eil cinnt cuin a rinn Màiri seo.

"Oran air luing dom b' ainm "Dùn Bhuirbh", 54. Ro 1882, agus 's dòcha ro 1876, nuair a bha Màiri a' fuireach ann an Glaschu. Mu bhàta Fhir Liandail.

"Oran an Uisge-bheatha", 232. Mu 1875. Oran an aghaidh na dibhe. Tha rannan mun Urramach Ruairidh MacLeòid air an cur ris.

"Oran do Alice NicDhòmhnaill", 315. Ann an *SH* 9.4.1891. Bha Alice NicDhòmhnaill, mar Mhàiri fhèin, na banabhàrd aig Comunn Chlann Dòmhnaill.

"Oran do Lina Ros", 222. Chan eil cinnt cuin a rinn Màiri seo, ach faodaidh gu bheil e nas anmoiche na 1882.

"Oran do Theàrlach Friseal Mac-an-Tòisich", 134. Ann an *IA*, 21.2.1874. Rinn Màiri seo nuair a bha Mac-an-Tòisich a' seasamh airson Bailtean Inbhir Nis. Faic Oran 6.

"Oran Leannanachd", 282. Chan eil cinnt cuin a rinn Màiri seo.

"Oran Loch Iall", 267. Ann an *H*, 8.8.1874. Oran an aghaidh beachdan Loch Iall (ceann-feadhna nan Camshronach) mu na frìthean.

"Pòsadh Nighean Chluainidh", 298. Chan eil cinnt cuin a rinn Màiri seo.

"Rann[an] Callainn", 43, 102. Chan eil cinnt cuin a rinn Màiri na rannan seo.

"Rannan Dealachaidh", 211. Chan eil cinnt cuin a rinn Màiri seo. Mu mhisionaraidh a bha a' dol a sheòladh do dh'Africa a Deas.

"Soraidh gu Eilean a' Cheò", 246.

"Soraidh leis a' bhàta luath", 27. 1882. Mu bhàta a fhuair teaghlach Ois.

"Soraidh slàn, a Theàrlaich leat", 140. 1876. Oran a' moladh Mhican-Tòisich, gu h-àraid airson obair às leth na Gàidhlig.

"Teaghlach rùnach Allt-a'-Mhuilinn", 249. Ann an *SH*, 31.7.1890.

"Tuireadh air Cluainidh Mac-a'-Phearsain", 158. 1885. Ann an *CM*, 10: 417.

"Turas don Eilean Sgiathanach", 217. Mu 1875.

Orain is rannan a tha ann an G

"Ho rì 's mòr mo luaidh ort", àir. 52 (Foghar 1965), 321. Do Lecsa NicRath a bha a' gleidheil taighe do Stiùbhartach Sharstal. Tha an t-Urr. Tormod Dòmhnallach, a thug an t-òran seo 's an ath fhear am follais, ag ràdh gun deachaidh an cur ri chèile eadar 1888 is 1889.

"Ho rù ro mar dh'fhàg mi", *ibid.*, 318–9. Mu chuairt a ghabh Màiri gu Stamhain.

"Mo bheannachd dùbailt aig Dòmhnall Stiùbhart", àir. 114 (Earrach 1981), 123. Rann a rinn Màiri don mharsanta ann am Port Rìgh, 's i a' gearan gu robh na gùin aice cho daor. Fhuair Calum MacLeòid à Ratharsair an rann seo bho Bhanntrach Aonghais MhicAonghais, a bha a' frithealadh air Màiri air leabaidh a bàis.

Orain a tha ann an H

"Brosnachadh nan Gàidheal, 's binn air na brathadairean", 27.11.1875.

"Freagairt gu 'Cabar Fèidh'", 10.7.1875. Chuir "Cabar Fèidh" litir gu *H*, 29.5.1875, a' gearan nach robh ministearan Gàidhealach anns an Arm.

Orain a tha ann an NC

"Lament for Mrs Alex. MacDonald, National Bank House,

Portree", 9.6.1897. Chaochail am boireannach seo air 28.4.1897.

Orain a tha ann an SH

"Mar a bha", 3.8.1893.

"Oran do theaghlach Sgèabost", 10.1.1895.

"Oran do Theàrlach Friseal Mac-an-Tòisich, agus do Shir Uilleam MacIonmhainn", 7.1.1897.

Rannan do Lachlann Mitchell, 19.6.1890

Orain a tha ann an TGSI

"Oran don Chomunn Ghàidhlig", àir. 20, 8–9. 1894.

FACLAIR

b. = boireann   f. = fireann
buadh. = buadhair   gnìomh. = gnìomhair

acaid, b., pian, faireachdainn ghoirt (**35**: 79)

acarachd, b., an dòigh anns a bheil an lagh ag obrachadh (**28**: 13)

a-pluim, facal Sgiathanach a' ciallachadh "gun dàil sam bith" (**27**: 45)

bannag, b., bonnach Nollaige (**37**: 96)

barraghloir, b., bruidhinn nach gabh tuigsinn, a chionn 's nach eil mòran tùir innte (t.d. 38)

barrasglaich, b., bruidhinn uaibhreach, phròiseil (**20**: 19, 25)

biùthaiste, f., cliù; ach anns an t-sreath seo, duais aig deireadh rèise, is coltach (**31**: 43)

blaomadh, f., bruidhinn gun seagh a tha ag èirigh à cridhealas; bruidhinn mhì-fhreagarrach (t.d. 47, 51)

bleadraich, b., bruidhinn gun tùr, *blether* (t.d. 38)

bonnach luirg, f., bonnach a bhatar a' toirt mar dhuais do neach sam bith a lorgadh beothach a bha air chall no air ùr bhreith (**23**: 71)

bota, f., boglach, talamh a tha bog le uisge (**13**: 23)

brìg, b., tòrr de rud sam bith, mar bhuntàta (**11**: 85)

caimheineach, f., breac beag (**37**: 71)

cainnteag, b., connlach air a fighe ann am pleataichean airson bagaichean a dhèanamh (**11**: 83)

ceann-sglèata, f., mullach taighe air a dhèanamh le sglèatan (*slates*) (t.d. 38)

ciùranach, buadh., fliuch, air a fhliuchadh le deòir (**20**: 109)

cneadach, buadh., le osnaich (**20**: 109)

Coicheangal (An), f., an cùmhnant a rinneadh anns an t-seachdamh linn deug gus a' Chlèireachd a dhìon ann an Albainn (**4**: 61–4 n.)

còmhlaich, gnìomh., coinnich (**17**: 17)

conn, f., smachd, ùghdarras (**3**: 27)

còrcachail, buadh., air a dheanamh air còrcach, *hemp*, mar a tha ròpa (**34**: 33)

crainndidh, buadh., droch-nàdarach (**33**: 67)

crios-fèilidh, f., pìos leathair a bha air a chleachdadh mar bhann air fèileadh (**23**: 75)

cuigealach nam màg, f., seòrsa de luibh, an dàrna cuid an *early orchis* no an *great reed mace* (**37**: 75)

cùlag, b., facal bhon iomain, a' ciallachadh buille shònraichte leis a' chaman (**40**: 38)

dèiseag, b., buille leis an làimh (**20**: 7)

diongmhalta, buadh., làidir, cinnteach (**32**: 24)

dòibheartach, buadh., co-cheangailte ri droch ghnìomh, olc (**34**: 39)

dreòdag, b., drama, deoch làidir; mar as trice, *streòdag* (**21**: 58)

droineag, b., poca beag de mhin (faic MacDonald, *Gaelic Words from South Uist*, s.v. *dronnag*) (**37**: 95)

druaip, b., a' ghainmheach shalach a tha am bonn dibhe no tobair; faic *grunnas* (**34**: 31; **37**: 32)

233

earraid, f., oifigear aig a bheil cumhachd an lagha gu bhith a' cur neach an sàs, *warrant officer* (**34:** 12)

fallaid, b., min-fhlùir leis am bithear a' fuine (**27:** 56)

faochag, b., iasg-sligeach a gheibhear eadar sgoran nan creag (**20:** 103, 105)

fòirneadh, f., fodar, feur airson beothaichean a bhiathadh (**26:** 29)

fòtusach, buadh., grod, breun (**34:** 42)

frachd, f., bathair ann am bàta; bhon Bheurla Ghallda *freight* (**24:** 17)

fraigh-shnighe, b., boinneagan uisge a tha a' sruthadh tro bhalla no tro chreig (**12:** 42)

fuaidearnach, buadh., ma dh'fhaodte co-ionnan ri *fuadarach*, luath, ann an cabhaig (**34:** 18)

fuaidne, b., **fuaidnean**, iolra, pinneachan a tha a' cumail an dlùth (*warp*) air a' chlèith; ann an seo, na puingean sònraichte a tha ag adhbharachadh gu bheil nàdar Màiri mar a tha e (**2:** 16)

fùidse, f., rud a bheir dùbhlan do, no a sheasas an aghaidh, nì sam bith eile (**21:** 68)

furbaidh, f., duine aimhreiteach, mì-rianail (**2:** 88)

gairbhinn, b., stoirm, siantan garbha (**25:** 34)

geur-chainnt, b., cainnt a tha geur, le facail a tha air uairean sgaiteach (t.d. 38)

giùig, b., crìonadh, croit no cromadh a tha a' tighinn air neach, 's a tha air adhbharachadh le fuachd na sìde (**37:** 3)

glòramas, f., bruidhinn mhòr anns nach eil mòran seagh (t.d. 34)

glutadh, f., pacadh, gu h-àraid an seòrsa pacaidh (gaineamh is clachan beaga) a bhiodhte a' cur am broinn a' bhalla, eadar an dà shreath chlach, nuair a bhiodhte a' togail taighe (t.d. 38)

grèib, buadh., ma dh'fhaodte "sgorrach, corrach"; faodaidh gu bheil am facal càirdeach do *grìob* (Dwelly, s.v.) (**34:** 34)

greòd, f., buidheann, grunnan (**37:** 72)

grunnas, b., a' ghainmheach mhì-bhlasda a tha ann an grunnd dibhe no uisge sam bith (**34:** 31)

iùnnas, f., ionmhas, pailteas airgid (**9:** 37)

laoisg, b., buidheann de dhroch dhaoine, gràisg (**33:** 29)

lèidig, gnìomh., facal Sgiathanach a' ciallachadh "sgeadaich (le aodach no rud eile)"; tha tomhas de dh'fhealla-dhà ann, oir bidh croitearan Sgiathanach a' "lèidigeadh" bodach-ròcais, nuair a bhios iad a' cur aodach annasach air; *gad lèidigeadh*, gad sgeadachadh gu h-annasach (**6:** 44)

lògar, f., seòrsa de chuilc (**12:** 38)

màraisgeach, f., duine reamhar, trom (**31:** 39)

meachainn, f., tròcair (**33:** 51)

mì-dhealbhach, buadh., gun chruth bòidheach (t.d. 36)

molltair, f., sìol a bha ri bhleith (**24:** 12)

monar, f., rud faoin. Tha Màiri a' ciallachadh nach robh e idir furasda dhi an t-eilean fhàgail (**40:** 10)

òpar, f., baraille mòr anns am biodhte a' gleidheil sìol; bhon Bheurla *hopper* (**24:** 12)

plataichean, iolra, plaideachan air an dèanamh à connlaich no luachair (**11:** 84)

poit-ghuirmein, b., poit anns am biodhte a' cur *guirmean*, 's e sin stuth-dathaidh gorm (**29:** 46; **33:** 117)

prìob, b., airgead a tha air a thabhann gu cealgach airson rudeigin a chur an gnìomh; bhon Bheurla *bribe* (**34:** 39)

racaid, b., buille chruaidh (**33:** 125)

rachd, f., bròn, mulad (faic Dwelly, s.v. *reachd*) (**35:** 80)

ràp, f., cruth giorraichte, ma dh'fhaodte, air *ràpair* (faic Dwelly s.v.), fear gun fheum, trusdair (**34:** 24)

ròic, b., cuirm mhòr (**37:** 82)

ròl, facal Sgiathanach a' ciallachadh "fuaim leantaileach" (**37:** 90)

ròlaisteach, buadh., air innse an leithid de dhòigh 's gu bheil an fhìrinn air a fiaradh no air a sgeadachadh le bòidhchead nach buin dhi (t.d. 36, 45)

ruagarnach, buadh., ma dh'fhaodte, a' ciallachadh "buailteach a bhith a' cur na ruaige air daoine eile" (**34:** 24)

ruighich, iolra, glasan-làimhe, *handcuffs* (**35:** 19)

sacaich, gnìomh., cuir uallach, no rud anns a bheil cudthrom mòr, air neach (**15:** 72)

sadraich, gnìomh., bualadh (**25:** 47)

sgaiream, f., bruidhinn gun stàth (**21:** 41)

sgìom, f., ola shalach a bhios a' tàthadh ri uisge no craiceann, *scum* (**5:** 18)

sìochaire, f., duine gun fheum, troich grànda (**34:** iomradh-toisich)

sìorrachd, b., cianalas, ionndrainn airson làithean, àiteannan, is dhaoine o shean; co-ionnan ann am freumh ris a' Chuimris *hiraeth* (t.d. 21)

siosacot, f., peiteag no seacaid ghoirid, *waistcoat* (**16:** 41)

snòd, f., ròinneagan air an toinneamh 's air an ceangal ris an dubhan, seòrsa de mhadhair (ite iasgaich) (**37:** 71)

soideanach, f., duine reamhar sunndach (**38:** 25)

spàrag, b., bruidhinn bhòsdail (**31:** 48)

spàragaich, gnìomh., dèan bòsd, cuir do chliù fhèin am meud (t.d. 34)

stràcan, f., facal Sgiathanach a' ciallachadh "turas, cuairt" (**12:** 20)

stràic, b., pròis, uabhar (**20:** 18)

strìoch, b., preas no clais anns a' chraiceann (**14:** 15)

taigh, f., tadhal (*goal*) ann an camanachd (**16:** 45, **40:** 39)

taod-frithir, f., ròpa a bhiodh aig frithear, 's e sin duine a bhiodh ag obair ann am frìth (?) (**34:** iomradh-toisich)

tàrmagan, f. (mar as trice **tàrmachan**), eun (*ptarmigan*) a geibhear anns na monaidhean; bidh e ag atharrachadh a dhath (gu geal) anns a' gheamhradh (**3:** 7)

treibhdhireas, f., dìlseachd do na daoine 's don tìr bhon tàinig neach (t.d. 47)

treubhantas, f., gaisge, neart a tha air a nochdadh ann am blàr no ann an deuchainn air choreigin (t.d. 51)

troidht, b., pìos de dh'aodach; seann bhròg (**23:** 74)

tuaicheal, f., troimhe-chèile no breisleach ann an ceann ainmhidh, tuainealaich (**2:** 54)

tur, (?) uile gu lèir (**34:** 42)

turadh, f., (?) ionnsaigh nach eil dùil rithe (**9:** 51)

ùinich, b., strì, spàirn (**25:** 31)

uirgheall, b., bruidhinn, còmhradh (**21:** 17)

ùspairt, b., strì no spàirn anns an uisge, le làmhan no casan, no cuibhlichean bàta (**13:** 51)

CLAR DHAOINE

Tha na daoine a leanas air an ainmeachadh anns a' chunntas aig toiseach an leabhair, anns na h-òrain agus anns na notaichean.

Tha àireamhan nan òran ann an **clò trom**, agus àireamh nan sreath gan leantainn ann an clò àbhaisteach.

n = nota air sreath(an)
nn = na h-earrainnean mìneachaidh aig toiseach gach òrain

MacCoinnich, Alasdair ("Clach na Cùdainn") **20:** 53–64, 57 n; **21:** 5 n, 11 n; **31:** 15 n, 25, 48, 51 n; **38:** 17 n
    Sir Coinneach **32:** 7–8 n
    Eachann Og **31:** 14 n, 30
    Iain **20:** 43 n
    an t-Urr. Lachlann **28:** 56 n, 64–7 n
    an Lighiche Iain ("Eileanach") t.d. 26; **1:** 141 n
MacColla, an t-Urr. Alasdair **28:** 40 n, 63
MacCuinn, an t-Urr. Iain **28:** 42 n
MacDhòmhnaill Faic Dòmhnallach
MacFhionghain, an t-Urr. Dòmhnall **34:** nn
MacFhionnlaigh, Alasdair **35:** 15 n
    Calum **35:** 15 n
MacGriogair, an t-Urr. Alasdair **18:** nn
MacGriogair, Dòmhnall **39:** 1 n
MacIlleathain, Iain (Bàrd Bhaile Mhàrtainn) **15:** nn
    à Beàrnasdail **16:** nn
MacIllinnein, Ailidh **21:** 53
MacIllinnein, Cailean **7:** nn
MacLeòid, Alasdair ("An Dotair Bàn") **12:** 95–6 n; **26:** 14 n; **36:** 2
    Caiptin (à Geasto) **22:** nn
    Niall t.d. 34, 36
    an t-Urr. Ruairidh t.d. 21; **5:** 45 n; **11:** 29–40 n; **12:** 120 n; **29:** 12–19 n
MacLeòid Dhùn Bheagain **29:** 32 n
MacMhathain, Aonghas **7:** 41 n
    Lachlann t.d. 29
    Sir Seumas **7:** nn, 38
MacMhuirich, Iain (John Murdoch) t.d. 26, 40, 41; **1:** 64 n, 67; **2:** 85 n; **8:** nn; **10:** nn, 53 n; **27:** nn
    Iain (Martai Ghleann Dail) **29:** nn; **33:** 83–4 n; **35:** 71 n
Mac-na-Ceàrda, Gilleasbaig **25:** 57 n
MacNeacail, an t-Urr. Alasdair **19:** 39 n
    Aonghas **8:** 9 n
    Dòmhnall **35:** 15 n
    Pàdraig **36:** 9 n
    Seumas **35:** 15 n
    Tormod **14:** 37 n
MacNìomhain, Gilleasbaig **23:** 5 n
MacPhàrlain, A. **29:** 34 n
    Dòmhnall Horne **32:** nn, 2 n; **40:** 42
MacRaibeart, **33:** 67 n
MacRàilt, Dòmhnall **17:** 41–56 n
MacRath, Calum **31:** 18 n
    Dòmhnall ("Bail'-Ailein") **21:** 14 n; **38:** 13 n
    (à Bhalaidh) **1:** 129 n
    Fearchar **8:** 105 n; **31:** nn, 65–7 n
    Murchadh **20:** 87–90 n
MacUisdein Faic Friseal, Caiptin Uilleam
Màrtainn, an t-Urr. Aonghas **19:** 37 n
    Lachlann **19:** 43–4 n

CIAD SHREATHAN NAN ORAN